Honoré de Balzac

Eugénie Grandet

Édition présentée, établie et annotée
par Jacques Noiray
Professeur émérite à l'Université de Paris-Sorbonne

Biographie de Balzac par Samuel S. de Sacy

Gallimard

PRÉFACE

*Il en va d'*Eugénie Grandet *comme de ces tableaux trop souvent vus, de ces morceaux de musique trop entendus, de ces poèmes trop ressassés : la répétition émousse la perception, l'attention lassée se détourne de ces objets trop célébrés, et la notoriété tient lieu d'excuse pour négliger de grandes œuvres que recouvre peu à peu la patine de l'habitude. À ce roman jugé trop typique, représentatif du Balzac « standard », Julien Gracq déclare préférer des œuvres plus « déviantes » comme* Les Chouans, Le Lys dans la vallée *ou* Béatrix[1]. *Gide va plus loin, proclamant sa « consternation » à la relecture d'un texte qu'il avait « dévoré » à seize ans, et qui ne lui semble plus « mériter du tout la faveur insigne qu'on lui accorde[2] ». Ce roman a souffert aussi d'avoir été considéré trop vite, dès sa sortie, comme une « charmante histoire », une « touchante peinture domestique » (Sainte-Beuve), salué par les*

---

1. *En lisant en écrivant*, José Corti, p. 22.
2. *Journal*, 22 mars 1931 (Gallimard, « Bibliothèque de la Pléiade », t. II, p. 267).

belles amies de l'auteur en un concert d'exclama-
tions admiratives et banales, que résume cet éloge
de Marceline Desbordes-Valmore : « *Votre* Eugénie
Grandet *serre le cœur en clouant les yeux sur les*
pages [1] ». *De là une réputation tenace de roman*
sentimental, trop sage, trop fade, trop convenu, de
« *roman pour jeunes filles* », *propre à décourager*
le lecteur moderne. Chef-d'œuvre sans doute, mais
petit chef-d'œuvre. Balzac lui-même s'est irrité que
*ses ennemis fassent hypocritement l'éloge d'*Eugénie
Grandet *pour mieux* « *assassiner* » *ses autres*
romans [2]. *Pourtant, sous le vernis des apparences,*
au-delà des louanges faciles, des jugements hâtifs et
des idées reçues, il est possible à un lecteur attentif
de découvrir dans Eugénie Grandet *un autre*
roman, et de retrouver intact ce qui donne à cette
œuvre son originalité et sa force.

« L'existence étroite de la province »

Lorsque Eugénie Grandet *paraît en décembre 1833*
au tome V des Études de mœurs au XIXᵉ siècle
publiées par la veuve Béchet, le roman constitue le
premier des quatre volumes des Scènes de la vie
de province. *Balzac, qui avait situé en Touraine*
plusieurs récits figurant dans le volume suivant,
*publié en même temps que le tome V (*La Grenadière,

---

1. Lettre à Balzac, 12 février 1834 (Balzac, *Correspondance*, Gallimard, « Bibliothèque de la Pléiade », t. I, p. 935).
2. « *Eugénie Grandet* avec laquelle on a assassiné tant de choses de moi » (lettre à Mme Hanska, 10 février 1838).

Les Célibataires, L'Illustre Gaudissart), *a cherché sans doute à varier le cadre géographique de ces scènes provinciales. Il a choisi pour* Eugénie Grandet *la province voisine, l'Anjou, et la ville de Saumur, qu'il connaissait fort peu. On n'est même pas sûr qu'il l'ait jamais visitée. C'est pourquoi, sous le masque angevin, c'est bien de Touraine qu'il s'agit encore. Les érudits balzaciens se sont plu à relever tous les indices qui montrent que le romancier, lorsqu'il parle de Saumur, a plutôt en tête sa ville natale de Tours et les paysages avoisinants : tel ce lapsus, relevé par Pierre-Georges Castex, qui lui fait évoquer, dans le manuscrit, le « beau soleil des automnes de Touraine » avant de corriger, dans le texte imprimé, en « beau soleil des automnes naturels aux rives de la Loire » (p. 121).*

Peu importe, après tout. L'essentiel, c'est que Saumur représente pour Balzac, comme Alençon dans Le Cabinet des Antiques, *comme Sancerre dans* La Muse du département, *comme Issoudun dans* La Rabouilleuse, *la quintessence de la petite ville de province. Elle en a tous les caractères : ancienneté, étroitesse, froideur, mesquinerie, mais aussi pittoresque et « naïve simplicité » des mœurs. C'est la figuration d'une idée, plutôt qu'une représentation faite sur nature. Avec son paysage typique, ses remparts et son château, ses rues tranquilles aux rares passants, ses visages furtifs qui guettent aux fenêtres, ses maisons séculaires, « impénétrables, noires et silencieuses », elle relève d'un modèle général plutôt que d'une réalité inscrite dans un lieu déterminé. L'exposé introducteur des premières pages, entièrement au présent, montre que nous entrons dans une temporalité indéfinie, immobile et répétitive, qui est pour le romancier le propre de la province. La « mélancolie » qui s'en dégage est un caractère général (un « principe », écrit Balzac p. 268) de toute vie provinciale avant d'être le trait spécifique de l'existence d'Eugénie. C'est seulement quand nous nous approchons des personnages que la description se précise et que nous entrons dans une représentation particulière.*

Les personnages, peu nombreux, sont tous étroitement liés à leur cadre provincial. Le premier à paraître est « M. Grandet » (son prénom de Félix n'est cité qu'une seule fois dans le roman, p. 218). Le propre de la province étant que l'« on y vit en public », Grandet est d'abord présenté en focalisation externe, et défini par le regard que ses concitoyens portent sur lui, par les commérages dont il est l'objet, par la réputation dont il jouit à Saumur, inexplicable pour « les personnes qui n'ont point, peu ou prou, vécu en province » (p. 57). Sa physionomie, ses traits caractéristiques comme son bégaiement (dont la cause échappe aux observateurs), les signes extérieurs par lesquels se devine sa richesse, ses manières et ses actes sont sans cesse scrutés, commentés et interprétés par les Saumurois pour lesquels chaque élément de sa personne et de sa conduite est un indice qu'il faut déchiffrer : « sa parole, son vêtement, ses gestes, le clignement de ses yeux faisaient loi dans le pays » (p. 63). Grandet est une sorte de célébrité locale dont s'enorgueillissent ses concitoyens : « Quelque Parisien parlait-il des Rothschild ou de M. Laffitte, les gens de Saumur demandaient s'ils étaient aussi riches que M. Gran-

det » (p. 62). Mais l'essentiel du personnage reste en-dehors de toute saisie, et l'attention des observateurs se heurte à une opacité fondamentale, dès qu'il s'agit de dépasser la pure apparence : « Saumur ne savait rien de plus sur ce personnage » (p. 66). Grandet apparaît ainsi comme un être paradoxal, à la fois centre d'attraction de la curiosité publique et limite infranchissable à cette curiosité : être du mystère et du secret, lisible en surface, illisible en profondeur, dont les raisons ne sont pas connues, dont la fortune n'est pas chiffrée, dont les décisions inattendues (la vente de son vin, le transport de l'or) seront autant de surprises pour les Saumurois. C'est pourquoi il inspire à la fois de l'admiration, du respect et de la crainte. L'intérêt dramatique de Grandet est d'être en même temps un personnage typique, *un produit du terroir angevin*, tonnelier enrichi, vigneron faisant, comme tant d'autres, valoir ses propriétés, et un personnage atypique, *un étranger dans Saumur*, « trop supérieur à une ville de laquelle il se jouait sans cesse » (p. 170), différent par la profondeur de ses idées, l'ampleur de ses vues, la hardiesse de ses initiatives, et doué d'une sorte de « génie » (p. 171) incompréhensible pour ses concitoyens.

Ce personnage complexe ne doit pas se séparer de sa maison, « *la maison à M. Grandet* », à laquelle, en bonne logique réaliste, il est attaché par des liens étroits. Il en va de la maison Grandet comme de la pension Vauquer dans Le Père Goriot : *la maison implique le personnage qui la possède comme le personnage explique la maison.* « Pâle, froide, silencieuse » (p. 70) comme l'est son maître, la maison

Grandet est centrée sur trois lieux principaux : la
« salle », espace typique de la province angevine et
tourangelle, le jardin et le cabinet secret de l'avare.
Dans la salle où l'on vit s'entassent des objets hété-
roclites usés et salis par le temps, en un bric-à-brac
qui révèle les manies conservatrices de ses habitants :
vieux cartel de cuivre, glace verdâtre, girandoles
dorées, sièges garnis de tapisseries raccommodées,
encoignures crasseuses, vieille table à jouer, baro-
mètre couvert de chiures de mouches, portraits au
pastel effacés, etc. Cette description réaliste, où
l'accumulation des mots mime l'accumulation des
choses et procure le même plaisir, est aussi profon-
dément symbolique. Ce que révèle cette prolifération,
c'est dans cette maison d'avare le règne de l'objet, sa
prééminence sur les hommes, cette réification qui
fait apparaître d'abord Mme Grandet et sa fille,
avant même qu'elles soient effectivement introduites
dans le roman, sous la forme des meubles qui les
représentent : la chaise de paille à patins et la tra-
vailleuse de Mme Grandet logées dans l'embrasure
d'une fenêtre, et le petit fauteuil d'Eugénie placé tout
auprès.

Le jardin situé derrière la maison, impénétrable
comme elle, clos de murs et adossé au rempart, étroit
et humide, mais non dépourvu d'un charme lié aux
« mystérieuses beautés particulières aux endroits
solitaires » (p. 120), est un topos *typique de la pro-*
vince. Mais c'est surtout un lieu stratégique d'obser-
vation et de communication, où se dérouleront
plusieurs des scènes capitales du « drame » : c'est là
que Charles apprend la mort de son père, c'est là que
se débitent entre Charles et Eugénie les « grands

riens » de l'amour naissant, c'est de là que Grandet
épie sa fille qu'il souffre à sa manière d'avoir enfermée dans sa chambre, c'est là enfin qu'Eugénie va
lire l'« horrible lettre » que lui adresse Charles à son
retour en France. Lieu de « joie triste » ou de souffrance vive, le jardin, comme la maison mais mieux
qu'elle parce qu'il est plus triste et plus délabré
encore, sert de cadre privilégié à la mélancolie qui
est la tonalité générale du roman.

Quant au « mystérieux cabinet » (p. 115) de
Grandet, c'est le point aveugle de la maison, le
centre interdit à tous, ignoré de tous. Lieu sombre
et rayonnant où l'avare, au cœur des ténèbres,
quand tout dort, se donne le spectacle et la jouissance de l'or. Ici encore, comme dans le cas de
Grandet lui-même, les gens de Saumur (et le lecteur
avec eux) en sont réduits à de simples suppositions :
« Là, sans doute, quelque cachette avait été très
habilement pratiquée [...] là, sans doute, [...]
venait le vieux tonnelier [...] lui seul avait la clef de
ce laboratoire où, dit-on, il consultait des plans
[...] » (p. 114-115, nous soulignons). Ce cabinet ne
sera jamais décrit. Grandet n'y sera jamais montré.
Toujours, vis-à-vis de la personne de l'avare et de
ses pratiques, le récit oppose à la curiosité générale
la limite infranchissable d'une irréductible opacité.

Le personnel romanesque attaché à cette maison
est des plus réduits. Outre Grandet, trois personnes
vivent là : Mme Grandet, Eugénie et la Grande
Nanon. La première, « sèche et maigre, jaune comme
un coing, gauche, lente » (p. 80), réduite à « un ilotisme complet » par le despotisme de son mari, n'est
qu'une ombre plaintive qui traverse le roman. On la

voit sans cesse ravaudant le linge, tricotant pour
l'hiver des manches qu'elle n'achèvera jamais, pliant
sous les colères de son tyran domestique, auxquelles
elle n'oppose qu'une « fierté sotte et secrète » et une
« noblesse d'âme constamment méconnue et blessée » (p. 80). Une sainte sans doute, mais une sainte
languissante, un peu ridicule, et promise à une mort
rapide. Un type provincial aussi, si l'on en croit le
jugement que Zulma Carraud, lectrice attentive et
sagace de La Comédie humaine, porte sur ce personnage : « Mme Grandet existe dans chaque ville de province. Cette femme qui a tout donné à un mari
qu'elle aime médiocrement, même son être moral,
qui serait morte cent fois si elle n'eût eu une fille,
on la trouve partout. Il faut vivre en province, et
observer un peu pour être frappé du grand nombre
de victimes de ce genre qui existent[1]. » Eugénie, au
début du roman, n'est que la réplique de sa mère.
Toujours assise à ses pieds, toujours travaillant
près d'elle, redoutant Grandet comme elle, ignorant
comme elle les affaires et la fortune du tonnelier. Il
faudra la venue de Charles et la naissance de l'amour
pour que ses yeux se dessillent et qu'une personnalité
originale lui vienne, en même temps que la lucidité.

   La Grande Nanon a plus de relief. Cette « créature
champêtre » (p. 114) est d'abord une caricature et un
personnage comique : taillée en Hercule, plus grande
qu'un grenadier de la garde (et bien plus que son
maître, avec lequel elle forme un couple burlesque),
grosse comme une tour, le teint couleur brique, le

---

   1. Lettre à Balzac, 8 février 1834 (Balzac, *Correspondance*,
op. cit., t. I, p. 930).

visage « martial » et « orné » de verrues, elle semble issue d'une farce paysanne. Son langage pittoresque renforce cette apparence de servante de comédie. Mais il y a dans ce « cœur simple » (p. 76), dont Flaubert se souviendra peut-être pour créer le personnage de Félicité, une profondeur inattendue. Image de la naïveté et de la bonté, victime elle aussi de l'injustice du sort, « pauvre fille » comme sa maîtresse[1], Nanon est proche d'Eugénie, à laquelle l'unit une communauté de sentiments qui l'amènera naturellement à compatir avec la jeune fille, et à devenir à la fin, pour celle-ci, une sorte de confidente. Mais Nanon est aussi liée à son maître par « une chaîne d'amitié non interrompue », un sentiment ambigu, dans lequel entrent de la reconnaissance, une fidélité canine et la seule sorte d'amour que soit capable d'éprouver une « pauvre créature » ignorant tout des « sentiments doux que la femme inspire ». À l'attachement qu'elle éprouve répond chez Grandet une « atroce pitié d'avare » ayant, écrit Balzac, « je ne sais quoi d'horrible » et qui constitue, pour Nanon, sa « somme de bonheur » (p. 77). Nanon se trouve donc vis-à-vis de Grandet, toutes proportions gardées, dans la même situation qu'Eugénie vis-à-vis de Charles. Toutes deux sont des figures du sacrifice et de l'amour pur. Et toutes deux ne reçoivent en retour qu'indifférence et ingratitude. Ainsi, peut-être ne serait-il pas faux de voir dans la Grande Nanon un double caricatural d'Eugénie. À cette différence

1. L'expression est employée par Balzac pour qualifier Nanon (p. 74 et 75) aussi bien qu'Eugénie (p. 199, p. 209, p. 279, p. 285).

près que la trop simple Nanon n'a pas conscience de ce qu'elle éprouve et qu'à la fin, mariée, heureuse, embourgeoisée, elle incarne la seule réussite possible dans ce roman de l'échec et du malheur. Réussite dérisoire, manifestation parmi tant d'autres de l'ironie du sort à l'œuvre dans cette histoire.

Dans cette forteresse bien défendue, peu de personnes sont admises : « Six habitants seulement avaient le droit de venir dans cette maison » (p. 66). Trois contre trois. Les trois Cruchot et les trois des Grassins forment deux groupes antagonistes luttant pour le même but, la conquête d'Eugénie, ou plutôt de la fortune qu'elle représente. Les acteurs de ce « drame » qui fait le fond du roman et ne se dénouera qu'à la fin, après neuf années d'incertitude, sont des représentants typiques de la province : d'un côté, chez les Cruchot, un notaire, un vieux prêtre, un magistrat ; de l'autre, chez les des Grassins, un ancien militaire reconverti dans la banque, une coquette de sous-préfecture et un grand dadais de fils qui finira par s'enfuir à Paris pour mener joyeuse vie. Ce drame est d'abord conçu par Balzac comme une comédie, où l'on retrouve quelque chose de ces réductions burlesques de l'épopée antique auxquelles se plaisaient les écrivains classiques. Le combat des Grassinistes et des Cruchotins est une Iliade travestie. Doublement travestie même, puisque c'est une Iliade saumuroise, et que ces héros médiocres portent en plus le signe dérisoire de la province. Leurs noms mêmes dénoncent leur vulgarité comique : le jeune Cruchot est une « cruche », et Mme des Grassins est bien « dodue ». Pour renforcer encore ce ridicule, Balzac invite le lecteur à

« *essayer de se représenter* » les *Cruchot. C'est l'occasion pour lui d'accumuler les marques du sordide
dans une peinture réaliste qui redouble la description de la « salle » de la maison Grandet : « Tous les
trois prenaient du tabac, et ne songeaient plus
depuis longtemps à éviter ni les roupies, ni les petites
galettes noires qui parsemaient le jabot de leurs chemises rousses, à cols recroquevillés et à plis jaunâtres. [...] Leurs figures, aussi flétries que l'étaient
leurs habits râpés, aussi plissées que leurs pantalons, semblaient usées, racornies, et grimaçaient »*
(p. 96-97), etc. Cette caricature rappelle sans doute
les tableaux burlesques des satires de Régnier ou de
Boileau. Mais ne nous y trompons pas : ces gro-
tesques sont aussi de « grands calculateurs », doués
d'un « admirable bon sens » (p. 112). Ce sont les
Cruchot, les plus ridicules mais les plus patients et
les plus solides, qui emporteront la mise. La force de
la province est dans ce mépris des apparences et
cette persévérance malgré tout qui permet finalement la victoire.

Si l'on considère l'ensemble du roman d'Eugénie
Grandet, *décor et personnages, on n'y trouve qu'un
centre de gravité, la petite ville de province, et qu'une
espèce sociale, le provincial (à une exception près,
celle de Charles, sur laquelle nous allons revenir).
Paris est absent de ce roman. Il n'existe que comme
limite, horizon lointain, ignoré par les uns, redouté
par les autres, sujet d'étonnement ou de méfiance. Le
tropisme qui attire, dans la plupart des romans balzaciens de la province, les forces vives de la petite
ville vers le « soleil moral » de la capitale (dans* Illusions perdues, *dans* Le Cabinet des Antiques, *dans*

La Muse du département) *n'existe pas dans* Eugénie Grandet. *Grandet ne se rend jamais à Paris. Il y envoie les autres (Nanon, des Grassins) quand ses intérêts l'exigent. Le centre de sa toile est à Saumur, et il ne le quitte pas. Les Parisiens ne sont pour lui qu'une matière exploitable, comme ses vignes ou ses peupliers. Si son argent est à Paris, sous forme d'inscription lointaine et abstraite sur le Grand Livre de la rente, son or est à Saumur, et c'est là qu'il se matérialise et s'entasse.* Eugénie Grandet *apparaît ainsi comme une sorte de monde à l'envers où, pour la seule fois dans* La Comédie humaine, *la province se montre toujours supérieure à Paris : supérieure en énergie, puisque le Grandet de Saumur triomphe là où le Grandet de Paris échoue et meurt. Supérieure aussi en grandeur morale, puisque Eugénie domine toujours son cousin, et l'écrasera finalement par sa magnanimité (et par l'ostentation, sidérante pour Charles, de ses millions).*

Charles, seul Parisien du roman, sert donc pour les Saumurois d'objet de curiosité et de repoussoir. Quand il tombe dans la réunion de famille des Grandet, comme un aérolithe ou plutôt, nous dit Balzac, comme « un colimaçon dans une ruche » ou comme « un paon dans quelque obscure basse-cour de village » (p. 92), *il étonne par son luxe, par ses manières, par son langage : « Voilà comme ils sont à Paris »* (p. 98). *Mais il n'en impose pas. Sa supériorité de Parisien n'en est une que pour lui. Quand il lorgne, à peine arrivé, les provinciaux réunis dans la salle de la maison Grandet, son regard impertinent ne sert qu'à le rendre ridicule, aux yeux de l'assemblée comme à ceux du lecteur. Il faut toute la naïveté d'Eugénie pour trouver admirable ce « phénix des cousins » (p. 99) qui s'apparente bien plutôt au stupide corbeau de la fable et que ce « vieux renard » de Grandet qualifie immédiatement et pour toujours de « mirliflor ». Peu à peu d'ailleurs, sous le poids du malheur et sous l'influence de l'amour naissant, Charles va se défaire, au moins en apparence, de ses manières parisiennes. Il va finir par aimer « cette maison dont les mœurs ne lui semblèrent plus si ridicules », et se laisser toucher par « la simplicité de cette vie presque monastique » (p. 209). On le verra prêter ses bras pour dévider des pelotes de fil, écouter avec « des délices inconnues » le bavardage innocent des deux saintes femmes. Il va vendre ses colifichets inutiles, troquer son vêtement à la mode contre une solide redingote de drap noir. Il va, en quelque sorte, se « déparisianiser », à l'inverse de Mme de Bargeton qui, dans* Illusions perdues, *devra se « désangoulêmer » pour être admise dans le grand monde parisien. Mais cette naturalisation angevine, qui aurait représenté pour Eugénie l'accomplissement de ses vœux et pour Charles une forme de salut, ne pourra pas aller jusqu'à son terme. Car celui-ci, en dépit d'un reste de candeur, a déjà été corrompu par les cyniques leçons de sa maîtresse Annette, et par l'expérience démoralisante de la vie parisienne. Il est trop tard. À son insu, l'égoïsme lui a été « inoculé ». Il a déjà appris à « donner pour mobile à toute chose l'intérêt personnel » (p. 193). En quoi, au fond, il n'est pas très différent de Grandet lui-même, même si le cynisme élégant du Parisien n'a pas (ou pas encore) la brutalité des manières du tonnelier de Saumur. Le malheur d'Eugénie est d'avoir connu*

Charles au moment où les dernières apparences de l'innocence masquaient encore les premières manifestations de sa véritable nature.

« L'argent dans toute sa puissance »

En intitulant son œuvre du nom de son héroïne, Balzac a révélé son intention de donner la première place au drame sentimental qui occupe la vie d'Eugénie. Mais cette histoire de passion malheureuse et de sacrifice, toute en demi-teintes, en soupirs et en silences mélancoliques, ne saurait à elle seule donner au roman sa consistance. Il faut qu'elle soit équilibrée et comme compensée par l'histoire d'une autre passion, autrement plus expressive : l'appétit de la richesse. Le personnage qui l'incarne, le père Grandet, domine tout le roman de sa carrure puissante et n'est pas loin de représenter, aux yeux du lecteur, le personnage principal. Balzac a peint dans La Comédie humaine *d'autres figures d'avare : le vieil Hochon dans* La Rabouilleuse, *le vieux Séchard dans* Illusions perdues. *Mais jamais mieux qu'ici il n'a montré la passion de l'or dans toute sa force et sous toutes ses formes. L'exemple qui vient à l'esprit est évidemment l'Harpagon de Molière, modèle de tous les avares. Mais le point de vue de Balzac n'est pas exactement le même, comme le romancier le précise lui-même le 1ᵉʳ janvier 1844 dans une lettre à Mme Hanska : « Molière avait fait l'Avarice dans Harpagon ; moi j'ai fait un avare avec le père Grandet. » Entendons que pour Balzac Harpagon reste un type général et abstrait, une figure morale empruntée à la classification aristotélicienne des passions, alors que Grandet représente « un avare », une personne vivante, issue de la réalité et saisie dans la singularité concrète de ses actions. C'est pourquoi Balzac évoquera d'abord chez Grandet les aspects quotidiens et pittoresques de l'avarice : son vêtement, ses manies, sa manière de compter les chandelles et de couper les morceaux de sucre. Il n'y a là, au fond, rien de nouveau, et le personnage rejoint ici, par l'évocation de ces détails, la représentation traditionnelle et presque comique de l'avare tel que la littérature nous l'a montré depuis Plaute. Mais Balzac va beaucoup plus loin, et donne vite à son personnage une dimension plus originale et plus inquiétante.*

Ce qui caractérise d'abord le personnage de Grandet, c'est la force : force physique de cet homme trapu, noueux, large d'épaules, doté de mains épaisses et puissantes, gardant de son ancien métier de tonnelier le goût du travail manuel, soit qu'il répare son escalier, soit qu'il fabrique lui-même les caisses qui serviront à emballer la pacotille de son neveu en partance pour les Indes. Force morale aussi de ce tyran « impassible, froid, méthodique » (p. 61) devant lequel plient les habitants de Saumur aussi bien que les membres de sa famille. Pour figurer cette force inflexible, Balzac recourt à toute une série d'images empruntées au même lexique, celui de la dureté du métal ou de la pierre : Grandet est un « caractère de bronze » (p. 66 et 246), « inébranlable, âpre et froid comme une pile de granit » (p. 242), opposant un « front de grès » (p. 245) aux supplications de sa femme ou de sa fille. D'autres fois, c'est la sauvagerie qui domine chez ce prédateur toujours à l'affût,

*et Grandet, comparé aux fauves les plus dangereux,
devient un « basilic » au regard dévorateur (p. 65), un
« caïman » (p. 288), un « tigre affamé » (p. 134) fondant sur sa proie « comme un tigre fond sur un
enfant endormi » (p. 254). Mais comme l'avarice
est le plus puissant des appétits, l'image qui le définit
le mieux est celle d'un animal fantastique, tenant
« du tigre et du boa », doué d'un œil perçant pour
guetter, de « griffes d'acier » pour déchirer et d'un
« œsophage » pour avaler : à la fois prédateur et
consommateur, chassant et capturant sa proie, puis
la dévorant et la digérant (p. 61). De tous les sentiments qu'il inspire, c'est la crainte qui domine, une
crainte mêlée de fascination qui assimile Grandet
aux monstres des contes et qui fait de lui, en même
temps qu'un type social, un personnage de légende.*

*Au moral, ce qui distingue Grandet, c'est ce que
Balzac appelle la « malice ». Pour bien comprendre
ce mot, il faut lui donner toutes ses significations, de
la plus bénigne à la plus dangereuse. Cette malice est
d'abord, au sens presque ludique du terme, le plaisir
taquin de se moquer, de surprendre, de jouer des
tours : Grandet « se joue sans cesse » (p. 170) de ses
pauvres compatriotes, qui s'efforcent de l'imiter,
mais ont toujours un temps de retard sur lui. Il vend
son vin quand tout Saumur croit qu'il le garde et
qu'il faut faire de même. Il transporte son or à Angers
avant tout le monde pour profiter de la différence
de change, coupant l'herbe sous le pied des autres
spéculateurs. Il y a en lui un goût du défi, de la pro-
vocation, « un persistant besoin de jouer une partie
avec les autres hommes », pour le plaisir, pour se
distraire, pour trouver « un aliment à son activité*

malicieuse » (p. 165). C'est un grand manipula-
teur, une sorte de metteur en scène supérieur dans
le grand drame social. Son chef-d'œuvre à cet égard
est la « comédie » qu'il monte pour « emboiser » les
créanciers de son frère, pour « se moquer des Parisiens, pour les tordre, les rouler, les pétrir, les faire
aller, venir, suer, espérer, pâlir » (p. 164), comme des
marionnettes dont il tiendrait les fils. Le plaisir que
Grandet retire de cette « trame » ourdie en secret est
purement intérieur, invisible pour tout autre, mais
suffisant pour lui donner, in petto, des jouissances
d'ironie d'autant plus exquises qu'elles sont ignorées
du monde qu'il méprise.

D'autres fois, l'emploi que Grandet fait de sa
malice est moins ludique et beaucoup plus dangereux. Ce qu'il révèle alors, c'est le goût du pouvoir,
une volonté de puissance égoïste qui ne connaît que
son intérêt et qui marche à son but sans souci de
ce qu'elle écrase : « La vie de l'avare est un constant
exercice de la puissance humaine mise au service
de la personnalité » (p. 163). C'est ici que le terme de
malice prend toute sa force et révèle son essence profondément maléfique. Car l'avare méprise les faibles
qu'il exploite, se moque de l'agneau de Dieu, « le plus
touchant emblème de toutes les victimes terrestres » :
« Cet agneau, l'avare le laisse s'engraisser, il le
parque, le tue, le cuit, le mange et le méprise »
(p. 164). C'est le triomphe du cynisme, la jouissance
dans le mal. Grandet, prince des avares, est aussi un
personnage satanique. On le verra bien, à la fin,
lorsque en mourant il tendra vers le crucifix en vermeil que lui présente le prêtre une main prédatrice,

dans un « *épouvantable geste* » *de sacrilège qui lui coûtera la vie.*

   Un indice de cette nature « *malicieuse* », *c'est la loupe qui orne le nez de Grandet,* « *une loupe veinée que le vulgaire disait, non sans raison, pleine de malice* » (p. 65). *Plus que tous les autres signes révélateurs de la* « *finesse dangereuse* » *de son caractère (lèvres minces, yeux à l'expression* « *calme et dévoratrice* », « *protubérances significatives* » *de son front), cette loupe inquiétante manifeste par ses différents changements les états intimes du personnage, ses triomphes ironiques, ses colères, ses* « *orages intérieurs* ». *Surtout, comme un prodigieux organe détecteur, elle s'anime à la vue de l'or ou à l'idée même de l'argent. Alors elle est vivante, elle* « *remue* » : *ainsi lorsque Grandet projette de* « *se mettre dans la rente* » (p. 182) *ou, à la fin, une dernière fois, lorsque le moribond aperçoit les ustensiles d'argent du prêtre venu lui donner l'extrême-onction* (p. 265). *Le plus bel exemple de cette vitalité, c'est la manifestation de joie secrète de Grandet, en réponse à la question naïve d'Eugénie lui demandant s'il peut exister des gens assez riches pour posséder quatre millions :* « *le père Grandet se caressait le menton, souriait, et sa loupe semblait se dilater* » (p. 150). *Cette réaction de plaisir physique à l'évocation de ses propres millions, cette singulière érection, montre à quel point de jouissance maligne peut parvenir l'avare, indifférent à toute autre forme d'érotisme, et dont tous les désirs se concentrent sur la possession de l'or.*

   Il existe pourtant un point faible dans ce caractère de bronze, c'est l'amour que Grandet éprouve pour sa fille. Amour particulier mais réel. Eugénie est « *le*

seul être qui lui [soit] réellement de quelque chose »
(p. 66). S'il méprise le monde entier, il reste tout
de même « un peu père » (p. 156). Et lorsqu'il
condamne sa fille à la réclusion, même s'il demeure
inflexible, il en souffre d'une certaine façon, au point
que, travaillé du désir d'embrasser son enfant, il
guette sans se faire voir les apparitions d'Eugénie à
la fenêtre de sa chambre. Mais cet amour est étouffé
et perverti par l'avarice. Si Grandet aime sa fille, ce
n'est pas pour elle-même, c'est pour la fortune qu'elle
représente. Il la couve « comme si elle eût été d'or »
(p. 259). Elle est son héritière, le prolongement dans
le temps de ses droits de propriété, et il ne la considère, après sa mort, que comme la gestionnaire provisoire de ses biens : « tu me rendras compte de ça là-
bas » (p. 265). Le grand projet de l'avare est donc
d'« élever à la brochette l'avarice de son héritière »
(p. 78) pour lui transmettre à la fois sa fortune et sa
manie. Les dernières années de sa vie, Grandet les
passe à « initier sa fille aux secrets du ménage » et à
la plier aux usages domestiques qu'il a lui-même éta-
blis. Trois ans lui seront nécessaires pour accoutu-
mer Eugénie à toutes ses « façons d'avarice » et à les
transformer en habitudes. Comme l'égoïsme a été
« inoculé » à Charles par les leçons de la vie parisienne, de même l'avarice sera inoculée à Eugénie
par le dressage que lui impose son père. Tel est
donc le double malheur qui accable finalement
la pauvre héritière, et le double effet sur sa destinée
de deux formes d'amour perverties : du côté de son
cousin, une trahison ; du côté de son père, une
dénaturation.

La peinture exhaustive des formes de l'avarice que

Balzac a voulu donner dans **Eugénie Grandet**
*conduit le romancier à faire de son personnage une
figure ambiguë : à la fois un héros de la finance et un
avare « à l'ancienne » amoureux de l'or. Il convient
donc de séparer nettement dans notre roman ce
qui relève de l'*argent, *c'est-à-dire de la spéculation
moderne, et ce qui appartient à l'*or, *c'est-à-dire au
mythe éternel du fabuleux métal divinisé.*

*Même s'il n'a pas voulu faire de Grandet une
réplique d'Harpagon, Balzac a retrouvé presque
inévitablement pour le décrire une représentation
traditionnelle de l'avare, celle du monomane en-
traîné par la seule passion de l'or. L'or n'est pas ici
une abstraction, un simple indicateur de richesse,
c'est d'abord une matière concrète, pesante, luisante,
attirante, jouissive. Le véritable avare entasse l'or,
non pour le faire ensuite circuler, mais pour le
contempler secrètement. Comme le vieux La Bertellière, grand-père de Mme Grandet, il trouve « de plus
gros intérêts dans l'aspect de l'or que dans les bénéfices de l'usure » (p. 59). Grandet est de cette espèce-
là. Il connaît lui aussi « les ineffables jouissances
que procure la vue d'une grande masse d'or » (p. 60).
« Voir l'or » est pour lui le comble de l'assouvissement. Il y a un plaisir érotique de l'or qui passe par le
regard : « Montre-moi ton or, fifille » (p. 231). Tout
avare est un voyeur. Plaisir solitaire, ivresse coupable : « voir l'or », c'est le plus grand, mais aussi le
plus pervers de tous les plaisirs. Grandet le sait bien,
pour qui « voir, c'est pis que toucher » (p. 255). C'est
pourquoi il faut des conditions particulières pour
que le spectacle de l'or atteigne sa perfection. C'est
seulement dans la solitude de son cabinet, au cœur*

de la nuit, que Grandet vient « choyer, caresser, cou-
ver, cuver, cercler son or » (p. 115). *Cérémonie*
secrète qui tient de l'érotique et du religieux,
triomphe magnifique, inépuisable, éternellement
renouvelé. Il serait donc faux de croire que Grandet
mourra sans avoir joui de sa fortune. Au contraire,
jouir, il ne fait que cela chaque jour. Ses efforts, ses
projets, les calculs qu'il fait, les peines qu'il se donne,
tout concourt à cet orgasme perpétuel. C'est un
Sisyphe heureux. Cette jouissance est pour lui une
nécessité vitale. « Mets de l'or devant moi [...] ça me
réchauffe », dira Grandet moribond (p. 264-265).
L'or est le seul but qu'un avare puisse désirer, la
seule énergie qui le fasse exister, le seul dieu qu'il
puisse adorer.

Eugénie Grandet sera donc avant tout le roman
de l'or, sous toutes ses formes, dans tous ses états. Il
s'étale, il flamboie presque à toutes les pages : louis
d'or qu'amasse l'avare, « longue nappe d'or » de ses
rêves de fortune, pièces « neuves et vierges » du trésor
d'Eugénie, magnifique nécessaire de Charles (« Du
bon or ! de l'or ! beaucoup d'or ! », p. 254), « masse
d'or » des bijoux que Grandet achète au jeune
homme, dé d'or donné par celui-ci à Mme Grandet,
sacs pleins et barillets qui s'entassent dans le cabinet
de Grandet, « tonneaux de poudre d'or bien cerclés »
(p. 274) *qui constituent la fortune mal acquise de*
Charles et même, à la fin, ostensoir d'or offert par
Eugénie à l'église de sa paroisse. Tout se passe
comme si Balzac, cet éternel endetté, avait projeté
dans son roman ses rêves de richesse et qu'il s'était
donné, en imagination, le plaisir d'accumuler un
trésor. Cet or qui s'amasse et ruisselle partout finit

par prendre une grandeur presque surnaturelle. On dirait que la réussite de Grandet lui vient de pouvoirs magiques, et qu'il a à son service « une fée ou un démon ». Son cabinet devient un « laboratoire » où l'avare travaille « comme un alchimiste à son fourneau » (p. 114). L'or seul est son but, la fabrication et la prolifération de l'or. C'est en « bon or » qu'il « transmute » en secret les intérêts de sa rente et les produits de ses fermages. Comme l'alchimiste, l'avare est une figure archaïque de la transgression satanique et de l'interdit. Peu importe alors la valeur réelle des trésors qu'il entasse hors de la vue du monde. Balzac a hésité sur le compte exact de la fortune de Grandet : est-ce vingt millions (édition originale), onze millions (édition Charpentier), dix-sept millions (édition Furne) ? Peu importe que Zulma Carraud lui objecte avec raison qu'« il est impossible à un homme d'accaparer autant d'or monnayé en France, où il y en a si peu, et surtout de l'accaparer en secret[1] ». *Tout cela est sans importance. La vraisemblance devient secondaire lorsque nous entrons dans le mythe, et nous sommes ici, non dans la peinture d'une réalité socio-historique, mais dans la pure fiction de l'or exalté et multiplié.*

Il serait pourtant inexact de réduire Grandet à cette seule dimension archaïque et mythique. Au contraire, celui-ci se distingue de l'avare traditionnel par un caractère typiquement moderne qui fait de lui un personnage étroitement lié à la vie économique de son temps. Cet aspect nouveau, longtemps mal compris, a été mis en lumière par un article fonda-

---

1. Lettre à Balzac, 8 février 1834, *Correspondance, op. cit.*

teur de Pierre-Georges Castex[1]. *Gide, si sévère vis-à-vis d'*Eugénie Grandet, *excepte de sa critique cette partie du roman :* « *Seule l'histoire des spéculations du père Grandet me paraît magistrale ; mais c'est peut-être aussi parce que je n'y suis pas compétent[2].* » *Les commentateurs modernes ont tâché de l'être. Ils ont montré que Balzac avait fait de son personnage, non pas un thésauriseur tourné vers le passé, mais un calculateur et un visionnaire. Sa conception de l'or n'est pas statique comme celle de l'avare traditionnel, mais dynamique et productiviste :* « *Vraiment les écus vivent et grouillent comme des hommes : ça va, ça vient, ça sue, ça produit* » *(p. 233). Lorsque Grandet veut voir le trésor de sa fille, ce n'est pas seulement pour le plaisir qu'il compte retirer de ce spectacle, mais pour l'inciter à convertir cet or en titres de rente :* « *Écoute donc, fifille. Il se présente une belle occasion : tu peux mettre tes six mille francs dans le gouvernement, et tu en auras tous les six mois plus de deux cents francs d'intérêts, sans impôts, ni réparations, ni grêle, ni gelée, ni marée, ni rien de ce qui tracasse les revenus* » *(p. 233). On ne saurait mieux proclamer la supériorité des revenus de la spéculation mobilière sur ceux de la propriété immobilière et foncière.*

Car Grandet a compris, à l'inverse de ses concitoyens, tout le bénéfice qu'il pouvait retirer de la spéculation sur les fonds publics : « *Il concevait enfin la rente, placement pour lequel les gens de*

1. Pierre-Georges Castex, « L'ascension de Monsieur Grandet », *Europe*, janvier-février 1965.
2. *Journal*, 22 mars 1931, *op. cit.*

province manifestent une répugnance invincible, et il se voyait, avant cinq ans, maître d'un capital de six millions grossi sans beaucoup de soins, et qui, joint à la valeur territoriale de ses propriétés, composerait une fortune colossale » (p. 229-230). *Balzac détaille avec précision les opérations de Grandet : la vente secrète de son or à Angers au double du prix ordinaire par suite de la pénurie lui permet de rapporter* « *en valeurs du receveur général sur le trésor* » *la somme nécessaire à l'achat de ses titres de rente, qu'il confie au banquier des Grassins. Celui-ci lui achète une inscription de cent mille livres de rentes (qui nécessite donc, au taux de cinq pour cent, un capital nominal de deux millions), que Grandet paie par l'intermédiaire de Nanon qui se charge d'apporter les fonds à Paris. Ses capitaux vont rapporter à Grandet cinquante mille francs tous les six mois. Tout cela se passe, si nous déchiffrons bien la chronologie assez flottante du roman, à la fin de l'année 1819. Le cours est alors de quatre-vingts francs net (p. 217). Il s'élève bientôt à 89, puis 92. Le cours continuant à monter est en juin 1820 de 99 (p. 252). Lorsqu'il atteint 115, Grandet vend et retire de Paris* « *environ deux millions quatre cent mille francs en or* », *auxquels s'ajoutent* « *les six cent mille francs d'intérêts composés que lui avaient donnés ses inscriptions* » (p. 222). *On doit donc supposer que, pour atteindre une telle somme, il a fallu à Grandet, avec un capital nominal de deux millions (réduit à un million six cent mille francs puisqu'il a acheté au-dessous du pair, au cours de 80), environ quatre ans et demi pour que les fonds placés rapportent six cent mille francs d'intérêts,*

compte tenu de l'augmentation régulière des cours.
C'est donc en 1824 que Grandet a vendu ses titres.
Mais il ne s'arrête pas là. Profitant d'une conversion
facultative de la rente de cinq à trois pour cent qui
eut lieu en 1825, il achète au plus bas cours (à
soixante francs) de nouveaux titres qui, au moment
de sa mort, vaudront soixante-dix-sept francs, et qui
lui rapporteront six millions dont Eugénie héritera
(p. 266).

Sans doute Balzac exagère-t-il ces chiffres. Les his-
toriens ont montré, par exemple, que le cours du
cinq pour cent n'a jamais atteint 115, mais qu'il a
culminé, au mieux, aux alentours de 100. Mais les
libertés que le romancier s'autorise avec les faits ont
pour but de souligner le caractère exceptionnel de la
réussite de Grandet : l'hyperbole est la marque de
l'épopée, et l'avare apparaît bien, dans ses entreprises
de spéculation, comme un conquérant moderne
qui ne connaît que le succès. Une sorte de génie lui
permet de « concevoir » ce que les autres ne voient
pas, et de former des projets qui l'apparentent aux
grands capitaines ou aux grands diplomates : « Si le
maire de Saumur eût porté son ambition plus haut,
si d'heureuses circonstances, en le faisant arriver
vers les sphères supérieures de la Société, l'eussent
envoyé dans les congrès où se traitaient les affaires
des nations, et qu'il s'y fût servi du génie dont l'avait
doté son intérêt personnel, nul doute qu'il n'y eût été
glorieusement utile à la France. » Toutefois, tout cela
n'est que suppositions, et Balzac corrige immédiatement son hypothèse : « Néanmoins peut-être aussi
serait-il également probable que, sorti de Saumur,
le bonhomme n'aurait fait qu'une pauvre figure »

(p. 171). Ainsi Grandet reste énigmatique : est-ce un grand homme ? Est-ce une « pauvre figure » attachée à sa province ? Balzac ne tranche pas. Il n'est pas permis à ce personnage de s'accomplir entièrement. Il ne reparaîtra pas dans d'autres romans. Il ne sera pas le Talleyrand qu'il aurait pu être. Quelque chose en lui et autour de lui l'empêche de parvenir à la perfection. Il ne peut être vraiment grand, il n'est que Grandet. *En tout cas, ce qui est sûr, c'est qu'il incarne pour le romancier la société nouvelle issue de la Révolution pour laquelle l'argent est « le seul dieu moderne auquel on ait foi » (p. 90). Il est le représentant d'une époque « où, plus qu'en aucun autre temps, l'argent domine les lois, la politique et les mœurs » (p. 159). Figure haïssable d'un monde nouveau que Balzac réprouve, mais acteur fascinant du grand drame moderne que* La Comédie humaine *est chargée de mettre en scène.*

« L'amour, l'amour vrai, l'amour des anges »

Cependant Balzac, malgré tout l'intérêt qu'il éprouve pour le type de l'avare, n'a pas voulu faire de Grandet la figure principale de son roman. Il a réservé à sa fille le privilège d'en devenir l'héroïne et le personnage éponyme. Passion pour passion : dans ce récit à deux versants, le drame de l'amour équilibre le drame de l'argent, et l'histoire mélancolique de la triste Eugénie accompagne et finalement recouvre l'épopée de l'avarice triomphante.

De tous les personnages de premier plan, Eugénie

est la dernière à entrer en scène. Elle n'est d'abord présente que par allusions, et son portrait n'intervient qu'au bout d'une cinquantaine de pages, après même l'arrivée de son cousin. Au physique, ce qui caractérise Eugénie, c'est sa beauté. Non pas la beauté de tout le monde, non pas le « joli qui plaît aux masses », mais une beauté « spéciale » (p. 167), cette beauté « si facile à méconnaître, et dont s'éprennent seulement les artistes » (p. 122-123). La beauté d'Eugénie est celle d'une œuvre d'art, et ses modèles se trouvent d'abord dans la statuaire antique : elle ressemble à la Vénus de Milo, et son front est pareil à celui du Jupiter de Phidias (p. 122). Il y a donc une sorte de surhumanité païenne dans cette beauté : sa tête est « énorme », sa taille est haute et peu flexible. Elle a le cou « d'une rondeur parfaite » et son « corsage bombé », bien que « soigneusement voilé », attire le regard et « fait rêver » (p. 122). Si la jeune fille manque de grâce, elle n'est dépourvue ni de charme, ni de force, et sa beauté a de la grandeur. D'ailleurs, ce que la référence à la sculpture antique peut suggérer de trop froid ou de trop viril est immédiatement corrigé par l'évocation d'un autre modèle, celui des Vierges de la Renaissance. Eugénie a « ces yeux modestement fiers devinés par Raphaël », et ses formes sont « ennoblies par cette suavité du sentiment chrétien qui purifie la femme et lui donne une distinction inconnue aux sculpteurs anciens » (p. 122). Il faut donc se représenter Eugénie comme une Vénus antique revue par le pinceau des peintres italiens du Cinquecento. En elle, la majesté païenne s'allie à la « céleste pureté »

*des Vierges chrétiennes et donne à sa physionomie le
« je ne sais quoi divin »* (p. 123).

Cette mystérieuse beauté ne se découvre que peu
à peu. Il faut du temps à Charles pour s'apercevoir
de *« l'exquise harmonie des traits de ce pur visage »*
(p. 141). À mesure que l'amour s'empare du cœur
d'Eugénie, sa beauté prend une maturité et une
perfection nouvelles. D'abord pareille à *« la Vierge
avant la conception »*, elle ressemble, après la naissance de sa passion, à *« la Vierge mère »* : *« elle avait
conçu l'amour »* (p. 224). La jeune fille est devenue
femme. Les *« graves pensées d'amour »* dont son âme
est *« lentement envahie »* lui confèrent une dignité
supérieure, qui confine à la sainteté et donnent à son
visage *« cet espèce d'éclat que les peintres figurent
par l'auréole »*. Plus tard, les souffrances de l'amour
blessé ajouteront à sa beauté la touche de mélancolie
nécessaire pour en achever la perfection : elle deviendra définitivement sublime. Cette beauté survivra
à tous les malheurs, et l'on verra à la fin Eugénie,
devenue veuve, toujours belle, *« mais comme une
femme est belle à près de quarante ans »*, le visage
« blanc, reposé, calme » (p. 297), entrée dans une
sorte d'éternité.

On peut distinguer dans l'histoire d'Eugénie trois
étapes successives. La première correspond à la
naissance de l'amour et au court bonheur qui naît
de cette découverte ; la deuxième, après le départ de
Charles, à une phase de suspens et d'attente, mêlée de
« frêles espérances » (p. 268) ; la troisième, quand
la fatale lettre de Charles est venue ruiner les illusions
de la jeune fille, au *« désastre »* qui accompagne cette
révélation et à ses conséquences. Cette structuration

commande la temporalité du roman. La première période est extrêmement courte. Elle commence « au milieu du mois de novembre » 1819 (p. 77) et se termine avant la fin de l'année. Charles est déjà parti depuis quelque temps lorsque, au jour de l'an 1820, Grandet découvre la disparition du trésor d'Eugénie. En bonne chronologie, la saison des amours de Charles et d'Eugénie ne devrait donc pas durer plus d'un mois. Pour être plus à l'aise et gagner en vraisemblance, Balzac intercale « deux mois » (p. 226) entre le départ de Charles et le 1ᵉʳ janvier. Mais, de toute façon, cette période doit rester très brève. Par contraste, le développement qui en est fait dans le roman, et qui occupe à peu près la moitié du récit, souligne l'importance que Balzac lui attribue. Il suffit de peu de jours pour que la passion arrive à son paroxysme, et que se décide pour toujours la destinée d'Eugénie. Inversement, la seconde phase se développe selon une temporalité indéfinie, accordée à la monotonie de l'attente. Elle dure sept ans, mais n'occupe dans le récit qu'une place restreinte : le vide n'est pas un aliment romanesque. Ce long suspens est interrompu brutalement, « au commencement du mois d'août » de l'année 1827 (p. 279), par un coup de théâtre, l'arrivée de la lettre de Charles. Les conséquences de cette catastrophe sont ensuite évoquées en quelques pages, en une succession rapide d'événements accumulés : liquidation des dettes de Guillaume Grandet, mariage puis veuvage d'Eugénie, avant que l'existence mélancolique de la pauvre héritière se dilue finalement dans la monotonie d'une durée indéfinie. Le récit est donc construit sur une temporalité asymétrique d'une forte expressivité.

*La première partie, concentrée sur quelques jours,
développe longuement ce qui est le plus important,
pour Balzac comme pour Eugénie : la naissance et
les premières manifestations d'un « sentiment inextinguible ». Ensuite, après la parenthèse de l'attente,
longue dans le temps mais brève dans le roman, la
chute se charge d'expédier rapidement ce qui n'est
pas une fin, mais un éternel recommencement.*

*Le roman d'amour d'Eugénie se développe selon
la logique habituelle aux histoires sentimentales.
Au début, l'héroïne est pure, chaste, ignorante. La
jeune fille se trouve encore « sur la rive de la vie où
fleurissent les illusions enfantines » (p. 123). L'arrivée du prince charmant va susciter ses premiers
rêves : « Sainte Vierge ! qu'il est gentil, mon cousin »
(p. 118). Ensuite, tout va s'enchaîner naturellement.
Si l'amour ne s'impose pas vraiment en coup de
foudre, il se glisse vite dans le cœur de la naïve Eugénie et va bientôt l'occuper tout entier. Pour être sans
violence, sa pénétration n'en est pas moins rapide et
profonde. Le premier effet de l'amour naissant est de
faire sortir la jeune fille de sa naïveté initiale et de la
faire entrer, à son insu, dans un monde qui n'est
plus celui de l'enfance. C'est le moment miraculeux
où il lui sera donné de « voir clair aux choses d'ici-
bas » (p. 119). Balzac, après Molière, nous montre
comment l'amour donne de l'esprit aux filles. Cette
lucidité nouvelle est une ouverture, un élargissement
de la sensibilité et de la conscience : « Il lui avait
surgi plus d'idées en un quart d'heure qu'elle n'en
avait eu depuis qu'elle était au monde » (p. 100).
Mais cette nouvelle naissance est aussi une souffrance. Eugénie s'aperçoit de ce qui lui avait jusque-*

là échappé : « *Pour la première fois dans sa vie, ses généreux penchants, endormis, comprimés, mais subitement éveillés, étaient à tout moment froissés* » (p. 157). Elle se met à juger son père, découvre son avarice, s'interroge sur son argent. Elle a même, cette pure jeune fille, quelque intuition de ce que pourrait être le mal en commettant, non sans plaisir, l'indiscrétion de lire la lettre que Charles a écrite à sa maîtresse Annette : « *La passion, la curiosité l'emportèrent. À chaque phrase, son cœur se gonfla davantage et l'ardeur piquante qui anima sa vie pendant cette lecture lui rendit encore plus friands les plaisirs du premier amour* » (p. 188-189).

Ainsi donc va se développer, dans ce « cœur à son insu passionné » (p. 152), un sentiment dont Balzac souligne la force et que Charles semble vite partager. Regards échangés, serrements de mains, larmes versées, conversations au jardin, baisers volés, serments éternels (« *À toi, pour jamais !* »), « saintes fiançailles » de deux âmes « ardemment épousées » (p. 202-203), séparation déchirante et promesses de fidélité sans faille : tout paraît se dérouler, entre les deux jeunes gens qui deviennent vite « deux amants » (p. 213 et 214) — sans rien perdre de leur chasteté —, selon le code habituel des histoires sentimentales destinées aux lectrices de l'époque romantique. Une partie des critiques adressées à notre roman, et peut-être une des causes de la désaffection du public moderne, viennent de cette peinture d'un amour apparemment trop conventionnel et trop fade.

Les choses ne sont pourtant pas si claires. Balzac nous laisse deviner, sous le masque des bons sentiments, une autre lecture possible de l'histoire d'Eugénie et de Charles. L'érotisme, d'abord, n'est pas absent de cette idylle. Le heurtoir qui orne la porte de la maison Grandet et met en garde ses habitants contre les irruptions du dehors exhibe un symbole phallique inquiétant : « en l'examinant avec attention, un antiquaire y aurait retrouvé quelques indices de la figure essentiellement bouffonne qu'il représentait jadis » (p. 70-71). On retrouve ici, même voilé, l'esprit des Contes drolatiques, dont Balzac avait publié en avril 1832, l'année précédant Eugénie Grandet, le premier dizain. Il n'est peut-être pas anodin que ce soit Charles, arrivant de nuit chez son oncle, qui fasse usage de ce heurtoir étonnant, avec un effet particulier sur les dames réunies dans la grande salle : « un coup de marteau retentit à la porte de la maison, et y fit un si grand tapage que les femmes sautèrent sur leurs chaises » (p. 90). Ce choc extraordinaire (« ce n'est pas un homme de Saumur qui frappe ainsi ») marque l'entrée dans la maison d'un danger inconnu (« ce coup de marteau me paraît malveillant ») et déclenche le drame qui va désormais dominer la vie d'Eugénie. L'existence jusque-là si calme de l'héroïne vient d'être perturbée pour toujours, sans qu'elle le sache encore, par l'irruption de l'étranger, et par l'impact de son arme symbolique.

L'idylle qui se développe bientôt entre Charles et Eugénie, malgré sa pureté, entraîne avec elle, en profondeur, tout un courant de sensualité dont il est possible de relever les signes dans le texte. La scène où Eugénie, en pleine nuit, contemple Charles endormi à la lueur d'une bougie n'est pas sans rappeler l'histoire de Psyché et d'Éros, qui joue ici le rôle de

*modèle. Le premier baiser qu'échangent les deux
« amants », pour être « le plus pur, le plus suave »,
n'en est pas moins aussi « le plus entier de tous les
baisers » (p. 214). Il est suivi bientôt de « bon
nombre » d'autres, au moment où le coffret de
Charles est « solennellement installé » dans un tiroir
du bahut d'Eugénie. Et lorsque celle-ci a mis la clef
dans son sein, elle ne peut « défendre à Charles d'y
baiser la place » (p. 215). Un des meilleurs exemples
de cette sensualité latente est fourni par la grande
scène de l'échange du trésor d'Eugénie et du nécessaire de Charles. Dans ce roman où l'or est si souvent
érotisé par les pratiques maniaques de Grandet,
l'amour introduit une érotisation nouvelle, moins
perverse mais aussi vive. Le « trésor » qu'Eugénie
confie à son cousin, dans un transport de générosité
qui est aussi un don de soi-même, est une image
de sa personne, et de sa virginité. Les pièces qui le
composent sont « neuves et vierges » comme elle. La
façon dont elle les offre, à genoux, en pleurant, compose un tableau pathétiquement érotique auquel
répondent les « larmes chaudes » du jeune homme.
La suite n'est pas sans équivoque. Quand Charles
lui propose en retour le dépôt de son nécessaire
(« rien pour rien, confiance pour confiance »), Eugénie s'alarme de ces paroles ambiguës : « Que voulez-
vous, dit-elle effrayée » (p. 200). Et, lorsque la jeune
fille s'en retourne chez elle, Charles la suit, avance un
pied dans la chambre, comme pour s'y introduire. La
phrase qu'il prononce alors : « Là seront donc mes
trésors » (p. 202) est encore à double sens. Charles
feint de parler de son nécessaire et montre le vieux
bahut où l'objet sera rangé. Mais c'est, écrit Balzac,*

« pour voiler sa pensée ». *En fait, ce qu'il voit, ce qu'il désire, c'est la « chambre en désordre » dans laquelle Eugénie l'empêche d'entrer, c'est le lit défait dans lequel retourneront bientôt d'autres trésors qu'il convoite.*

Cette pratique de l'équivoque jette une ombre sur la sincérité du jeune homme. Charles n'est pas, dans cet échange amoureux, sur le même pied qu'Eugénie. Le travail de corruption entamé à Paris a déjà fait son œuvre. Les cyniques leçons d'Annette l'ont « féminisé » et « matérialisé » (p. 193). Le mot de mirliflor *par lequel le désigne le clairvoyant Grandet, et qui qualifiait, à la fin du* XVIIIᵉ *siècle, un jeune élégant efféminé, n'est peut-être pas dépourvu de justesse. D'autres termes venus de la même époque renforcent cette tonalité dépréciative, comme ceux d'« adorable » (p. 96) ou d'« intéressant » (p. 154, p. 169) qui s'appliquaient plus souvent à une jeune fille, et qui soulignent encore la féminité latente de ce « phénix des cousins ». En tout cas, celui-ci ne s'élève jamais à la hauteur des sublimes sentiments d'Eugénie : « Charles ne devait jamais être dans le secret des profondes agitations qui brisaient le cœur de sa cousine » (p. 144-145). La qualité de son amour reste inférieure et, si la candeur d'Eugénie parvient à le « sanctifier », ce ne peut être que « momentanément » (p. 216). Dès qu'ils seront séparés, leurs sentiments divergeront. Charles changera et oubliera, Eugénie restera ferme et fidèle, figée dans un amour éternel.*

Tel est donc le drame de la jeune fille, sa malchance pourrait-on dire, d'avoir rencontré l'amour au mauvais moment, quand la dégradation morale de Charles, déjà commencée, restait encore invisible, même pour lui : « Un hasard, fatal pour elle, lui fit essuyer les dernières effusions de sensibilité vraie qui fût en ce jeune cœur » (p. 194-195). Tandis que Charles, obéissant à la loi de la corruption, descendra toujours plus bas pour adhérer enfin à sa véritable nature, Eugénie se maintiendra, immobile, sur les hauteurs d'un amour indéfiniment expansif, qui finira par devenir la substance même de sa vie. Cette constance est admirable sans doute, c'est « l'amour vrai, l'amour des anges » (p. 284), dans lequel il entre une part de sublimité religieuse. Mais Balzac risque aussi une interprétation physiologique. L'amour d'Eugénie évolue comme une maladie, contractée en un moment, puis invétérée, devenue chronique et incurable : « Peut-être la profonde passion d'Eugénie devrait-elle être analysée dans ses fibrilles les plus délicates ; car elle devint, diraient quelques railleurs, une maladie, et influença toute son existence » (p. 160-161). Cette maladie est aggravée par l'absence et par l'attente. Car l'amour solitaire, sans réciprocité, est un amour qui consume : « Dans la vie morale, aussi bien que dans la vie physique, il existe une aspiration et une respiration : l'âme a besoin d'absorber les sentiments d'une autre âme, de se les assimiler pour les lui restituer plus riches. Sans ce beau phénomène humain, point de vie au cœur ; l'air lui manque alors, il souffre, et dépérit » (p. 268). Eugénie commence donc à souffrir, avant même d'avoir reçu la lettre de son cousin, par une sorte d'asphyxie de l'âme causée par l'absence. La cause en est physiologique aussi bien que psychologique. Cette souffrance sera redoublée lorsque la *découverte de la trahison et de l'avilissement de Charles viendra ruiner les dernières illusions d'Eugénie. Car la découverte de la vérité, si elle provoque chez elle un mépris pour celui qui est indigne d'être aimé, ne supprime pas l'amour même. Elle rend seulement la douleur plus amère. La certitude de ce désastre complet plonge Eugénie dans un état qu'on pourrait appeler l'état de mélancolie, en donnant à ce terme son sens pathologique plein. C'est ce qui explique l'indifférence, l'atonie, l'espèce de vie mécanique et répétitive à laquelle est réduite à la fin la pauvre abandonnée. Situation sans issue. Car le souhait qu'Eugénie exprimait après avoir lu la lettre fatale : « souffrir et mourir », ne sera même pas exaucé. Eugénie ne mourra pas d'amour, mais elle souffrira toujours.*

« L'ironie est le fond du caractère de la providence »

Ce qui fait la richesse d'Eugénie Grandet, c'est d'être à la fois l'épopée de l'argent triomphant, l'idylle de l'amour naïf et le drame de la passion malheureuse. Cette complexité entraîne une ambiguïté qui se retrouve dans la diversité des tons et des genres qui se croisent dans le roman. Le statut des personnages n'est pas toujours stable : tragique et comique s'y mêlent souvent. Grandet, ce tyran que tout le monde redoute, est aussi parfois, par son bégaiement, son langage imagé de paysan, sa loupe expressive, ses réactions violentes de joie, de colère ou d'abattement (« la vie est bien dure ! Il s'y trouve bien des douleurs », p. 251), un personnage comique. La grande scène où il découvre que sa fille a donné son or peut être lue à la fois comme une tragédie « plus cruelle que tous les drames accomplis dans l'illustre famille des Atrides » (p. 226), comme une bouffonnerie noire, pleine de jurons, de trépignements, de menaces, de vociférations (« Quoi ! ce méchant mirliflor m'aurait dévalisé... », p. 237), et comme un mélodrame riche en larmes et en tableaux pathétiques (Eugénie aux genoux de sa mère, Eugénie le visage plongé dans le sein maternel) et scandé par les accès de faiblesse de Mme Grandet. Tragédie sans doute, mais « tragédie bourgeoise », dégradée, rapetissée à la mesure d'une société nouvelle qui n'a plus pour valeur suprême que l'argent.

Le sommet mélodramatique du roman, c'est la scène, plus violente encore, où Grandet surprend sa fille et sa femme, et découvre le nécessaire en or qu'elles ont sorti de sa cachette. Balzac a traité cet épisode sur un mode paroxystique : couteaux tirés, gestes de violence de Grandet, attitude pathétique d'Eugénie « se jetant à genoux et marchant ainsi » vers son père, supplications délirantes de la jeune fille (« mon père, au nom de tous les Saints et de la Vierge, au nom du Christ, qui est mort sur la croix ; au nom de votre salut éternel, mon père, au nom de ma vie, ne touchez pas à ceci ! », p.255), rien ne manque à cette scène presque démentielle, pas même les fantasmes de viol et les menaces de suicide. Eugénie, nouvelle Lucrèce, est prête à se tuer (« blessure pour blessure ») pour défendre contre le couteau de son père le nécessaire qui représente pour elle à la fois le corps de Charles et son propre corps, unis, fondus dans un même objet symbolique. La fin de la scène n'est pas moins étrange, puisqu'elle tourne à la comédie noire : on verra Grandet, cédant enfin devant les menaces de sa fille, se lancer brusquement dans un gaspillage incompréhensible, éparpillant sur le lit de sa femme une poignée de louis, puis se perdre en propos incohérents qui plongent Eugénie et sa mère presque à l'agonie dans l'étonnement : « Descendons tous dans la salle pour dîner, pour jouer au loto tous les soirs à deux sous. Faites vos farces ! Hein, ma femme ? » (p. 257). Ainsi se termine en bouffonnerie ce qui avait commencé en drame terrible.

Une dégradation identique frappe les objets auxquels Eugénie accordait une valeur inestimable, parce qu'ils lui rappelaient la personne et l'amour de son cousin absent. Le nécessaire pour lequel, on vient de le voir, elle aurait « donné mille fois [sa] vie » (p. 283) finira, comme un vulgaire paquet, rendu à son propriétaire par le futur mari de la jeune femme. L'époux de remplacement, ce pis-aller choisi par désespoir à la place du traître, sera chargé de rapporter à celui-ci, dans une banale caisse, le trésor désormais privé de toute valeur symbolique. De même les bijoux et breloques de Charles, pieusement conservés par Eugénie, « étalés orgueilleusement sur une couche de ouate dans un tiroir du bahut » (p. 269) et vénérés comme des reliques, tous ces joyaux « si longtemps précieux à son cœur » finiront fondus et confondus en un ostensoir d'or offert à la paroisse « où elle avait tant prié Dieu pour lui ! » (p. 294). Le « désastre » de cet amour entraîne dans son naufrage la dévaluation et la perte de tous les objets qui l'accompagnaient et qui en garantissaient le prix.

Le mélange du drame et de la comédie noire n'est jamais plus sensible que dans les rapports qu'entretiennent dans le roman l'amour et l'argent. En principe, il s'agit là de deux domaines radicalement séparés. Du côté de Grandet, l'argent ; du côté d'Eugénie (et de Charles, provisoirement), l'amour. Les deux jeunes gens, d'ailleurs, l'ont juré solennellement : « Entre nous, n'est-ce pas ?... l'argent ne sera jamais rien » (p. 201). Mais les choses ne sont pas si simples, et cette promesse, pour qui connaît la fin de l'histoire, apparaît d'une naïveté bien dérisoire. Une volonté ironique et méchante qui est celle du sort, de Dieu ou de la Providence, force l'amour à composer toujours avec l'argent, à se laisser infecter, pervertir, anéantir par lui.

Au début, Eugénie ignore tout de l'argent. Elle ne sait pas ce que c'est qu'un million. Elle ne sait pas si son père est riche. Lorsque Grandet lui fait signer une renonciation à l'héritage de sa mère, elle se laisse déposséder sans même y penser : « montrez-moi la place où je dois signer » (p. 260). Lorsque le notaire lui annonce que sa fortune se monte à dix-sept millions, elle s'en moque : « "Où donc est mon cousin ?" se dit-elle » (p. 266). Rien n'est donc plus étranger à Eugénie que le souci de l'argent. Le domaine de cette pauvre fille, son air respirable en quelque sorte, c'est le sentiment : elle ne peut « exister que par l'amour » (p. 268). Et pourtant, une fatalité mauvaise va la priver de l'amour et la contraindre, de plus en plus, à ne s'occuper que d'argent. Le premier agent de cette fatalité, c'est son père. La première cause de *ce changement, c'est l'initiation à l'avarice que son père va lui imposer. Éducation réussie. Eugénie prend les manières de son père, son langage* (« Nous verrons cela ») *et même sa voix : « en ce moment, vous avez toute la voix de défunt votre père »* (p. 288). *Peu à peu, par la force de l'hérédité et des habitudes acquises, elle va se laisser posséder par son père, elle va* devenir son père. « *Elle est plus Grandet que je ne suis Grandet* », *disait déjà le vieil avare en colère* (p. 237). *La fin du roman lui donnera raison. Eugénie sera* « *plus Grandet* » *que son père, non seulement parce qu'elle reproduit les traits de son caractère, mais parce qu'elle sera encore plus riche que lui.*

La seconde cause de la mutation d'Eugénie, c'est la puissance divine agissant dans le monde, c'est la Providence : cette Providence ironique qui couvre d'or celle qui ne se souciait pas de l'or, ce Dieu moqueur qui jette « des masses d'or à sa prisonnière pour qui l'or était indifférent » (p. 296). *Terrible générosité qui ne pourrait apparaître, en bonne logique religieuse, que comme une épreuve : Eugénie devrait tout donner, tout rendre. Elle ne le peut pas. À la fin, elle est comme anesthésiée. L'argent, après les peines d'amour, l'a dénaturée et déshumanisée. Il a « communiqu[é] ses teintes froides à cette vie céleste, et donn[é] de la défiance pour les sentiments à une femme qui était tout sentiment »* (p. 298). *Eugénie reprendra indéfiniment le cours de sa vie étroite. Elle deviendra bonne dame d'œuvres, « accompagnée d'un cortège de bienfaits » : fondations charitables, hospice pour la vieillesse, écoles chrétiennes, bibliothèque publique où ne se trouvent,*

*soyons-en sûrs, que de bons livres, etc. Fin banale
et dérisoire, pour une femme « faite pour être magnifiquement épouse et mère », et qui mourra sans
amour, sans mari, sans enfant, sans famille. Telle
est la destinée véritablement tragique de la pauvre
Eugénie, victime de deux pères méchants : l'avare
Grandet, qui l'a rendue semblable à lui-même, et le
Dieu railleur qui l'a couverte d'or, elle qui ne voulait
pas de l'or.*

*Mais l'histoire n'est pas terminée. Balzac n'a pas
voulu donner de fin à son récit, qui s'achève sur un
recommencement*[1]. *Les partisans du marquis de
Froidfond se mettent à leur tour à faire le siège de la
riche veuve, « comme jadis avaient fait les Cruchot » pour la riche héritière (p. 298). Un nouveau
mariage se dessine. Tout se répète indéfiniment.
C'est pourquoi le récit finit au présent comme il
avait débuté, un présent de la réitération et de
l'enfermement. Il n'y a pas d'issue. Eugénie reste
« prisonnière » de cette monotonie, dans sa maison
sans soleil, hors de la vie. Au terme de ce roman
désespérant, ce qui s'impose, ce qui triomphe, ce
qui demeure, c'est la malédiction de l'argent, c'est
l'avidité des hommes qui se déchaîne en comédie
noire autour de la pauvre innocente, ce sont (et le
roman se termine sur ces mots) les éternelles « corruptions du monde ».*

JACQUES NOIRAY

1. Voir en annexe, p. 306, le dénouement différent que Balzac
avait d'abord imaginé dans son manuscrit, puis remplacé à
partir de l'édition originale par celui que nous connaissons.

EUGÉNIE GRANDET

À MARIA [1]

Que votre nom, vous dont le portrait est le plus bel ornement de cet ouvrage, soit ici comme une branche de buis bénit, prise on ne sait à quel arbre, mais certainement sanctifiée par la religion et renouvelée, toujours verte, par des mains pieuses, pour protéger la maison.

DE BALZAC.

Il se trouve dans certaines villes de province des maisons dont la vue inspire une mélancolie égale à celle que provoquent les cloîtres les plus sombres, les landes les plus ternes ou les ruines les plus tristes. Peut-être y a-t-il à la fois dans ces maisons et le silence du cloître et l'aridité des landes et les ossements des ruines : la vie et le mouvement y sont si tranquilles qu'un étranger les croirait inhabitées, s'il ne rencontrait tout à coup le regard pâle et froid d'une personne immobile dont la figure à demi monastique dépasse l'appui de la croisée, au bruit d'un pas inconnu. Ces principes de mélancolie existent dans la physionomie d'un logis situé à Saumur, au bout de la rue montueuse qui mène au château, par le haut de la ville. Cette rue, maintenant peu fréquentée, chaude en été, froide en hiver, obscure en quelques endroits, est remarquable par la sonorité de son petit pavé caillouteux, toujours propre et sec, par l'étroitesse de sa voie tortueuse, par la paix de ses maisons qui appartiennent à la vieille ville, et que dominent les remparts. Des

habitations trois fois séculaires y sont encore
solides quoique construites en bois, et leurs divers
aspects contribuent à l'originalité qui recom-
mande cette partie de Saumur à l'attention des
antiquaires[1] et des artistes. Il est difficile de passer devant ces maisons, sans admirer les énormes
madriers dont les bouts sont taillés en figures
bizarres et qui couronnent d'un bas-relief noir le
rez-de-chaussée de la plupart d'entre elles. Ici,
des pièces de bois transversales sont couvertes
en ardoises et dessinent des lignes bleues sur les
frêles murailles d'un logis terminé par un toit en
colombage[2] que les ans ont fait plier, dont les bar-
deaux pourris ont été tordus par l'action alterna-
tive de la pluie et du soleil. Là se présentent des
appuis de fenêtre usés, noircis, dont les délicates
sculptures se voient à peine, et qui semblent trop
légers pour le pot d'argile brune d'où s'élancent les
œillets ou les rosiers d'une pauvre ouvrière. Plus
loin, c'est des portes garnies de clous énormes
où le génie de nos ancêtres a tracé des hiéro-
glyphes domestiques dont le sens ne se retrouvera
jamais. Tantôt un protestant y a signé sa foi, tantôt un ligueur y a maudit Henri IV. Quelque bourgeois y a gravé les insignes de sa *noblesse de
cloches*[3], la gloire de son échevinage oublié. L'Histoire de France est là tout entière. À côté de la
tremblante maison à pans hourdés[4] où l'artisan a
déifié son rabot, s'élève l'hôtel d'un gentilhomme
où sur le plein cintre de la porte en pierre se
voient encore quelques vestiges de ses armes,
brisées par les diverses révolutions qui depuis
1789 ont agité le pays. Dans cette rue, les rez-de-

chaussée commerçants ne sont ni des boutiques
ni des magasins, les amis du Moyen Âge y retrou-
veraient l'ouvrouère[1] de nos pères en toute sa
naïve simplicité. Ces salles basses, qui n'ont ni
devanture, ni montre[2], ni vitrages, sont profondes,
obscures et sans ornements extérieurs ou intérieurs. Leur porte est ouverte en deux parties
pleines, grossièrement ferrées, dont la supérieure
se replie intérieurement, et dont l'inférieure
armée d'une sonnette à ressort va et vient constamment. L'air et le jour arrivent à cette espèce
d'antre humide, ou par le haut de la porte, ou par
l'espace qui se trouve entre la voûte, le plancher
et le petit mur à hauteur d'appui dans lequel
s'encastrent de solides volets, ôtés le matin, remis
et maintenus le soir avec des bandes de fer boulonnées. Ce mur sert à étaler les marchandises
du négociant. Là, nul charlatanisme. Suivant la
nature du commerce, les échantillons consistent
en deux ou trois baquets pleins de sel et de morue,
en quelques paquets de toile à voile, des cordages,
du laiton pendu aux solives du plancher[3], des
cercles le long des murs, ou quelques pièces de
drap sur des rayons. Entrez? Une fille propre[4],
pimpante de jeunesse, au blanc fichu, aux bras
rouges quitte son tricot, appelle son père ou sa
mère qui vient et vous vend à vos souhaits, fleg-
matiquement, complaisamment, arrogamment,
selon son caractère, soit pour deux sous, soit pour
vingt mille francs de marchandise. Vous verrez un
marchand de merrain[5] assis à sa porte et qui
tourne ses pouces en causant avec un voisin, il ne
possède en apparence que de mauvaises planches

à bouteilles et deux ou trois paquets de lattes ; mais sur le port son chantier plein fournit tous les tonneliers de l'Anjou ; il sait, à une planche près, combien il *peut* de tonneaux si la récolte est bonne ; un coup de soleil l'enrichit, un temps de pluie le ruine : en une seule matinée, les poinçons[1] valent onze francs ou tombent à six livres[2]. Dans ce pays, comme en Touraine, les vicissitudes de l'atmosphère dominent la vie commerciale. Vignerons, propriétaires, marchands de bois, tonneliers, aubergistes, mariniers sont tous à l'affût d'un rayon de soleil ; ils tremblent en se couchant le soir d'apprendre le lendemain matin qu'il a gelé pendant la nuit ; ils redoutent la pluie, le vent, la sécheresse, et veulent de l'eau, du chaud, des nuages, à leur fantaisie. Il y a un duel constant entre le ciel et les intérêts terrestres. Le baromètre attriste, déride, égaie tour à tour les physionomies. D'un bout à l'autre de cette rue, l'ancienne Grand-Rue de Saumur, ces mots : Voilà un temps d'or ! se chiffrent de porte en porte. Aussi chacun répond-il au voisin : Il pleut des louis, en sachant ce qu'un rayon de soleil, ce qu'une pluie opportune lui en apporte. Le samedi, vers midi, dans la belle saison, vous n'obtiendriez pas pour un sou de marchandise chez ces braves industriels[3]. Chacun a sa vigne, sa closerie, et va passer deux jours à la campagne. Là, tout étant prévu, l'achat, la vente, le profit, les commerçants se trouvent avoir dix heures sur douze à employer en joyeuses parties, en observations, commentaires, espionnages continuels. Une ménagère n'achète pas une perdrix sans que les voisins ne demandent au mari si

elle était cuite à point. Une jeune fille ne met pas
la tête à sa fenêtre sans y être vue par tous les
groupes inoccupés. Là donc les consciences sont à
jour, de même que ces maisons impénétrables,
noires et silencieuses n'ont point de mystères. La
vie est presque toujours en plein air : chaque
ménage s'assied à sa porte, y déjeune, y dîne, s'y
dispute. Il ne passe personne dans la rue qui ne
soit étudié. Aussi, jadis, quand un étranger arrivait
dans une ville de province, était-il gaussé de porte
en porte. De là les bons contes, de là le surnom
de *copieux* [1] donné aux habitants d'Angers qui
excellaient à ces railleries urbaines. Les anciens
hôtels de la vieille ville sont situés en haut de cette
rue jadis habitée par les gentilshommes du pays.
La maison pleine de mélancolie où se sont accomplis les événements de cette histoire était précisément un de ces logis, restes vénérables d'un siècle
où les choses et les hommes avaient ce caractère
de simplicité que les mœurs françaises perdent de
jour en jour. Après avoir suivi les détours de ce
chemin pittoresque dont les moindres accidents
réveillent des souvenirs et dont l'effet général tend
à plonger dans une sorte de rêverie machinale,
vous apercevez un renfoncement assez sombre,
au centre duquel est cachée la porte de la maison
à M. Grandet. Il est impossible de comprendre la
valeur de cette expression provinciale sans donner
la biographie de M. Grandet.

M. Grandet jouissait à Saumur d'une réputation
dont les causes et les effets ne seront pas entièrement compris par les personnes qui n'ont point,
peu ou prou, vécu en province. M. Grandet, encore

nommé par certaines gens le père Grandet, mais le nombre de ces vieillards diminuait sensiblement, était en 1789 un maître-tonnelier fort à son aise, sachant lire, écrire et compter. Dès que la République française mit en vente, dans l'arrondissement de Saumur, les biens du clergé, le tonnelier, alors âgé de quarante ans, venait d'épouser la fille d'un riche marchand de planches. Grandet alla, muni de sa fortune liquide et de la dot, muni de deux mille louis d'or, au district[1], où, moyennant deux cents doubles louis[2] offerts par son beau-père au farouche républicain qui surveillait la vente des domaines nationaux, il eut pour un morceau de pain, légalement, sinon légitimement, les plus beaux vignobles de l'arrondissement, une vieille abbaye et quelques métairies. Les habitants de Saumur étant peu révolutionnaires, le père Grandet passa pour un homme hardi, un républicain, un patriote, pour un esprit qui donnait dans les nouvelles idées, tandis que le tonnelier donnait tout bonnement dans les vignes. Il fut nommé membre de l'administration du district de Saumur, et son influence pacifique s'y fit sentir politiquement et commercialement. Politiquement, il protégea les ci-devant et empêcha de tout son pouvoir la vente des biens des émigrés ; commercialement, il fournit aux armées républicaines un ou deux milliers de pièces de vin blanc, et se fit payer en superbes prairies dépendant d'une communauté de femmes que l'on avait réservée pour un dernier lot. Sous le Consulat, le bonhomme Grandet devint maire, administra sagement, vendangea mieux encore ; sous l'Empire, il fut M. Grandet. Napoléon

n'aimait pas les républicains : il remplaça M. Grandet, qui passait pour avoir porté le bonnet rouge,
par un grand propriétaire, un homme à particule,
un futur baron de l'Empire. M. Grandet quitta
les honneurs municipaux sans aucun regret. Il
avait fait faire dans l'intérêt de la ville d'excellents
chemins qui menaient à ses propriétés. Sa maison
et ses biens, très avantageusement cadastrés[1],
payaient des impôts modérés. Depuis le classement
de ses différents clos, ses vignes, grâce à des soins
constants, étaient devenues la tête du pays, mot
technique en usage pour indiquer les vignobles qui
produisent la première qualité de vin. Il aurait pu
demander la croix de la Légion d'honneur. Cet événement eut lieu en 1806[2]. M. Grandet avait alors
cinquante-sept ans, et sa femme environ trente-six.
Une fille unique, fruit de leurs légitimes amours,
était âgée de dix ans. M. Grandet, que la Providence
voulut sans doute consoler de sa disgrâce administrative, hérita successivement pendant cette
année de Mme de La Gaudinière, née de La Bertellière, mère de Mme Grandet ; puis du vieux
M. La Bertellière, père de la défunte ; et encore de
Mme Gentillet, grand-mère du côté maternel : trois
successions dont l'importance ne fut connue de
personne. L'avarice de ces trois vieillards était si
passionnée que depuis longtemps ils entassaient
leur argent pour pouvoir le contempler secrètement. Le vieux M. La Bertellière appelait un placement une prodigalité, trouvant de plus gros
intérêts dans l'aspect de l'or que dans les bénéfices
de l'usure[3]. La ville de Saumur présuma donc la
valeur des économies d'après les revenus des biens

au soleil. M. Grandet obtint alors le nouveau titre
de noblesse que notre manie d'égalité n'effacera
jamais, il devint *le plus imposé* de l'arrondissement.
Il exploitait cent arpents de vignes[1], qui, dans les
années plantureuses, lui donnaient sept à huit
cents poinçons de vin. Il possédait treize métairies,
une vieille abbaye, où, par économie, il avait muré
les croisées[2], les ogives, les vitraux, ce qui les
conserva ; et cent vingt-sept arpents de prairies où
croissaient et grossissaient trois mille peupliers
plantés en 1793. Enfin la maison dans laquelle
il demeurait était la sienne. Ainsi établissait-on
sa fortune visible. Quant à ses capitaux, deux
seules personnes pouvaient vaguement en présumer l'importance : l'une était M. Cruchot, notaire
chargé des placements usuraires de M. Grandet ;
l'autre, M. des Grassins, le plus riche banquier de
Saumur, aux bénéfices duquel le vigneron participait à sa convenance et secrètement[3]. Quoique
le vieux Cruchot et M. des Grassins possédassent
cette profonde discrétion qui engendre en province
la confiance et la fortune, ils témoignaient publi-
quement à M. Grandet un si grand respect que les
observateurs pouvaient mesurer l'étendue des
capitaux de l'ancien maire d'après la portée de
l'obséquieuse considération dont il était l'objet. Il
n'y avait dans Saumur personne qui ne fût per-
suadé que M. Grandet n'eût un trésor particulier,
une cachette pleine de louis, et ne se donnât nuitamment les ineffables jouissances que procure
la vue d'une grande masse d'or. Les avaricieux en
avaient une sorte de certitude en voyant les yeux
du bonhomme, auxquels le métal jaune semblait

avoir communiqué ses teintes. Le regard d'un homme accoutumé à tirer de ses capitaux un intérêt énorme contracte nécessairement, comme celui du voluptueux, du joueur ou du courtisan, certaines habitudes indéfinissables, des mouvements furtifs, avides, mystérieux qui n'échappent point à ses coreligionnaires. Ce langage secret forme en quelque sorte la franc-maçonnerie des passions. M. Grandet inspirait donc l'estime respectueuse à laquelle avait droit un homme qui ne devait jamais rien à personne, qui, vieux tonnelier, vieux vigneron, devinait avec la précision d'un astronome quand il fallait fabriquer pour sa récolte mille poinçons ou seulement cinq cents ; qui ne manquait pas une seule spéculation, avait toujours des tonneaux à vendre alors que le tonneau valait plus cher que la denrée à recueillir, pouvait mettre sa vendange dans ses celliers et attendre le moment de livrer son poinçon à deux cents francs quand les petits propriétaires donnaient le leur à cinq louis. Sa fameuse récolte de 1811 [1], sagement serrée, lentement vendue, lui avait rapporté plus de deux cent quarante mille livres. Financièrement parlant, M. Grandet tenait du tigre et du boa : il savait se coucher, se blottir, envisager longtemps sa proie, sauter dessus ; puis il ouvrait la gueule de sa bourse, y engloutissait une charge d'écus, et se couchait tranquillement, comme le serpent qui digère, impassible, froid, méthodique. Personne ne le voyait passer sans éprouver un sentiment d'admiration mélangé de respect et de terreur. Chacun dans Saumur n'avait-il pas senti le déchirement poli de ses griffes d'acier ? à celui-ci Me Cruchot

avait procuré l'argent nécessaire à l'achat d'un
domaine, mais à onze pour cent ; à celui-là M. des
Grassins avait escompté des traites, mais avec un
effroyable prélèvement d'intérêts. Il s'écoulait peu
de jours sans que le nom de M. Grandet fût prononcé soit au marché, soit pendant les soirées dans
les conversations de la ville. Pour quelques personnes, la fortune du vieux vigneron était l'objet
d'un orgueil patriotique. Aussi plus d'un négociant,
plus d'un aubergiste disait-il aux étrangers avec
un certain contentement : « Monsieur, nous avons
ici deux ou trois maisons millionnaires ; mais,
quant à M. Grandet, il ne connaît pas lui-même sa
fortune ! » En 1816, les plus habiles calculateurs de
Saumur estimaient les biens territoriaux du bonhomme à près de quatre millions ; mais, comme
terme moyen[1], il avait dû tirer par an, depuis 1793
jusqu'en 1817, cent mille francs de ses propriétés,
il était présumable qu'il possédait en argent une
somme presque égale à celle de ses biens-fonds.
Aussi, lorsqu'après une partie de boston, ou quelque entretien sur les vignes, on venait à parler de
M. Grandet, les gens capables disaient-ils : « Le
père Grandet ?... le père Grandet doit avoir cinq à
six millions. — Vous êtes plus habile que je ne le
suis, je n'ai jamais pu savoir le total », répondaient
M. Cruchot ou M. des Grassins s'ils entendaient le
propos. Quelque Parisien parlait-il des Rothschild
ou de M. Laffitte[2], les gens de Saumur demandaient s'ils étaient aussi riches que M. Grandet.
Si le Parisien leur jetait en souriant une dédaigneuse affirmation, ils se regardaient en hochant
la tête d'un air d'incrédulité. Une si grande fortune

couvrait d'un manteau d'or toutes les actions de cet homme. Si d'abord quelques particularités de sa vie donnèrent prise au ridicule et à la moquerie, la moquerie et le ridicule s'étaient usés. En ses moindres actes, M. Grandet avait pour lui l'autorité de la chose jugée. Sa parole, son vêtement, ses gestes, le clignement de ses yeux faisaient loi dans le pays, où chacun, après l'avoir étudié comme un naturaliste étudie les effets de l'instinct chez les animaux, avait pu reconnaître la profonde et muette sagesse de ses plus légers mouvements. « L'hiver sera rude, disait-on, le père Grandet a mis ses gants fourrés : il faut vendanger. — Le père Grandet prend beaucoup de merrain, il y aura du vin cette année. » M. Grandet n'achetait jamais ni viande ni pain. Ses fermiers lui apportaient par semaine une provision suffisante de chapons, de poulets, d'œufs, de beurre et de blé de rente[1]. Il possédait un moulin dont le locataire devait, en sus du bail, venir chercher une certaine quantité de grains et lui en rapporter le son et la farine. La Grande Nanon, son unique servante, quoiqu'elle ne fût plus jeune, boulangeait elle-même tous les samedis le pain de la maison. M. Grandet s'était arrangé avec les maraîchers, ses locataires, pour qu'ils le fournissent de légumes. Quant aux fruits, il en récoltait une telle quantité qu'il en faisait vendre une grande partie au marché. Son bois de chauffage était coupé dans ses haies ou pris dans les vieilles truisses[2] à moitié pourries qu'il enlevait au bord de ses champs, et ses fermiers le lui charroyaient en ville tout débité, le rangeaient par complaisance dans son bûcher et recevaient ses

remerciements. Ses seules dépenses connues
étaient le pain bénit, la toilette de sa femme, celle
de sa fille, et le payement de leurs chaises à l'église ;
la lumière, les gages de la Grande Nanon, l'étamage
de ses casseroles ; l'acquittement des impositions,
les réparations de ses bâtiments et les frais de ses
exploitations. Il avait six cents arpents de bois
récemment achetés qu'il faisait surveiller par le
garde d'un voisin, auquel il promettait une indemnité. Depuis cette acquisition seulement, il mangeait du gibier. Les manières de cet homme étaient
fort simples. Il parlait peu. Généralement il exprimait ses idées par de petites phrases sentencieuses
et dites d'une voix douce. Depuis la Révolution,
époque à laquelle il attira les regards, le bonhomme bégayait d'une manière fatigante aussitôt
qu'il avait à discourir longuement ou à soutenir
une discussion. Ce bredouillement, l'incohérence
de ses paroles, le flux de mots où il noyait sa pensée, son manque apparent de logique attribués
à un défaut d'éducation étaient affectés et seront
suffisamment expliqués par quelques événements
de cette histoire. D'ailleurs, quatre phrases exactes
autant que des formules algébriques lui servaient
habituellement à embrasser, à résoudre toutes les
difficultés de la vie et du commerce : « Je ne sais
pas, je ne puis pas, je ne veux pas, nous verrons
cela. » Il ne disait jamais ni *oui* ni *non*, et n'écrivait
point. Lui parlait-on ? il écoutait froidement, se
tenait le menton dans la main droite en appuyant
son coude droit sur le revers de la main gauche, et
se formait en toute affaire des opinions desquelles
il ne revenait point. Il méditait longuement les

moindres marchés. Quand, après une savante conversation, son adversaire lui avait livré le secret de ses prétentions en croyant le tenir, il lui répondait : « Je ne puis rien conclure sans avoir consulté ma femme. » Sa femme, qu'il avait réduite à un ilotisme [1] complet, était en affaires son paravent le plus commode. Il n'allait jamais chez personne, ne voulait ni recevoir ni donner à dîner [2] ; il ne faisait jamais de bruit, et semblait économiser tout, même le mouvement. Il ne dérangeait rien chez les autres par un respect constant de la propriété. Néanmoins, malgré la douceur de sa voix, malgré sa tenue circonspecte, le langage et les habitudes du tonnelier perçaient, surtout quand il était au logis, où il se contraignait moins que partout ailleurs. Au physique, Grandet était un homme de cinq pieds, trapu, carré, ayant des mollets de douze pouces [3] de circonférence, des rotules noueuses et de larges épaules ; son visage était rond, tanné, marqué de petite vérole ; son menton était droit, ses lèvres n'offraient aucune sinuosité, et ses dents étaient blanches ; ses yeux avaient l'expression calme et dévoratrice que le peuple accorde au basilic [4] ; son front, plein de rides transversales, ne manquait pas de protubérances significatives [5] ; ses cheveux jaunâtres et grisonnants étaient blanc et or [6], disaient quelques jeunes gens qui ne connaissaient pas la gravité d'une plaisanterie faite sur M. Grandet. Son nez, gros par le bout, supportait une loupe veinée [7] que le vulgaire disait, non sans raison, pleine de malice. Cette figure annonçait une finesse dangereuse, une probité sans chaleur, l'égoïsme d'un homme habitué à concentrer ses

sentiments dans la jouissance de l'avarice et sur le
seul être qui lui fût réellement de quelque chose, sa
fille Eugénie, sa seule héritière. Attitude, manières,
démarche, tout en lui, d'ailleurs, attestait cette
croyance en soi que donne l'habitude d'avoir toujours réussi dans ses entreprises. Aussi, quoique de
mœurs faciles et molles en apparence, M. Grandet
avait-il un caractère de bronze. Toujours vêtu de
la même manière, qui le voyait aujourd'hui le
voyait tel qu'il était depuis 1791. Ses forts souliers
se nouaient avec des cordons de cuir ; il portait en
tout temps des bas de laine drapés, une culotte
courte de gros drap marron à boucles d'argent, un
gilet de velours à raies alternativement jaunes et
puces, boutonné carrément, un large habit marron
à grands pans, une cravate noire et un chapeau de
quaker. Ses gants, aussi solides que ceux des gen-
darmes, lui duraient vingt mois, et, pour les conserver propres, il les posait sur le bord de son chapeau
à la même place, par un geste méthodique. Saumur
ne savait rien de plus sur ce personnage.

Six habitants seulement avaient le droit de venir
dans cette maison. Le plus considérable des trois
premiers était le neveu de M. Cruchot. Depuis sa
nomination de président au tribunal de première
instance de Saumur, ce jeune homme avait joint
au nom de Cruchot celui de Bonfons, et travaillait
à faire prévaloir Bonfons sur Cruchot. Il signait
déjà C. de Bonfons. Le plaideur assez malavisé
pour l'appeler M. Cruchot s'apercevait bientôt à
l'audience de sa sottise. Le magistrat protégeait
ceux qui le nommaient M. le président, mais il
favorisait de ses plus gracieux sourires les flatteurs

qui lui disaient M. de Bonfons. M. le président
était âgé de trente-trois ans, possédait le domaine
de Bonfons (*Boni fontis*), valant sept mille livres
de rente ; il attendait la succession de son oncle le
notaire et celle de son oncle l'abbé Cruchot, digni-
taire du chapitre de Saint-Martin de Tours, qui
tous deux passaient pour être assez riches. Ces
trois Cruchot, soutenus par bon nombre de cousins, alliés à vingt maisons de la ville, formaient
un parti, comme jadis à Florence les Médicis ; et,
comme les Médicis, les Cruchot avaient leurs
Pazzi[1]. Mme des Grassins, mère d'un fils de vingt-
trois ans, venait très assidument faire la partie de
Mme Grandet, espérant marier son cher Adolphe
avec Mlle Eugénie. M. des Grassins le banquier
favorisait vigoureusement les manœuvres de sa
femme par de constants services secrètement
rendus au vieil avare, et arrivait toujours à temps
sur le champ de bataille. Ces trois des Grassins
avaient également leurs adhérents, leurs cousins,
leurs alliés fidèles. Du côté des Cruchot, l'abbé, le
Talleyrand de la famille, bien appuyé par son frère
le notaire, disputait vivement le terrain à la finan-
cière, et tentait de réserver le riche héritage à son
neveu le président. Ce combat secret entre les
Cruchot et les des Grassins, dont le prix était la
main d'Eugénie Grandet, occupait passionnément
les diverses sociétés de Saumur. Mlle Grandet
épousera-t-elle M. le président ou M. Adolphe des
Grassins ? À ce problème, les uns répondaient que
M. Grandet ne donnerait sa fille ni à l'un ni à
l'autre. L'ancien tonnelier rongé d'ambition cherchait, disaient-ils, pour gendre quelque pair de

France, à qui trois cent mille livres de rente
feraient accepter tous les tonneaux passés, présents et futurs des Grandet. D'autres répliquaient
que M. et Mme des Grassins étaient nobles, puis-
samment riches, qu'Adolphe était un bien gentil
cavalier, et qu'à moins d'avoir un neveu du pape
dans sa manche, une alliance si convenable devait
satisfaire des gens de rien, un homme que tout
Saumur avait vu la doloire[1] en main, et qui, d'ailleurs, avait porté le bonnet rouge. Les plus sensés
faisaient observer que M. Cruchot de Bonfons
avait ses entrées à toute heure au logis, tandis que
son rival n'y était reçu que les dimanches. Ceux-ci
soutenaient que Mme des Grassins, plus liée avec
les femmes de la maison Grandet que les Cruchot,
pouvait leur inculquer certaines idées qui la
feraient, tôt ou tard, réussir. Ceux-là répliquaient
que l'abbé Cruchot était l'homme le plus insinuant
du monde, et que femme contre moine la partie se
trouvait égale. « Ils sont manche à manche », disait
un bel esprit de Saumur. Plus instruits, les anciens
du pays prétendaient que les Grandet étaient trop
avisés pour laisser sortir les biens de leur famille,
Mlle Eugénie Grandet de Saumur serait mariée au
fils de M. Grandet de Paris, riche marchand de vin
en gros. À cela les Cruchotins et les Grassinistes
répondaient : « D'abord les deux frères ne se sont
pas vus deux fois depuis trente ans. Puis, M. Grandet de Paris a de hautes prétentions pour son fils.
Il est maire d'un arrondissement, député, colonel
de la garde nationale, juge au tribunal de commerce ; il renie Grandet de Saumur, et prétend
s'allier à quelque famille ducale par la grâce de

Napoléon. » Que ne disait-on pas d'une héritière dont on parlait à vingt lieues à la ronde et jusque dans les voitures publiques, d'Angers à Blois inclusivement ? Au commencement de 1818, les Cruchotins remportèrent un avantage signalé sur les Grassinistes. La terre de Froidfond, remarquable par son parc, son admirable château, ses fermes, rivière, étangs, forêts, et valant trois millions, fut mise en vente par le jeune marquis de Froidfond obligé de réaliser ses capitaux. Me Cruchot, le président Cruchot, l'abbé Cruchot, aidés par leurs adhérents, surent empêcher la vente par petits lots. Le notaire conclut avec le jeune homme un marché d'or en lui persuadant qu'il y aurait des poursuites sans nombre à diriger contre les adjudicataires avant de rentrer dans le prix des lots ; il valait mieux vendre à M. Grandet, homme solvable, et capable d'ailleurs de payer la terre en argent comptant. Le beau marquisat de Froidfond fut alors convoyé vers l'œsophage de M. Grandet, qui, au grand étonnement de Saumur, le paya, sous escompte[1], après les formalités. Cette affaire eut du retentissement à Nantes et à Orléans. M. Grandet alla voir son château par l'occasion d'une charrette qui y retournait. Après avoir jeté sur sa propriété le coup d'œil du maître, il revint à Saumur, certain d'avoir placé ses fonds à cinq, et saisi de la magnifique pensée d'arrondir le marquisat de Froidfond en y réunissant tous ses biens. Puis, pour remplir de nouveau son trésor presque vide, il décida de couper à blanc ses bois, ses forêts, et d'exploiter les peupliers de ses prairies.

Il est maintenant facile de comprendre toute la

valeur de ce mot, la maison à M. Grandet, cette maison pâle, froide, silencieuse, située en haut de la
ville, et abritée par les ruines des remparts. Les deux
piliers et la voûte formant la baie de la porte avaient
été, comme la maison, construits en tuffeau, pierre
blanche particulière au littoral de la Loire, et si
molle que sa durée moyenne est à peine de deux
cents ans. Les trous inégaux et nombreux que les
intempéries du climat y avaient bizarrement pra-
tiqués donnaient au cintre et aux jambages de la
baie l'apparence des pierres vermiculées[1] de l'architecture française et quelque ressemblance avec
le porche d'une geôle. Au-dessus du cintre régnait
un long bas-relief de pierre dure sculptée, représentant les quatre Saisons, figures déjà rongées et
toutes noires. Ce bas-relief était surmonté d'une
plinthe saillante[2], sur laquelle s'élevaient plusieurs
de ces végétations dues au hasard, des pariétaires
jaunes, des liserons, des convolvulus[3], du plantain,
et un petit cerisier assez haut déjà. La porte, en
chêne massif, brune, desséchée, fendue de toutes
parts, frêle en apparence, était solidement maintenue par le système de ses boulons qui figuraient
des dessins symétriques. Une grille carrée, petite,
mais à barreaux serrés et rouges de rouille, occupait le milieu de la porte bâtarde[4] et servait, pour
ainsi dire, de motif[5] à un marteau qui s'y rattachait
par un anneau, et frappait sur la tête grimaçante
d'un maître clou. Ce marteau, de forme oblongue
et du genre de ceux que nos ancêtres nommaient
jacquemart[6], ressemblait à un gros point d'admiration[7] ; en l'examinant avec attention, un antiquaire y aurait retrouvé quelques indices de la

figure essentiellement bouffonne[1] qu'il représentait jadis, et qu'un long usage avait effacée. Par la petite grille, destinée à reconnaître les amis, au temps des guerres civiles, les curieux pouvaient apercevoir, au fond d'une voûte obscure et verdâtre, quelques marches dégradées par lesquelles on montait dans un jardin que bornaient pittoresquement des murs épais, humides, pleins de suintements et de touffes d'arbustes malingres. Ces murs étaient ceux du rempart sur lequel s'élevaient les jardins de quelques maisons voisines. Au rez-de-chaussée de la maison, la pièce la plus considérable était une *salle* dont l'entrée se trouvait sous la voûte de la porte cochère. Peu de personnes connaissent l'importance d'une salle dans les petites villes de l'Anjou, de la Touraine et du Berry. La salle est à la fois l'antichambre, le salon, le cabinet, le boudoir, la salle à manger ; elle est le théâtre de la vie domestique, le foyer commun ; là, le coiffeur du quartier venait couper deux fois l'an les cheveux de M. Grandet ; là entraient les fermiers, le curé, le sous-préfet, le garçon meunier. Cette pièce, dont les deux croisées donnaient sur la rue, était planchéiée ; des panneaux gris, à moulures antiques, la boisaient de haut en bas ; son plafond se composait de poutres apparentes également peintes en gris, dont les entre-deux étaient remplis de blanc en bourre[2] qui avait jauni. Un vieux cartel de cuivre incrusté d'arabesques en écaille ornait le manteau de la cheminée en pierre blanche, mal sculptée, sur lequel était une glace verdâtre dont les côtés, coupés en biseau pour en montrer l'épaisseur, reflétaient un filet de lumière le long d'un trumeau gothique[3] en acier damasquiné. Les deux girandoles de cuivre

doré qui décoraient chacun des coins de la cheminée étaient à deux fins ; en enlevant les roses qui
leur servaient de bobèches, et dont la maîtresse
branche s'adaptait au piédestal de marbre bleuâtre
agencé de vieux cuivre, ce piédestal formait un
chandelier pour les petits jours[1]. Les sièges de
forme antique étaient garnis en tapisseries représentant les fables de La Fontaine ; mais il fallait le
savoir pour en reconnaître les sujets, tant les couleurs passées et les figures criblées de reprises se
voyaient difficilement. Aux quatre angles de cette
salle se trouvaient des encoignures, espèces de buf-
fets terminés par de crasseuses étagères. Une vieille
table à jouer en marqueterie, dont le dessus faisait
échiquier, était placée dans le tableau qui séparait
les deux fenêtres[2]. Au-dessus de cette table, il y avait
un baromètre ovale, à bordure noire, enjolivé par
des rubans de bois doré, où les mouches avaient
si licencieusement folâtré que la dorure en était
un problème. Sur la paroi opposée à la cheminée,
deux portraits au pastel étaient censés représenter
l'aïeul de Mme Grandet, le vieux M. de La Bertellière, en lieutenant des gardes françaises, et défunt[3]
Mme Gentillet en bergère. Aux deux fenêtres étaient
drapés des rideaux en gros de Tours[4] rouge, relevés
par des cordons de soie à glands d'église. Cette
luxueuse décoration, si peu en harmonie avec les
habitudes de Grandet, avait été comprise dans
l'achat de la maison, ainsi que le trumeau, le cartel,
le meuble en tapisserie et les encoignures en bois de
rose. Dans la croisée la plus rapprochée de la porte,
se trouvait une chaise de paille dont les pieds étaient
montés sur des patins, afin d'élever Mme Grandet à

une hauteur qui lui permît de voir les passants. Une travailleuse en bois de merisier déteint remplissait l'embrasure, et le petit fauteuil d'Eugénie Grandet était placé tout auprès. Depuis quinze ans, toutes les journées de la mère et de la fille s'étaient paisiblement écoulées à cette place, dans un travail constant, à compter du mois d'avril jusqu'au mois de novembre. Le premier de ce dernier mois elles pouvaient prendre leur station d'hiver à la cheminée. Ce jour-là seulement Grandet permettait qu'on allumât du feu dans la salle, et il le faisait éteindre au trente et un mars, sans avoir égard ni aux premiers froids du printemps ni à ceux de l'automne. Une chaufferette, entretenue avec la braise provenant du feu de la cuisine que la Grande Nanon leur réservait en usant d'adresse, aidait Mme et Mlle Grandet à passer les matinées ou les soirées les plus fraîches des mois d'avril et d'octobre. La mère et la fille entretenaient tout le linge de la maison, et employaient si consciencieusement leurs journées à ce véritable labeur d'ouvrière, que, si Eugénie voulait broder une collerette à sa mère, elle était forcée de prendre sur ses heures de sommeil en trompant son père pour avoir de la lumière. Depuis longtemps l'avare distribuait la chandelle à sa fille et à la Grande Nanon, de même qu'il distribuait dès le matin le pain et les denrées nécessaires à la consommation journalière.

La Grande Nanon était peut-être la seule créature humaine capable d'accepter le despotisme de son maître. Toute la ville l'enviait à M. et à Mme Grandet. La Grande Nanon, ainsi nommée à cause de sa taille haute de cinq pieds huit

pouces[1], appartenait à Grandet depuis trente-cinq
ans. Quoiqu'elle n'eût que soixante livres de gages,
elle passait pour une des plus riches servantes de
Saumur. Ces soixante livres, accumulées depuis
trente-cinq ans, lui avaient permis de placer récemment quatre mille livres en viager chez Me Cruchot.
Ce résultat des longues et persistantes économies
de la Grande Nanon parut gigantesque. Chaque
servante, voyant à la pauvre sexagénaire du pain
pour ses vieux jours, était jalouse d'elle sans penser
au dur servage par lequel il avait été acquis. À l'âge
de vingt-deux ans, la pauvre fille n'avait pu se placer chez personne, tant sa figure semblait repous-
sante ; et certes ce sentiment était bien injuste : sa
figure eût été fort admirée sur les épaules d'un
grenadier de la garde[2] ; mais en tout il faut, dit-on,
l'à-propos. Forcée de quitter une ferme incendiée
où elle gardait les vaches, elle vint à Saumur, où
elle chercha du service, animée de ce robuste courage qui ne se refuse à rien. Le père Grandet pensait alors à se marier, et voulait déjà monter son
ménage. Il avisa cette fille rebutée de porte en
porte. Juge de la force corporelle en sa qualité de
tonnelier, il devina le parti qu'on pouvait tirer
d'une créature femelle taillée en Hercule, plantée
sur ses pieds comme un chêne de soixante ans sur
ses racines, forte des hanches, carrée du dos, ayant
des mains de charretier et une probité vigoureuse
comme l'était son intacte vertu. Ni les verrues qui
ornaient ce visage martial, ni le teint de brique, ni
les bras nerveux, ni les haillons de la Nanon n'épou-
vantèrent le tonnelier, qui se trouvait encore dans
l'âge où le cœur tressaille. Il vêtit alors, chaussa,

nourrit la pauvre fille, lui donna des gages, et l'employa sans trop la rudoyer. En se voyant ainsi accueillie, la Grande Nanon pleura secrètement de joie, et s'attacha sincèrement au tonnelier, qui d'ailleurs l'exploita féodalement. Nanon faisait tout : elle faisait la cuisine, elle faisait les buées [1], elle allait laver le linge à la Loire, le rapportait sur ses épaules ; elle se levait au jour, se couchait tard ; faisait à manger à tous les vendangeurs pendant les récoltes, surveillait les halleboteurs [2] ; défendait, comme un chien fidèle, le bien de son maître ; enfin, pleine d'une confiance aveugle en lui, elle obéissait sans murmure à ses fantaisies les plus saugrenues. Lors de la fameuse année de 1811 [3], dont la récolte coûta des peines inouïes, après vingt ans de service, Grandet résolut de donner sa vieille montre à Nanon, seul présent qu'elle reçut jamais de lui. Quoiqu'il lui abandonnât ses vieux souliers (elle pouvait les mettre), il est impossible de considérer le profit trimestriel des souliers de Grandet comme un cadeau, tant ils étaient usés. La nécessité rendit cette pauvre fille si avare que Grandet avait fini par l'aimer comme on aime un chien, et Nanon s'était laissé mettre au cou un collier garni de pointes dont les piqûres ne la piquaient plus. Si Grandet coupait le pain avec un peu trop de parcimonie, elle ne s'en plaignait pas ; elle participait gaiement aux profits hygiéniques que procurait le régime sévère de la maison où jamais personne n'était malade. Puis la Nanon faisait partie de la famille : elle riait quand riait Grandet, s'attristait, gelait, se chauffait, travaillait avec lui. Combien de douces compensations dans

cette égalité ! Jamais le maître n'avait reproché
à la servante ni l'halleberge[1] ou la pêche de vigne,
ni les prunes ou les brugnons mangés sous l'arbre.
« Allons, régale-toi, Nanon », lui disait-il dans les
années où les branches pliaient sous les fruits que
les fermiers étaient obligés de donner aux cochons.
Pour une fille des champs qui dans sa jeunesse
n'avait récolté que de mauvais traitements, pour
une pauvresse recueillie par charité, le rire équivoque du père Grandet était un vrai rayon de soleil.
D'ailleurs le cœur simple, la tête étroite de Nanon
ne pouvaient contenir qu'un sentiment et une idée.
Depuis trente-cinq ans, elle se voyait toujours
arrivant devant le chantier du père Grandet, pieds
nus, en haillons, et entendait toujours le tonnelier
lui disant : « Que voulez-vous, ma mignonne ? » Et
sa reconnaissance était toujours jeune. Quelquefois Grandet, songeant que cette pauvre créature
n'avait jamais entendu le moindre mot flatteur,
qu'elle ignorait tous les sentiments doux que la
femme inspire, et pouvait comparaître un jour
devant Dieu plus chaste que ne l'était la Vierge
Marie elle-même, Grandet, saisi de pitié, disait en
la regardant : « Cette pauvre Nanon ! » Son exclamation était toujours suivie d'un regard indéfinissable que lui jetait la vieille servante. Ce mot, dit
de temps à autre, formait depuis longtemps une
chaîne d'amitié non interrompue, et à laquelle
chaque exclamation ajoutait un chaînon. Cette
pitié, placée au cœur de Grandet et prise tout en
gré par la vieille fille, avait je ne sais quoi d'horrible. Cette atroce pitié d'avare, qui réveillait mille
plaisirs au cœur du vieux tonnelier, était pour

Nanon sa somme de bonheur. Qui ne dira pas aussi : Pauvre Nanon ! Dieu reconnaîtra ses anges aux inflexions de leur voix et à leurs mystérieux regrets. Il y avait dans Saumur une grande quantité de ménages où les domestiques étaient mieux traités, mais où les maîtres n'en recevaient néanmoins aucun contentement. De là cette autre phrase : « Qu'est-ce que les Grandet font donc à leur grande Nanon pour qu'elle leur soit si attachée ? Elle passerait dans le feu pour eux ! » Sa cuisine, dont les fenêtres grillées donnaient sur la cour, était toujours propre, nette, froide, véritable cuisine d'avare où rien ne devait se perdre. Quand Nanon avait lavé sa vaisselle, serré les restes du dîner, éteint son feu, elle quittait sa cuisine, séparée de la salle par un couloir, et venait filer du chanvre auprès de ses maîtres. Une seule chandelle suffisait à la famille pour la soirée. La servante couchait au fond de ce couloir, dans un bouge éclairé par un jour de souffrance[1]. Sa robuste santé lui permettait d'habiter impunément cette espèce de trou, d'où elle pouvait entendre le moindre bruit par le silence profond qui régnait nuit et jour dans la maison. Elle devait, comme un dogue chargé de la police, ne dormir que d'une oreille et se reposer en veillant.

La description des autres portions du logis se trouvera liée aux événements de cette histoire ; mais d'ailleurs le croquis de la salle où éclatait tout le luxe du ménage peut faire soupçonner par avance la nudité des étages supérieurs.

En 1819, vers le commencement de la soirée, au milieu du mois de novembre, la Grande Nanon

alluma du feu pour la première fois. L'automne
avait été très beau. Ce jour était un jour de fête bien
connu des Cruchotins et des Grassinistes. Aussi les
six antagonistes se préparaient-ils à venir armés
de toutes pièces, pour se rencontrer dans la salle et
s'y surpasser en preuves d'amitié. Le matin tout
Saumur avait vu Mme et Mlle Grandet, accompa-
gnées de Nanon, se rendant à l'église paroissiale
pour y entendre la messe, et chacun se souvint que
ce jour était l'anniversaire de la naissance de
Mlle Eugénie. Aussi, calculant l'heure où le dîner
devait finir, Me Cruchot, l'abbé Cruchot et M. C. de
Bonfons s'empressaient-ils d'arriver avant les
des Grassins pour fêter Mlle Grandet. Tous trois
apportaient d'énormes bouquets cueillis dans leurs
petites serres. La queue des fleurs que le président voulait présenter était ingénieusement enveloppée d'un ruban de satin blanc, orné de franges
d'or. Le matin, M. Grandet, suivant sa coutume
pour les jours mémorables de la naissance et de la
fête d'Eugénie, était venu la surprendre au lit, et lui
avait solennellement offert son présent paternel,
consistant, depuis treize années, en une curieuse
pièce d'or. Mme Grandet donnait ordinairement
à sa fille une robe d'hiver ou d'été, selon la circonstance. Ces deux robes, les pièces d'or qu'elle récoltait au premier jour de l'an et à la fête de son père,
lui composaient un petit revenu de cent écus environ, que Grandet aimait à lui voir entasser. N'était-
ce pas mettre son argent d'une caisse dans une
autre, et, pour ainsi dire, élever à la brochette [1]
l'avarice de son héritière, à laquelle il demandait
parfois compte de son trésor, autrefois grossi par

les La Bertellière, en lui disant : « Ce sera ton *douzain* de mariage. » Le douzain est un antique usage encore en vigueur et saintement conservé dans quelques pays situés au centre de la France. En Berry, en Anjou, quand une jeune fille se marie, sa famille ou celle de l'époux doit lui donner une bourse où se trouvent, suivant les fortunes, douze pièces ou douze douzaines de pièces ou douze cents pièces d'argent ou d'or. La plus pauvre des bergères ne se marierait pas sans son douzain, ne fût-il composé que de gros sous. On parle encore à Issoudun de je ne sais quel douzain offert à une riche héritière et qui contenait cent quarante-quatre portugaises d'or. Le pape Clément VII, oncle de Catherine de Médicis, lui fit présent, en la mariant à Henri II, d'une douzaine de médailles d'or antiques de la plus grande valeur. Pendant le dîner, le père, tout joyeux de voir son Eugénie plus belle dans une robe neuve, s'était écrié : « Puisque c'est la fête d'Eugénie, faisons du feu ! ce sera de bon augure.

— Mademoiselle se mariera dans l'année, c'est sûr, dit la Grande Nanon en remportant les restes d'une oie, ce faisan des tonneliers.

— Je ne vois point de partis pour elle à Saumur », répondit Mme Grandet en regardant son mari d'un air timide qui, vu son âge, annonçait l'entière servitude conjugale sous laquelle gémissait la pauvre femme.

Grandet contempla sa fille, et s'écria gaiement : « Elle a vingt-trois ans aujourd'hui, l'enfant, il faudra bientôt s'occuper d'elle. »

Eugénie et sa mère se jetèrent silencieusement un coup d'œil d'intelligence.

Mme Grandet était une femme sèche et maigre, jaune comme un coing, gauche, lente ; une de ces femmes qui semblent faites pour être tyrannisées. Elle avait de gros os, un gros nez, un gros front, de gros yeux, et offrait, au premier aspect, une vague ressemblance avec ces fruits cotonneux qui n'ont plus ni saveur ni suc. Ses dents étaient noires et rares, sa bouche était ridée, et son menton affectait la forme dite en galoche. C'était une excellente femme, une vraie La Bertellière. L'abbé Cruchot savait trouver quelques occasions de lui dire qu'elle n'avait pas été trop mal, et elle le croyait. Une douceur angélique, une résignation d'insecte tourmenté par des enfants, une piété rare, une inaltérable égalité d'âme, un bon cœur, la faisaient universellement plaindre et respecter. Son mari ne lui donnait jamais plus de six francs à la fois pour ses menues dépenses. Quoique ridicule en apparence, cette femme qui, par sa dot et ses successions, avait apporté au père Grandet plus de trois cent mille francs, s'était toujours sentie si profondément humiliée d'une dépendance et d'un ilotisme contre lequel la douceur de son âme lui interdisait de se révolter, qu'elle n'avait jamais demandé un sou, ni fait une observation sur les actes que Me Cruchot lui présentait à signer. Cette fierté sotte et secrète, cette noblesse d'âme constamment méconnue et blessée par Grandet, dominaient la conduite de cette femme. Mme Grandet mettait constamment une robe de levantine verdâtre[1], qu'elle s'était accoutumée à faire durer près d'une année ; elle portait un grand fichu de cotonnade blanche, un chapeau de paille cousue, et gardait presque toujours un tablier de taffetas noir. Sortant peu du logis, elle usait peu de souliers. Enfin elle ne voulait jamais rien pour elle. Aussi Grandet, saisi parfois d'un remords en se rappelant le long temps écoulé depuis le jour où il avait donné six francs à sa femme, stipulait-il toujours des épingles [1] pour elle en vendant ses récoltes de l'année. Les quatre ou cinq louis offerts par le Hollandais ou le Belge acquéreur de la vendange Grandet formaient le plus clair des revenus annuels de Mme Grandet. Mais, quand elle avait reçu ses cinq louis, son mari lui disait souvent, comme si leur bourse était commune : « As-tu quelques sous à me prêter ? » Et la pauvre femme, heureuse de pouvoir faire quelque chose pour un homme que son confesseur lui représentait comme son seigneur et maître, lui rendait, dans le courant de l'hiver, quelques écus sur l'argent des épingles. Lorsque Grandet tirait de sa poche la pièce de cent sous allouée par mois pour les menues dépenses, le fil, les aiguilles et la toilette de sa fille, il ne manquait jamais, après avoir boutonné son gousset, de dire à sa femme : « Et toi, la mère, veux-tu quelque chose ?

— Mon ami, répondait Mme Grandet animée par un sentiment de dignité maternelle, nous verrons cela. »

Sublimité perdue ! Grandet se croyait très généreux envers sa femme. Les philosophes qui rencontrent des Nanon, des Mme Grandet, des Eugénie ne sont-ils pas en droit de trouver que

l'ironie est le fond du caractère de la Providence ?
Après ce dîner, où, pour la première fois, il fut
question du mariage d'Eugénie, Nanon alla chercher une bouteille de cassis dans la chambre de
M. Grandet, et manqua de tomber en descendant.

— Grande bête, lui dit son maître, est-ce que tu
te laisserais choir comme une autre, toi ?

— Monsieur, c'est cette marche de votre escalier
qui ne tient pas.

— Elle a raison, dit Mme Grandet. Vous auriez
dû la faire raccommoder depuis longtemps. Hier,
Eugénie a failli s'y fouler le pied.

— Tiens, dit Grandet à Nanon en la voyant toute
pâle, puisque c'est la naissance d'Eugénie, et que
tu as manqué de tomber, prends un petit verre de
cassis pour te remettre.

— Ma foi, je l'ai bien gagné, dit Nanon. À ma
place, il y a bien des gens qui auraient cassé la bouteille, mais je me serais plutôt cassé le coude pour
la tenir en l'air.

— C'te pauvre Nanon ! dit Grandet en lui versant
le cassis.

— T'es-tu fait mal ? lui dit Eugénie en la regardant avec intérêt.

— Non, puisque je me suis retenue en me fichant
sur mes reins.

— Hé bien, puisque c'est la naissance d'Eugénie, dit Grandet, je vais vous raccommoder votre
marche. Vous ne savez pas, vous autres, mettre le
pied dans le coin, à l'endroit où elle est encore
solide. »

Grandet prit la chandelle, laissa sa femme, sa
fille et sa servante, sans autre lumière que celle du

foyer qui jetait de vives flammes, et alla dans le
fournil chercher des planches, des clous et ses
outils.

« Faut-il vous aider ? lui cria Nanon en l'entendant frapper dans l'escalier.

— Non ! non ! ça me connaît », répondit l'ancien
tonnelier.

Au moment où Grandet raccommodait lui-
même son escalier vermoulu, et sifflait à tue-tête
en souvenir de ses jeunes années, les trois Cruchot
frappèrent à la porte.

« C'est-y vous, monsieur Cruchot ? demanda
Nanon en regardant par la petite grille.

— Oui », répondit le président.

Nanon ouvrit la porte, et la lueur du foyer, qui
se reflétait sous la voûte, permit aux trois Cruchot
d'apercevoir l'entrée de la salle.

« Ah ! vous êtes des fêteux, leur dit Nanon en sentant les fleurs.

— Excusez, messieurs, cria Grandet en recon-
naissant la voix de ses amis, je suis à vous ! Je ne
suis pas fier, je rafistole moi-même une marche de
mon escalier.

— Faites, faites, monsieur Grandet, *Charbonnier
est maire chez lui* », dit sentencieusement le président en riant tout seul de son allusion que personne ne comprit[1].

Mme et Mlle Grandet se levèrent. Le président,
profitant de l'obscurité, dit alors à Eugénie : « Me
permettez-vous, mademoiselle, de vous souhaiter,
aujourd'hui que vous venez de naître, une suite
d'années heureuses, et la continuation de la santé
dont vous jouissez ? »

Il offrit un gros bouquet de fleurs rares à Saumur ; puis, serrant l'héritière par les coudes, il l'embrassa des deux côtés du cou, avec une complaisance qui rendit Eugénie honteuse. Le président, qui ressemblait à un grand clou rouillé, croyait ainsi faire sa cour.

« Ne vous gênez pas, dit Grandet en rentrant. Comme vous y allez les jours de fête, monsieur le président !

— Mais, avec mademoiselle, répondit l'abbé Cruchot armé de son bouquet, tous les jours seraient pour mon neveu des jours de fête. »

L'abbé baisa la main d'Eugénie. Quant à Me Cruchot, il embrassa la jeune fille tout bonnement sur les deux joues, et dit : « Comme ça nous pousse, ça ! Tous les ans douze mois. »

En replaçant la lumière devant le cartel, Grandet, qui ne quittait jamais une plaisanterie et la répétait à satiété quand elle lui semblait drôle, dit : « Puisque c'est la fête d'Eugénie, allumons les flambeaux ! »

Il ôta soigneusement les branches des candélabres, mit la bobèche à chaque piédestal, prit des mains de Nanon une chandelle neuve entortillée d'un bout de papier, la ficha dans le trou, l'assura, l'alluma, et vint s'asseoir à côté de sa femme, en regardant alternativement ses amis, sa fille et les deux chandelles. L'abbé Cruchot, petit homme dodu, grassouillet, à perruque rousse et plate, à figure de vieille femme joueuse, dit en avançant ses pieds bien chaussés dans de forts souliers à agrafes d'argent : « Les des Grassins ne sont pas venus ?

— Pas encore, dit Grandet.

— Mais doivent-ils venir ? demanda le vieux notaire en faisant grimacer sa face trouée comme une écumoire.

— Je le crois, répondit Mme Grandet.

— Vos vendanges sont-elles finies ? demanda le président de Bonfons à Grandet.

— Partout ! lui dit le vieux vigneron, en se levant pour se promener de long en long dans la salle et se haussant le thorax par un mouvement plein d'orgueil comme son mot, partout ! » Par la porte du couloir qui allait à la cuisine, il vit alors la grande Nanon, assise à son feu, ayant une lumière et se préparant à filer là, pour ne pas se mêler à la fête. « Nanon, dit-il, en s'avançant dans le couloir, veux-tu bien éteindre ton feu, ta lumière, et venir avec nous ? Pardieu ! la salle est assez grande pour nous tous.

— Mais, monsieur, vous aurez du beau monde.

— Ne les vaux-tu pas bien ? ils sont de la côte d'Adam tout comme toi. »

Grandet revint vers le président et lui dit : « Avez-vous vendu votre récolte ?

— Non, ma foi, je la garde. Si maintenant le vin est bon, dans deux ans il sera meilleur. Les propriétaires, vous le savez bien, se sont juré de tenir les prix convenus, et cette année les Belges ne l'emporteront pas sur nous. S'ils s'en vont, hé bien, ils reviendront.

— Oui, mais tenons-nous bien », dit Grandet d'un ton qui fit frémir le président.

« Serait-il en marché ? » pensa Cruchot.

En ce moment, un coup de marteau annonça la famille des Grassins, et leur arrivée interrompit une conversation commencée entre Mme Grandet et l'abbé.

Mme des Grassins était une de ces petites femmes vives, dodues, blanches et roses, qui, grâce au régime claustral des provinces et aux habitudes d'une vie vertueuse, se sont conservées jeunes encore à quarante ans. Elles sont comme ces dernières roses de l'arrière-saison, dont la vue fait plaisir, mais dont les pétales ont je ne sais quelle froideur, et dont le parfum s'affaiblit. Elle se mettait assez bien, faisait venir ses modes[1] de Paris, donnait le ton à la ville de Saumur, et avait des soirées. Son mari, ancien quartier-maître[2] dans la garde impériale, grièvement blessé à Austerlitz et retraité, conservait, malgré sa considération pour Grandet, l'apparente franchise des militaires.

« Bonjour, Grandet », dit-il au vigneron en lui tendant la main et affectant une sorte de supériorité sous laquelle il écrasait toujours les Cruchot. « Mademoiselle, dit-il à Eugénie après avoir salué Mme Grandet, vous êtes toujours belle et sage, je ne sais en vérité ce que l'on peut vous souhaiter. » Puis il présenta une petite caisse que son domestique portait, et qui contenait une bruyère du Cap, fleur nouvellement apportée en Europe et fort rare.

Mme des Grassins embrassa très affectueusement Eugénie, lui serra la main, et lui dit : « Adolphe s'est chargé de vous présenter mon petit souvenir. »

Un grand jeune homme blond, pâle et frêle, ayant d'assez bonnes façons, timide en apparence, mais qui venait de dépenser à Paris, où il était allé faire son droit, huit ou dix mille francs en sus de sa pension, s'avança vers Eugénie, l'embrassa sur les deux joues, et lui offrit une boîte à ouvrage dont tous les ustensiles étaient en vermeil, véritable marchandise de pacotille, malgré l'écusson sur lequel un E. G. gothique assez bien gravé pouvait faire croire à une façon très soignée. En l'ouvrant, Eugénie eut une de ces joies inespérées et complètes qui font rougir, tressaillir, trembler d'aise les jeunes filles. Elle tourna les yeux sur son père, comme pour savoir s'il lui était permis d'accepter, et M. Grandet dit un « Prends, ma fille ! » dont l'accent eût illustré un acteur. Les trois Cruchot restèrent stupéfaits en voyant le regard joyeux et animé lancé sur Adolphe des Grassins par l'héritière à qui de semblables richesses parurent inouïes. M. des Grassins offrit à Grandet une prise de tabac, en saisit une, secoua les grains tombés sur le ruban de la Légion d'honneur attaché à la boutonnière de son habit bleu, puis il regarda les Cruchot d'un air qui semblait dire : « Parez-moi cette botte-là ? » Mme des Grassins jeta les yeux sur les bocaux bleus où étaient les bouquets des Cruchot, en cherchant leurs cadeaux avec la bonne foi jouée d'une femme moqueuse. Dans cette conjoncture délicate, l'abbé Cruchot laissa la société s'asseoir en cercle devant le feu et alla se promener au fond de la salle avec Grandet. Quand ces deux vieillards furent dans l'embrasure de la fenêtre la plus éloignée des des Grassins : « Ces gens-là, dit le prêtre à l'oreille de l'avare, jettent l'argent par les fenêtres.

— Qu'est-ce que cela fait, s'il rentre dans ma cave, répliqua le vigneron.

— Si vous vouliez donner des ciseaux d'or à votre fille, vous en auriez bien le moyen, dit l'abbé.

— Je lui donne mieux que des ciseaux », répondit Grandet.

« Mon neveu est une cruche[1], pensa l'abbé en regardant le président dont les cheveux ébouriffés ajoutaient encore à la mauvaise grâce de sa physionomie brune. Ne pouvait-il inventer une petite bêtise qui eût du prix. »

« Nous allons faire votre partie, madame Grandet, dit Mme des Grassins.

— Mais nous sommes tous réunis, *nous pouvons* deux tables…

— Puisque c'est la fête d'Eugénie, faites votre loto général, dit le père Grandet, ces deux enfants en seront. » L'ancien tonnelier, qui ne jouait jamais à aucun jeu, montra sa fille et Adolphe. « Allons, Nanon, mets les tables.

— Nous allons vous aider, mademoiselle Nanon, dit gaiement Mme des Grassins toute joyeuse de la joie qu'elle avait causée à Eugénie.

— Je n'ai jamais de ma vie été si contente, lui dit l'héritière. Je n'ai rien vu de si joli nulle part.

— C'est Adolphe qui l'a rapportée de Paris et qui l'a choisie », lui dit Mme des Grassins à l'oreille.

« Va, va ton train, damnée intrigante ! se disait le président ; si tu es jamais en procès, toi ou ton mari, votre affaire ne sera jamais bonne. »

Le notaire, assis dans son coin, regardait l'abbé d'un air calme en se disant : « Les des Grassins ont beau faire, ma fortune, celle de mon frère et celle de mon neveu montent en somme à onze cent mille francs. Les des Grassins en ont tout au plus la moitié, et ils ont une fille : ils peuvent offrir ce qu'ils voudront ! héritière et cadeaux, tout sera pour nous un jour. »

À huit heures et demie du soir, deux tables étaient dressées. La jolie Mme des Grassins avait réussi à mettre son fils à côté d'Eugénie. Les acteurs de cette scène pleine d'intérêt, quoique vulgaire en apparence, munis de cartons bariolés, chiffrés, et de jetons en verre bleu, semblaient écouter les plaisanteries du vieux notaire, qui ne tirait pas un numéro sans faire une remarque ; mais tous pensaient aux millions de M. Grandet. Le vieux tonnelier contemplait vaniteusement les plumes roses, la toilette fraîche de Mme des Grassins, la tête martiale du banquier, celle d'Adolphe, le président, l'abbé, le notaire, et se disait intérieurement : « Ils sont là pour mes écus. Ils viennent s'ennuyer ici pour ma fille. Hé ! ma fille ne sera ni pour les uns ni pour les autres, et tous ces gens-là me servent de harpons pour pêcher ! »

Cette gaieté de famille, dans ce vieux salon gris, mal éclairé par deux chandelles ; ces rires, accompagnés par le bruit du rouet de la Grande Nanon, et qui n'étaient sincères que sur les lèvres d'Eugénie ou de sa mère ; cette petitesse jointe à de si grands intérêts ; cette jeune fille qui, semblable à ces oiseaux victimes du haut prix auquel on les met et qu'ils ignorent, se trouvait traquée, serrée par des preuves d'amitié dont elle était la dupe ; tout contribuait à rendre cette scène tristement comique. N'est-ce pas d'ailleurs une scène de tous les temps et de tous les lieux, mais ramenée à sa plus simple expression ? La figure de Grandet exploitant le faux attachement des deux familles, en tirant d'énormes profits, dominait ce drame et l'éclairait. N'était-ce pas le seul dieu moderne auquel on ait foi, l'Argent dans toute sa puissance, exprimé par une seule physionomie ? Les doux sentiments de la vie n'occupaient là qu'une place secondaire, ils animaient trois cœurs purs, ceux de Nanon, d'Eugénie et sa mère. Encore, combien d'ignorance dans leur naïveté ! Eugénie et sa mère ne savaient rien de la fortune de Grandet, elles n'estimaient les choses de la vie qu'à la lueur de leurs pâles idées, et ne prisaient ni ne méprisaient l'argent, accoutumées qu'elles étaient à s'en passer. Leurs sentiments, froissés à leur insu mais vivaces, le secret de leur existence, en faisaient des exceptions curieuses dans cette réunion de gens dont la vie était purement matérielle. Affreuse condition de l'homme ! il n'y a pas un de ses bonheurs qui ne vienne d'une ignorance quelconque. Au moment où Mme Grandet gagnait un lot de seize sous, le plus considérable qui eût jamais été ponté[1] dans cette salle, et que la Grande Nanon riait d'aise en voyant madame empochant cette riche somme, un coup de marteau retentit à la porte de la maison, et y fit un si grand tapage que les femmes sautèrent sur leurs chaises.

« Ce n'est pas un homme de Saumur qui frappe ainsi, dit le notaire.

— Peut-on cogner comme ça, dit Nanon. Veulent-ils casser notre porte ?

— Quel diable est-ce ? » s'écria Grandet.

Nanon prit une des deux chandelles, et alla ouvrir accompagnée de Grandet.

« Grandet, Grandet », s'écria sa femme qui pous-sée par un vague sentiment de peur s'élança vers la porte de la salle.

Tous les joueurs se regardèrent.

« Si nous y allions, dit M. des Grassins. Ce coup de marteau me paraît malveillant. »

À peine fut-il permis à M. des Grassins d'aperce-voir la figure d'un jeune homme accompagné du facteur des messageries, qui portait deux malles énormes et traînait des sacs de nuit. Grandet se retourna brusquement vers sa femme et lui dit : « Madame Grandet, allez à votre loto. Laissez-moi m'entendre avec monsieur. » Puis il tira vivement la porte de la salle, où les joueurs agités reprirent leurs places, mais sans continuer le jeu.

« Est-ce quelqu'un de Saumur, monsieur des Grassins ? lui dit sa femme.

— Non, c'est un voyageur.

— Il ne peut venir que de Paris. En effet, dit le notaire en tirant sa vieille montre épaisse de deux doigts et qui ressemblait à un vaisseau hollandais, il est *neuffe-s-heures*. Peste ! la diligence du Grand Bureau n'est jamais en retard.

— Et ce monsieur est-il jeune ? demanda l'abbé Cruchot.

— Oui, répondit M. des Grassins. Il apporte des paquets qui doivent peser au moins trois cents kilos.

— Nanon ne revient pas, dit Eugénie.

— Ce ne peut être qu'un de vos parents, dit le président.

— Faisons les mises, s'écria doucement Mme Grandet. À sa voix, j'ai vu que M. Grandet était contrarié, peut-être ne serait-il pas content de s'apercevoir que nous parlons de ses affaires.

— Mademoiselle, dit Adolphe à sa voisine, ce sera sans doute votre cousin Grandet, un bien joli jeune homme que j'ai vu au bal de M. de Nucingen. » Adolphe ne continua pas, sa mère lui marcha sur le pied, puis, en lui demandant à haute voix deux sous pour sa mise : « Veux-tu te taire, grand nigaud ! », lui dit-elle à l'oreille.

En ce moment Grandet rentra sans la Grande Nanon, dont le pas et celui du facteur retentirent dans les escaliers ; il était suivi du voyageur, qui depuis quelques instants excitait tant de curiosités et préoccupait si vivement les imaginations, que son arrivée en ce logis et sa chute au milieu de ce monde peut être comparée à celle d'un colimaçon dans une ruche, ou à l'introduction d'un paon dans quelque obscure basse-cour de village.

« Asseyez-vous auprès du feu », lui dit Grandet.

Avant de s'asseoir, le jeune étranger salua très gracieusement l'assemblée. Les hommes se levèrent pour répondre par une inclination polie, et les femmes firent une révérence cérémonieuse.

« Vous avez sans doute froid, monsieur, dit Mme Grandet, vous arrivez peut-être de…

— Voilà bien les femmes ! dit le vieux vigneron en quittant la lecture d'une lettre qu'il tenait à la main, laissez donc monsieur se reposer.

— Mais, mon père, monsieur a peut-être besoin de quelque chose, dit Eugénie.

— Il a une langue », répondit sévèrement le vigneron.

L'inconnu fut seul surpris de cette scène. Les

autres personnes étaient faites aux façons despo-
tiques du bonhomme. Néanmoins, quand ces deux
demandes et ces deux réponses furent échangées,
l'inconnu se leva, présenta le dos au feu, leva l'un
de ses pieds pour chauffer la semelle de ses bottes,
et dit à Eugénie : « Ma cousine, je vous remercie,
j'ai dîné à Tours. Et, ajouta-t-il en regardant Grandet, je n'ai besoin de rien, je ne suis même point
fatigué.

— Monsieur vient de la Capitale », demanda
Mme des Grassins.

M. Charles, ainsi se nommait le fils de M. Grandet
de Paris, en s'entendant interpeller, prit un petit lorgnon[1] suspendu par une chaîne à son col, l'appliqua
sur son œil droit pour examiner et ce qu'il y avait sur
la table et les personnes qui y étaient assises, lorgna
fort impertinemment Mme des Grassins, et lui dit
après avoir tout vu : « Oui, madame. Vous jouez au
loto, ma tante, ajouta-t-il, je vous en prie, continuez
votre jeu, il est trop amusant pour le quitter... »

« J'étais sûre que c'était le cousin », pensait
Mme des Grassins en lui jetant de petites œillades.

« Quarante-sept, cria le vieil abbé. Marquez
donc, Mme des Grassins, n'est-ce pas votre
numéro ? »

M. des Grassins mit un jeton sur le carton de sa
femme, qui, saisie par de tristes pressentiments,
observa tour à tour le cousin de Paris et Eugénie,
sans songer au loto. De temps en temps, la jeune
héritière lança de furtifs regards à son cousin, et la
femme du banquier put facilement y découvrir un
crescendo d'étonnement ou de curiosité.

M. Charles Grandet, beau jeune homme de
vingt-deux ans, produisait en ce moment un singulier contraste avec les bons provinciaux que déjà
ses manières aristocratiques révoltaient passable-
ment, et que tous étudiaient pour se moquer de
lui. Ceci veut une explication. À vingt-deux ans, les
jeunes gens sont encore assez voisins de l'enfance
pour se laisser aller à des enfantillages. Aussi,
peut-être, sur cent d'entre eux, s'en rencontrerait-il
bien quatre-vingt-dix-neuf qui se seraient conduits
comme se conduisait Charles Grandet. Quelques
jours avant cette soirée, son père lui avait dit
d'aller pour quelques mois chez son frère de Saumur. Peut-être M. Grandet de Paris pensait-il à
Eugénie. Charles, qui tombait en province pour
la première fois, eut la pensée d'y paraître avec la
supériorité d'un jeune homme à la mode, de déses-
pérer l'arrondissement par son luxe, d'y faire
époque, et d'y importer les inventions de la vie
parisienne. Enfin, pour tout expliquer d'un mot, il
voulait passer à Saumur plus de temps qu'à Paris
à se brosser les ongles, et y affecter l'excessive
recherche de mise que parfois un jeune homme
élégant abandonne pour une négligence qui ne
manque pas de grâce. Charles emporta donc le
plus joli costume de chasse, le plus joli fusil, le
plus joli couteau, la plus jolie gaine de Paris. Il
emporta sa collection de gilets les plus ingénieux :
il y en avait de gris, de blancs, de noirs, de couleur
scarabée, à reflets d'or, de pailletés, de chinés,
de doubles, à châle ou droits de col, à col renversé,
de boutonnés jusqu'en haut, à boutons d'or. Il
emporta toutes les variétés de cols et de cravates

en faveur à cette époque. Il emporta deux habits de Buisson[1], et son linge le plus fin. Il emporta sa jolie toilette d'or, présent de sa mère. Il emporta ses colifichets de dandy, sans oublier une ravissante petite écritoire donnée par la plus aimable des femmes, pour lui du moins, par une grande dame qu'il nommait Annette, et qui voyageait maritalement, ennuyeusement, en Écosse, victime de quelques soupçons auxquels besoin était de sacrifier momentanément son bonheur ; puis force joli papier pour lui écrire une lettre par quinzaine. Ce fut, enfin, une cargaison de futilités parisiennes aussi complète qu'il était possible de la faire, et où, depuis la cravache qui sert à commencer un duel jusqu'aux beaux pistolets ciselés qui le terminent, se trouvaient tous les instruments aratoires dont se sert un jeune oisif pour labourer la vie. Son père lui ayant dit de voyager seul et modestement, il était venu dans le coupé de la diligence retenu pour lui seul, assez content de ne pas gâter une délicieuse voiture de voyage commandée pour aller au-devant de son Annette, la grande dame que... etc., et qu'il devait rejoindre en juin prochain aux Eaux de Baden. Charles comptait rencontrer cent personnes chez son oncle, chasser à courre dans les forêts de son oncle, y vivre enfin de la vie de château ; il ne savait pas le trouver à Saumur où il ne s'était informé de lui que pour demander le chemin de Froidfond ; mais, en le sachant en ville, il crut l'y voir dans un grand hôtel. Afin de débuter convenablement chez son oncle, soit à Saumur, soit à Froidfond, il avait fait la toilette de voyage la plus coquette, la plus simplement

recherchée, la plus adorable, pour employer le
mot qui dans ce temps résumait les perfections
spéciales d'une chose ou d'un homme. À Tours, un
coiffeur venait de lui refriser ses beaux cheveux
châtains ; il y avait changé de linge, et mis une
cravate de satin noir combinée avec un col rond de
manière à encadrer agréablement sa blanche et
rieuse figure. Une redingote de voyage à demi bou-
tonnée lui pinçait la taille, et laissait voir un gilet
de cachemire à châle sous lequel était un second
gilet blanc. Sa montre, négligemment abandonnée
au hasard dans une poche, se rattachait par une
courte chaîne d'or à l'une des boutonnières. Son
pantalon gris se boutonnait sur les côtés, où des
dessins brodés en soie noire enjolivaient les cou-
tures. Il maniait agréablement une canne dont la
pomme d'or sculptée n'altérait point la fraîcheur
de ses gants gris. Enfin, sa casquette était d'un
goût excellent. Un Parisien, un Parisien de la
sphère la plus élevée, pouvait seul et s'agencer
ainsi sans paraître ridicule, et donner une harmonie de fatuité à toutes ces niaiseries, que soutenait
d'ailleurs un air brave, l'air d'un jeune homme qui
a de beaux pistolets, le coup sûr et Annette. Maintenant, si vous voulez bien comprendre la surprise
respective des Saumurois et du jeune Parisien,
voir parfaitement le vif éclat que l'élégance du
voyageur jetait au milieu des ombres grises de la
salle, et des figures qui composaient le tableau de
famille, essayez de vous représenter les Cruchot.
Tous les trois prenaient du tabac, et ne songeaient
plus depuis longtemps à éviter ni les roupies[1], ni
les petites galettes noires qui parsemaient le jabot

de leurs chemises rousses, à cols recroquevillés et
à plis jaunâtres. Leurs cravates molles se roulaient
en corde aussitôt qu'ils se les étaient attachées au
cou. L'énorme quantité de linge qui leur permettait de ne faire la lessive que tous les six mois, et
de le garder au fond de leurs armoires, laissait le
temps y imprimer ses teintes grises et vieilles. Il y
avait en eux une parfaite entente de mauvaise
grâce et de sénilité. Leurs figures, aussi flétries que
l'étaient leurs habits râpés, aussi plissées que leurs
pantalons, semblaient usées, racornies, et grimaçaient. La négligence générale des autres cos-
tumes, tous incomplets, sans fraîcheur, comme le
sont les toilettes de province, où l'on arrive insensiblement à ne plus s'habiller les uns pour les
autres, et à prendre garde au prix d'une paire de
gants, s'accordait avec l'insouciance des Cruchot.
L'horreur de la mode était le seul point sur lequel
les Grassinistes et les Cruchotins s'entendissent
parfaitement. Le Parisien prenait-il son lorgnon
pour examiner les singuliers accessoires de la
salle, les solives du plancher[1], le ton des boiseries
ou les points que les mouches y avaient imprimés
et dont le nombre aurait suffi pour ponctuer
L'Encyclopédie méthodique et *Le Moniteur*[2], aussitôt les joueurs de loto levaient le nez et le considé-
raient avec autant de curiosité qu'ils en eussent
manifesté pour une girafe[3]. M. des Grassins et son
fils, auxquels la figure d'un homme à la mode
n'était pas inconnue, s'associèrent néanmoins à
l'étonnement de leurs voisins, soit qu'ils éprou-
vassent l'indéfinissable influence d'un sentiment
général, soit qu'ils l'approuvassent en disant à

leurs compatriotes par des œillades pleines d'ironie : « Voilà comme *ils* sont à Paris. » Tous pouvaient d'ailleurs observer Charles à loisir, sans
craindre de déplaire au maître du logis. Grandet
était absorbé dans la longue lettre qu'il tenait, et il
avait pris pour la lire l'unique flambeau de la table,
sans se soucier de ses hôtes ni de leur plaisir.
Eugénie, à qui le type d'une perfection semblable,
soit dans la mise, soit dans la personne, était entièrement inconnu, crut voir en son cousin une créature descendue de quelque région séraphique. Elle
respirait avec délices les parfums exhalés par cette
chevelure si brillante, si gracieusement bouclée.
Elle aurait voulu pouvoir toucher la peau blanche
de ces jolis gants fins. Elle enviait les petites mains
de Charles, son teint, la fraîcheur et la délicatesse
de ses traits. Enfin, si toutefois cette image peut
résumer les impressions que le jeune élégant pro-
duisit sur une ignorante fille sans cesse occupée à
rapetasser des bas, à ravauder la garde-robe de son
père, et dont la vie s'était écoulée sous ces crasseux
lambris sans voir dans cette rue silencieuse plus
d'un passant par heure, la vue de son cousin fit
sourdre en son cœur les émotions de fine volupté
que causent à un jeune homme les fantastiques
figures de femmes dessinées par Westall dans les
Keepsake anglais et gravées par les Finden[1] d'un
burin si habile qu'on a peur, en soufflant sur le
vélin, de faire envoler ces apparitions célestes.
Charles tira de sa poche un mouchoir brodé par la
grande dame qui voyageait en Écosse. En voyant
ce joli ouvrage fait avec amour pendant les heures
perdues pour l'amour, Eugénie regarda son cousin

pour savoir s'il allait bien réellement s'en servir.
Les manières de Charles, ses gestes, la façon dont
il prenait son lorgnon, son impertinence affectée,
son mépris pour le coffret qui venait de faire tant
de plaisir à la riche héritière et qu'il trouvait évidemment ou sans valeur ou ridicule ; enfin, tout
ce qui choquait les Cruchot et les des Grassins
lui plaisait si fort qu'avant de s'endormir elle dût
rêver longtemps à ce phénix des cousins.

Les numéros se tiraient fort lentement, mais
bientôt le loto fut arrêté. La Grande Nanon entra
et dit tout haut : « Madame, va falloir me donner
des draps pour faire le lit à ce monsieur. »

Mme Grandet suivit Nanon. Mme des Grassins
dit alors à voix basse : « Gardons nos sous et lais-
sons le loto. » Chacun reprit ses deux sous dans la
vieille soucoupe écornée où il les avait mis. Puis
l'assemblée se remua en masse et fit un quart de
conversion[1] vers le feu.

« Vous avez donc fini ? dit Grandet sans quitter
sa lettre.

— Oui, oui », répondit Mme des Grassins en
venant prendre place près de Charles.

Eugénie, mue par une de ces pensées qui
naissent au cœur des jeunes filles quand un sentiment s'y loge pour la première fois, quitta la salle
pour aller aider sa mère et Nanon. Si elle avait été
questionnée par un confesseur habile, elle lui eût
sans doute avoué qu'elle ne songeait ni à sa mère ni
à Nanon, mais qu'elle était travaillée par un poi-
gnant désir d'inspecter la chambre de son cousin
pour s'y occuper de son cousin, pour y placer quoi
que ce fût, pour obvier à un oubli, pour y tout

prévoir, afin de la rendre, autant que possible, élégante et propre. Eugénie se croyait déjà seule capable de comprendre les goûts et les idées de son cousin. En effet, elle arriva fort heureusement[1] pour prouver à sa mère et à Nanon, qui revenaient pensant avoir tout fait, que tout était à faire. Elle donna l'idée à la Grande Nanon de bassiner les draps avec la braise du feu ; elle couvrit elle-même la vieille table d'un napperon, et recommanda bien à Nanon de changer le napperon tous les matins. Elle convainquit sa mère de la nécessité d'allumer un bon feu dans la cheminée, et détermina Nanon à monter, sans en rien dire à son père, un gros tas de bois dans le corridor. Elle courut chercher dans une des encoignures de la salle un plateau de vieux laque qui venait de la succession de feu le vieux M. de La Bertellière, y prit également un verre de cristal à six pans, une petite cuiller dédorée, un flacon antique où étaient gravés des amours, et mit triomphalement le tout sur un coin de la cheminée. Il lui avait plus surgi d'idées en un quart d'heure qu'elle n'en avait eu depuis qu'elle était au monde.

« Maman, dit-elle, jamais mon cousin ne supportera l'odeur d'une chandelle. Si nous achetions de la bougie ?... » Elle alla, légère comme un oiseau, tirer de sa bourse l'écu de cent sous qu'elle avait reçu pour ses dépenses du mois. « Tiens, Nanon, dit-elle, va vite.

— Mais, que dira ton père ? » Cette objection terrible fut proposée par Mme Grandet en voyant sa fille armée d'un sucrier de vieux sèvres rapporté du château de Froidfond par Grandet. « Et où prendras-tu donc du sucre ? es-tu folle ?

— Maman, Nanon achètera aussi bien du sucre que de la bougie.

— Mais ton père ?

— Serait-il convenable que son neveu ne pût boire un verre d'eau sucrée ? D'ailleurs, il n'y fera pas attention.

— Ton père voit tout », dit Mme Grandet en hochant la tête.

Nanon hésitait, elle connaissait son maître.

« Mais va donc, Nanon, puisque c'est ma fête ! »

Nanon laissa échapper un gros rire en entendant la première plaisanterie que sa jeune maîtresse eût jamais faite, et lui obéit. Pendant qu'Eugénie et sa mère s'efforçaient d'embellir la chambre destinée par M. Grandet à son neveu, Charles se trouvait l'objet des attentions de Mme des Grassins, qui lui faisait des agaceries.

« Vous êtes bien courageux, monsieur, lui dit-elle, de quitter les plaisirs de la capitale pendant l'hiver pour venir habiter Saumur. Mais si nous ne vous faisons pas trop peur, vous verrez que l'on peut encore s'y amuser. »

Elle lui lança une véritable œillade de province, où, par habitude, les femmes mettent tant de réserve et de prudence dans leurs yeux qu'elles leur communiquent la friande concupiscence particulière à ceux des ecclésiastiques, pour qui tout plaisir semble ou un vol ou une faute. Charles se trouvait si dépaysé dans cette salle, si loin du vaste château et de la fastueuse existence qu'il supposait à son oncle, qu'en regardant attentivement Mme des Grassins, il aperçut enfin une image à demi effacée des figures parisiennes. Il répondit avec grâce à l'espèce d'invitation qui lui était adressée, et il s'engagea naturellement une conversation dans laquelle Mme des Grassins baissa graduellement sa voix pour la mettre en harmonie avec la nature de ses confidences. Il existait chez elle et chez Charles un même besoin de confiance. Aussi, après quelques moments de causerie coquette et de plaisanteries sérieuses, l'adroite provinciale put-elle lui dire sans se croire entendue des autres personnes, qui parlaient de la vente des vins, dont s'occupait en ce moment tout le Saumurois : « Monsieur, si vous voulez nous faire l'honneur de venir nous voir, vous ferez très certainement autant de plaisir à mon mari qu'à moi. Notre salon est le seul dans Saumur où vous trouverez réunis le haut commerce et la noblesse : nous appartenons aux deux sociétés, qui ne veulent se rencontrer que là parce qu'on s'y amuse. Mon mari, je le dis avec orgueil, est également considéré par les uns et par les autres. Ainsi, nous tâcherons de faire diversion à l'ennui de votre séjour ici. Si vous restiez chez M. Grandet, que deviendriez-vous, bon Dieu ! Votre oncle est un grigou qui ne pense qu'à ses provins [1], votre tante est une dévote qui ne sait pas coudre deux idées, et votre cousine est une petite sotte, sans éducation, commune, sans dot, et qui passe sa vie à raccommoder des torchons. »

« Elle est très bien, cette femme », se dit en lui-même Charles Grandet en répondant aux minauderies de Mme des Grassins.

« Il me semble, ma femme, que tu veux accapa-

rer monsieur », dit en riant le gros et grand banquier.

À cette observation, le notaire et le président
dirent des mots plus ou moins malicieux ; mais
l'abbé les regarda d'un air fin et résuma leurs
pensées en prenant une pincée de tabac, et offrant
sa tabatière à la ronde : « Qui mieux que madame,
dit-il, pourrait faire à monsieur les honneurs de
Saumur ?

— Ah ! çà, comment l'entendez-vous, monsieur
l'abbé ? demanda M. des Grassins.

— Je l'entends, monsieur, dans le sens le plus
favorable pour vous, pour madame, pour la ville de
Saumur et pour monsieur », ajouta le rusé vieillard
en se tournant vers Charles.

Sans paraître y prêter la moindre attention,
l'abbé Cruchot avait su deviner la conversation de
Charles et de Mme des Grassins.

« Monsieur, dit enfin Adolphe à Charles d'un air
qu'il aurait voulu rendre dégagé, je ne sais si vous
avez conservé quelque souvenir de moi ; j'ai eu le
plaisir d'être votre vis-à-vis à un bal donné par
M. le baron de Nucingen, et...

— Parfaitement, monsieur, parfaitement, répondit Charles surpris de se voir l'objet des attentions
de tout le monde.

— Monsieur est votre fils ? » demanda-t-il à
Mme des Grassins.

L'abbé regarda malicieusement la mère.

« Oui, monsieur, dit-elle.

— Vous étiez donc bien jeune à Paris ? reprit
Charles en s'adressant à Adolphe.

— Que voulez-vous, monsieur, dit l'abbé, nous

les envoyons à Babylone aussitôt qu'ils sont sevrés. »

Mme des Grassins interrogea l'abbé par un regard d'une étonnante profondeur. « Il faut venir en province, dit-il en continuant, pour trouver des femmes de trente et quelques années aussi fraîches que l'est madame, après avoir eu des fils bientôt licenciés en droit. Il me semble être encore au jour où les jeunes gens et les dames montaient sur des chaises pour vous voir danser au bal, madame, ajouta l'abbé en se tournant vers son adversaire femelle. Pour moi, vos succès sont d'hier... »

« Oh ! le vieux scélérat ! se dit en elle-même Mme des Grassins, me devinerait-il donc ? »

« Il paraît que j'aurai beaucoup de succès à Saumur », se disait Charles en déboutonnant sa redingote, se mettant la main dans son gilet, et jetant son regard à travers les espaces pour imiter la pose donnée à lord Byron par Chantrey[1].

L'inattention du père Grandet, ou, pour mieux dire, la préoccupation dans laquelle le plongeait la lecture de sa lettre, n'échappèrent ni au notaire ni au président, qui tâchaient d'en conjecturer le contenu par les imperceptibles mouvements de la figure du bonhomme, alors fortement éclairée par la chandelle. Le vigneron maintenait difficilement le calme habituel de sa physionomie. D'ailleurs chacun pourra se peindre la contenance affectée par cet homme en lisant la fatale lettre que voici :

« Mon frère, voici bientôt vingt-trois ans que nous ne nous sommes vus. Mon mariage a été l'objet de notre dernière entrevue, après laquelle nous nous sommes quittés joyeux l'un et l'autre.

Certes je ne pouvais guère prévoir que tu serais un jour le seul soutien de la famille, à la prospérité de laquelle tu applaudissais alors. Quand tu tiendras cette lettre en tes mains, je n'existerai plus. Dans la position où j'étais, je n'ai pas voulu survivre à la honte d'une faillite. Je me suis tenu sur le bord du gouffre jusqu'au dernier moment, espérant surnager toujours. Il faut y tomber. Les banqueroutes réunies de mon agent de change et de Roguin, mon notaire, m'emportent mes dernières ressources et ne me laissent rien. J'ai la douleur de devoir près de quatre millions sans pouvoir offrir plus de vingt-cinq pour cent d'actif. Mes vins emmagasinés éprouvent en ce moment la baisse ruineuse que causent l'abondance et la qualité de vos récoltes. Dans trois jours Paris dira : "M. Grandet était un fripon !" Je me coucherai, moi probe, dans un linceul d'infamie. Je ravis à mon fils et son nom que j'entache et la fortune de sa mère. Il ne sait rien de cela, ce malheureux enfant que j'idolâtre. Nous nous sommes dit adieu tendrement. Il ignorait, par bonheur, que les derniers flots de ma vie s'épanchaient dans cet adieu. Ne me maudira-t-il pas un jour ? Mon frère, mon frère, la malédiction de nos enfants est épouvantable ; ils peuvent appeler de la nôtre, mais la leur est irrévocable. Grandet, tu es mon aîné, tu me dois ta protection : fais que Charles ne jette aucune parole amère sur ma tombe ! Mon frère, si je t'écrivais avec mon sang et mes larmes, il n'y aurait pas autant de douleurs que j'en mets dans cette lettre ; car je pleurerais, je saignerais, je serais mort, je ne souffrirais plus ; mais je souffre et vois la mort

d'un œil sec. Te voilà donc le père de Charles! il
n'a point de parents du côté maternel, tu sais pourquoi. Pourquoi n'ai-je pas obéi aux préjugés
sociaux? Pourquoi ai-je cédé à l'amour? Pourquoi
ai-je épousé la fille naturelle d'un grand seigneur?
Charles n'a plus de famille. Ô mon malheureux
fils! mon fils! Écoute, Grandet, je ne suis pas venu
t'implorer pour moi; d'ailleurs tes biens ne sont
peut-être pas assez considérables pour supporter
une hypothèque de trois millions; mais pour mon
fils! Sache-le bien, mon frère, mes mains sup-
pliantes se sont jointes en pensant à toi. Grandet,
je te confie Charles en mourant. Enfin je regarde
mes pistolets sans douleur en pensant que tu lui
serviras de père. Il m'aimait bien, Charles; j'étais
si bon pour lui, je ne le contrariais jamais: il ne
me maudira pas. D'ailleurs, tu verras, il est doux,
il tient de sa mère, il ne te donnera jamais de chagrin. Pauvre enfant! accoutumé aux jouissances
du luxe, il ne connaît aucune des privations auxquelles nous a condamnés l'un et l'autre notre première misère... Et le voilà ruiné, seul. Oui, tous
ses amis le fuiront, et c'est moi qui serai la cause
de ses humiliations. Ah! je voudrais avoir le bras
assez fort pour l'envoyer d'un seul coup dans les
cieux près de sa mère. Folie! Je reviens à mon
malheur, à celui de Charles. Je te l'ai donc envoyé
pour que tu lui apprennes convenablement et ma
mort et son sort à venir. Sois un père pour lui,
mais un bon père. Ne l'arrache pas tout à coup à
sa vie oisive, tu le tuerais. Je lui demande à genoux
de renoncer aux créances qu'en qualité d'héritier
de sa mère il pourrait exercer contre moi. Mais

c'est une prière superflue ; il a de l'honneur, et sentira bien qu'il ne doit pas se joindre à mes créanciers. Fais-le renoncer à ma succession en temps utile. Révèle-lui les dures conditions de la vie que je lui fais ; et, s'il me conserve sa tendresse, dis-lui bien en mon nom que tout n'est pas perdu pour lui. Oui, le travail, qui nous a sauvés tous deux, peut lui rendre la fortune que je lui emporte ; et, s'il veut écouter la voix de son père, qui pour lui voudrait sortir un moment du tombeau, qu'il parte, qu'il aille aux Indes ! Mon frère, Charles est un jeune homme probe et courageux : tu lui feras une pacotille, il mourrait plutôt que de ne pas te rendre les premiers fonds que tu lui prêteras ; car tu lui en prêteras, Grandet ! sinon tu te créerais des remords. Ah ! si mon enfant ne trouvait ni secours ni tendresse en toi, je demanderais éternellement vengeance à Dieu de ta dureté. Si j'avais pu sauver quelques valeurs, j'avais bien le droit de lui remettre une somme sur le bien de sa mère ; mais les payements de ma fin du mois avaient absorbé toutes mes ressources. Je n'aurais pas voulu mourir dans le doute sur le sort de mon enfant ; j'aurais voulu sentir de saintes promesses dans la chaleur de ta main, qui m'eût réchauffé ; mais le temps me manque. Pendant que Charles voyage, je suis obligé de dresser mon bilan. Je tâche de prouver par la bonne foi qui préside à mes affaires qu'il n'y a dans mes désastres ni faute ni improbité. N'est-ce pas m'occuper de Charles ? Adieu, mon frère. Que toutes les bénédictions de Dieu te soient acquises pour la généreuse tutelle que je confie, et que tu acceptes, je n'en doute pas.

Il y aura sans cesse une voix qui priera pour toi
dans le monde où nous devons aller tous un jour,
et où je suis déjà.

« VICTOR-ANGE-GUILLAUME GRANDET. »

« Vous causez donc ? » dit le père Grandet en
pliant avec exactitude la lettre dans les mêmes plis
et la mettant dans la poche de son gilet. Il regarda
son neveu d'un air humble et craintif sous lequel il
cacha ses émotions et ses calculs. « Vous êtes-vous
réchauffé ?

— Très bien, mon cher oncle.

— Hé bien, où sont donc nos femmes ? » dit l'oncle
oubliant déjà que son neveu couchait chez lui. En ce
moment Eugénie et Mme Grandet rentrèrent. « Tout
est-il arrangé là-haut ? leur demanda le bonhomme
en retrouvant son calme.

— Oui, mon père.

— Hé bien, mon neveu, si vous êtes fatigué,
Nanon va vous conduire à votre chambre. Dame,
ce ne sera pas un appartement de *mirliflor*[1] ! mais
vous excuserez de pauvres vignerons qui n'ont
jamais le sou. Les impôts nous avalent tout.

— Nous ne voulons pas être indiscrets, Grandet,
dit le banquier. Vous pouvez avoir à jaser avec
votre neveu, nous vous souhaitons le bonsoir. À
demain. »

À ces mots, l'assemblée se leva, et chacun fit la
révérence suivant son caractère. Le vieux notaire
alla chercher sous la porte sa lanterne, et vint l'allumer en offrant aux des Grassins de les reconduire.
Mme des Grassins n'avait pas prévu l'incident qui

devait faire finir prématurément la soirée, et son domestique n'était pas arrivé.

« Voulez-vous me faire l'honneur d'accepter mon bras, madame ? dit l'abbé Cruchot à Mme des Grassins.

— Merci, monsieur l'abbé. J'ai mon fils, répondit-elle sèchement.

— Les dames ne sauraient se compromettre avec moi, dit l'abbé.

— Donne donc le bras à M. Cruchot », lui dit son mari.

L'abbé emmena la jolie dame assez lestement pour se trouver à quelques pas en avant de la caravane.

« Il est très bien, ce jeune homme, madame, lui dit-il en lui serrant le bras. *Adieu, paniers, vendanges sont faites*[1] *!* Il vous faut dire adieu à Mlle Grandet, Eugénie sera pour le Parisien. À moins que ce cousin ne soit amouraché d'une Parisienne, votre fils Adolphe va rencontrer en lui le rival le plus…

— Laissez donc, monsieur l'abbé. Ce jeune homme ne tardera pas à s'apercevoir qu'Eugénie est une niaise, une fille sans fraîcheur. L'avez-vous examinée ? elle était, ce soir, jaune comme un coing.

— Vous l'avez peut-être déjà fait remarquer au cousin.

— Et je ne m'en suis pas gênée…

— Mettez-vous toujours auprès d'Eugénie, madame, et vous n'aurez pas grand chose à dire à ce jeune homme contre sa cousine, il fera de lui-même une comparaison qui…

— D'abord, il m'a promis de venir dîner après-demain chez moi.

— Ah! si vous vouliez, madame, dit l'abbé.

— Et que voulez-vous que je veuille, monsieur l'abbé? Entendez-vous ainsi me donner de mauvais conseils? Je ne suis pas arrivée à l'âge de trente-neuf ans, avec une réputation sans tache, Dieu merci, pour la compromettre, même quand il s'agirait de l'empire du Grand-Mogol. Nous sommes à un âge, l'un et l'autre, auquel on sait ce que parler veut dire. Pour un ecclésiastique, vous avez en vérité des idées bien incongrues. Fi! cela est digne de *Faublas*.

— Vous avez donc lu *Faublas*?

— Non, monsieur l'abbé, je voulais dire *Les Liaisons dangereuses*[1].

— Ah! ce livre est infiniment plus moral, dit en riant l'abbé. Mais vous me faites aussi pervers que l'est un jeune homme d'aujourd'hui! Je voulais simplement vous...

— Osez me dire que vous ne songiez pas à me conseiller de vilaines choses. Cela n'est-il pas clair? Si ce jeune homme, qui est très bien, j'en conviens, me faisait la cour, il ne penserait pas à sa cousine. À Paris, je le sais, quelques bonnes mères se dévouent ainsi pour le bonheur et la fortune de leurs enfants; mais nous sommes en province, monsieur l'abbé.

— Oui, madame.

— Et, reprit-elle, je ne voudrais pas, ni Adolphe lui-même ne voudrait pas de cent millions achetés à ce prix...

— Madame, je n'ai point parlé de cent millions.

La tentation eût été peut-être au-dessus de nos forces à l'un et à l'autre. Seulement, je crois qu'une honnête femme peut se permettre, en tout bien tout honneur, de petites coquetteries sans consé- quence, qui font partie de ses devoirs en société, et qui...

— Vous croyez ?

— Ne devons-nous pas, madame, tâcher de nous être agréables les uns aux autres... Permettez que je me mouche. Je vous assure, madame, reprit-il, qu'il vous lorgnait d'un air un peu plus flatteur que celui qu'il avait en me regardant ; mais je lui par- donne d'honorer préférablement à la vieillesse la beauté...

— Il est clair, disait le président de sa grosse voix, que M. Grandet de Paris envoie son fils à Sau- mur dans des intentions extrêmement matrimo- niales...

— Mais, alors, le cousin ne serait pas tombé comme une bombe, répondait le notaire.

— Cela ne dirait rien, dit M. des Grassins, le bonhomme est *cachotier*.

— Des Grassins, mon ami, je l'ai invité à dîner, ce jeune homme. Il faudra que tu ailles prier M. et Mme de Larsonnière, et les du Hautoy, avec la belle demoiselle du Hautoy, bien entendu ; pourvu qu'elle se mette bien ce jour-là ! Par jalousie, sa mère la fagote si mal ! J'espère, messieurs, que vous nous ferez l'honneur de venir, ajouta-t-elle en arrêtant le cortège pour se retourner vers les deux Cruchot.

— Vous voilà chez vous, madame », dit le notaire.

Après avoir salué les trois des Grassins, les trois
Cruchot s'en retournèrent chez eux, en se servant
de ce génie d'analyse que possèdent les provinciaux pour étudier sous toutes ses faces le
grand événement de cette soirée, qui changeait
les positions respectives des Cruchotins et des
Grassinistes. L'admirable bon sens qui dirigeait
les actions de ces grands calculateurs leur fit
sentir aux uns et aux autres la nécessité d'une
alliance momentanée contre l'ennemi commun.
Ne devaient-ils pas mutuellement empêcher Eugénie d'aimer son cousin, et Charles de penser à sa
cousine ? Le Parisien pourrait-il résister aux insinuations perfides, aux calomnies doucereuses, aux
médisances pleines d'éloges, aux dénégations
naïves qui allaient constamment tourner autour de
lui pour le tromper ?

Lorsque les quatre parents se trouvèrent seuls
dans la salle, M. Grandet dit à son neveu : « Il faut
se coucher. Il est trop tard pour causer des affaires
qui vous amènent ici, nous prendrons demain un
moment convenable. Ici, nous déjeunons à huit
heures. À midi, nous mangeons un fruit, un rien de
pain sur le pouce, et nous buvons un verre de vin
blanc ; puis nous dînons, comme les Parisiens, à
cinq heures. Voilà l'ordre. Si vous voulez voir la
ville ou les environs, vous serez libre comme l'air.
Vous m'excuserez si mes affaires ne me permettent
pas toujours de vous accompagner. Vous les entendrez peut-être tous ici vous disant que je suis riche :
M. Grandet par ci, M. Grandet par là ! Je les laisse
dire, leurs bavardages ne nuisent point à mon crédit. Mais je n'ai pas le sou, et je travaille à mon âge

comme un jeune compagnon, qui n'a pour tout bien qu'une mauvaise plaine[1] et deux bons bras. Vous verrez peut-être bientôt par vous-même ce que coûte un écu quand il faut le suer. Allons, Nanon, les chandelles ?

— J'espère, mon neveu, que vous trouverez tout ce dont vous aurez besoin, dit Mme Grandet ; mais s'il vous manquait quelque chose, vous pourrez appeler Nanon.

— Ma chère tante, ce serait difficile, j'ai, je crois, emporté toutes mes affaires ! Permettez-moi de vous souhaiter une bonne nuit, ainsi qu'à ma jeune cousine. »

Charles prit des mains de Nanon une bougie allumée, une bougie d'Anjou, bien jaune de ton, vieillie en boutique et si pareille à de la chandelle, que M. Grandet, incapable d'en soupçonner l'existence au logis, ne s'aperçut pas de cette magnificence.

« Je vais vous montrer le chemin », dit le bonhomme.

Au lieu de sortir par la porte de la salle qui donnait sous la voûte, Grandet fit la cérémonie de passer par le couloir qui séparait la salle de la cuisine. Une porte battante garnie d'un grand carreau de verre ovale fermait ce couloir du côté de l'escalier afin de tempérer le froid qui s'y engouffrait. Mais en hiver la brise n'en sifflait pas moins par là très rudement, et, malgré les bourrelets mis aux portes de la salle, à peine la chaleur s'y maintenait-elle à un degré convenable. Nanon alla verrouiller la grande porte, ferma la salle, et détacha dans l'écurie un chien-loup dont la voix était cassée comme s'il avait

une laryngite. Cet animal d'une notable férocité ne
connaissait que Nanon. Ces deux créatures cham-
pêtres s'entendaient. Quand Charles vit les murs jaunâtres et enfumés de la cage où l'escalier à rampe
vermoulue tremblait sous le pas pesant de son oncle,
son dégrisement alla *rinforzando*. Il se croyait dans
un juchoir à poules. Sa tante et sa cousine, vers lesquelles il se retourna pour interroger leurs figures,
étaient si bien façonnées à cet escalier, que, ne devi-
nant pas la cause de son étonnement, elles le prirent
pour une expression amicale, et y répondirent par
un sourire agréable qui le désespéra. « Que diable
mon père m'envoie-t-il faire ici ? » se disait-il. Arrivé
sur le premier palier, il aperçut trois portes peintes
en rouge étrusque et sans chambranles, des portes
perdues dans la muraille poudreuse et garnies de
bandes en fer boulonnées, apparentes, terminées en
façon de flammes comme l'était à chaque bout la
longue entrée de la serrure. Celle de ces portes qui se
trouvait en haut de l'escalier et qui donnait entrée
dans la pièce située au-dessus de la cuisine était
évidemment murée. On n'y pénétrait en effet que par
la chambre de Grandet, à qui cette pièce servait
de cabinet. L'unique croisée d'où elle tirait son jour
était défendue sur la cour par d'énormes barreaux
en fer grillagés. Personne, pas même Mme Grandet,
n'avait la permission d'y venir, le bonhomme voulait
y rester seul comme un alchimiste à son fourneau.
Là, sans doute, quelque cachette avait été très habilement pratiquée, là s'emmagasinaient les titres
de propriété, là pendaient les balances à peser les
louis, là se faisaient nuitamment et en secret les quit-
tances, les reçus, les calculs ; de manière que les gens

d'affaires, voyant toujours Grandet prêt à tout, pouvaient imaginer qu'il avait à ses ordres une fée ou un démon. Là, sans doute, quand Nanon ronflait à ébranler les planchers, quand le chien-loup veillait et bâillait dans la cour, quand Mme et Mlle Grandet étaient bien endormies, venait le vieux tonnelier choyer, caresser, couver, cuver, cercler son or[1]. Les murs étaient épais, les contrevents discrets. Lui seul avait la clef de ce laboratoire, où, dit-on, il consultait des plans sur lesquels ses arbres à fruits étaient désignés et où il chiffrait ses produits à un provin, à une bourrée[2] près. L'entrée de la chambre d'Eugénie faisait face à cette porte murée. Puis, au bout du palier, était l'appartement des deux époux qui occupaient tout le devant de la maison. Mme Grandet avait une chambre contiguë à celle d'Eugénie, chez qui l'on entrait par une porte vitrée. La chambre du maître était séparée de celle de sa femme par une cloison, et du mystérieux cabinet par un gros mur. Le père Grandet avait logé son neveu au second étage, dans la haute mansarde située au-dessus de sa chambre, de manière à pouvoir l'entendre, s'il lui prenait fantaisie d'aller et de venir. Quand Eugénie et sa mère arrivèrent au milieu du palier, elles se donnèrent le baiser du soir; puis, après avoir dit à Charles quelques mots d'adieu, froids sur les lèvres, mais certes chaleureux au cœur de la fille, elles rentrèrent dans leurs chambres.

« Vous voilà chez vous, mon neveu, dit le père Grandet à Charles en lui ouvrant sa porte. Si vous aviez besoin de sortir, vous appelleriez Nanon. Sans elle, votre serviteur ! le chien vous mangerait sans vous dire un seul mot. Dormez bien. Bonsoir.

Ha ! ha ! ces dames vous ont fait du feu », reprit-il.
En ce moment la Grande Nanon apparut, armée
d'une bassinoire. « En voilà bien d'une autre ! dit
M. Grandet. Prenez-vous mon neveu pour une
femme en couches ? Veux-tu bien remporter ta
braise, Nanon.

— Mais, monsieur, les draps sont humides, et
ce monsieur est vraiment mignon comme une
femme.

— Allons, va, puisque tu l'as dans la tête, dit
Grandet en la poussant par les épaules, mais
prends garde de mettre le feu. » Puis l'avare descendit en grommelant de vagues paroles.

Charles demeura pantois au milieu de ses
malles. Après avoir jeté les yeux sur les murs d'une
chambre en mansarde tendue de ce papier jaune
à bouquets de fleurs qui tapisse les guinguettes,
sur une cheminée en pierre de liais[1] cannelée
dont le seul aspect donnait froid, sur des chaises
de bois jaune garnies en canne vernissée et qui
semblaient avoir plus de quatre angles, sur une
table de nuit ouverte dans laquelle aurait pu tenir
un petit sergent de voltigeurs[2], sur le maigre tapis
de lisière placé au bas d'un lit à ciel dont les pentes
en drap tremblaient comme si elles allaient tomber, achevées par les vers, il regarda sérieuse-
ment la Grande Nanon et lui dit : « Ah çà ! ma
chère enfant, suis-je bien chez M. Grandet, l'ancien
maire de Saumur, frère de M. Grandet de Paris ?

— Oui, monsieur, chez un ben aimable, un ben
doux, un ben parfait monsieur. Faut-il que je vous
aide à défaire vos malles ?

— Ma foi, je le veux bien, mon vieux troupier !

N'avez-vous pas servi dans les marins de la garde impériale ?

— Oh ! oh ! oh ! oh ! dit Nanon, quoi que c'est que ça, les marins de la garde ? C'est-y salé ? Ça va-t-il sur l'eau[1] ?

— Tenez, cherchez ma robe de chambre qui est dans cette valise. En voici la clef. »

Nanon fut tout émerveillée de voir une robe de chambre en soie verte à fleurs d'or et à dessins antiques.

« Vous allez mettre ça pour vous coucher, dit-elle.

— Oui.

— Sainte Vierge ! le beau devant d'autel que ça ferait pour la paroisse. Mais, mon cher mignon monsieur, donnez donc ça à l'église, vous sauverez votre âme, tandis que ça vous la fera perdre. Oh ! que vous êtes donc gentil comme ça. Je vais appeler mademoiselle pour qu'elle vous regarde.

— Allons, Nanon, puisque Nanon y a, voulez-vous vous taire ! Laissez-moi coucher, j'arrangerai mes affaires demain ; et si ma robe vous plaît tant, vous sauverez votre âme. Je suis trop bon chrétien pour vous la refuser en m'en allant, et vous pourrez en faire ce que vous voudrez. »

Nanon resta plantée sur ses pieds, contemplant Charles, sans pouvoir ajouter foi à ses paroles.

« Me donner ce bel atour ! dit-elle en s'en allant. Il rêve déjà, ce monsieur. Bonsoir.

— Bonsoir, Nanon. »

« Qu'est-ce que je suis venu faire ici ? se dit Charles en s'endormant. Mon père n'est pas un niais, mon voyage doit avoir un but. Psch ! à demain les affaires sérieuses, disait je ne sais quelle ganache grecque [1]. »

« Sainte Vierge ! qu'il est gentil, mon cousin », se dit Eugénie en interrompant ses prières, qui ce soir-là ne furent pas finies.

Mme Grandet n'eut aucune pensée en se couchant. Elle entendait, par la porte de communication qui se trouvait au milieu de la cloison, l'avare se promenant de long en long dans sa chambre. Semblable à toutes les femmes timides, elle avait étudié le caractère de son seigneur. De même que la mouette prévoit l'orage, elle avait, à d'imperceptibles signes, pressenti la tempête intérieure qui agitait Grandet, et, pour employer l'expression dont elle se servait, elle faisait alors la morte. Grandet regardait la porte intérieurement doublée en tôle qu'il avait fait mettre à son cabinet, et se disait : « Quelle idée bizarre a eue mon frère de me léguer son enfant ? Jolie succession ! Je n'ai pas vingt écus à donner. Mais qu'est-ce que vingt écus pour ce mirliflor qui lorgnait mon baromètre comme s'il avait voulu en faire du feu ? »

En songeant aux conséquences de ce testament de douleur, Grandet était peut-être plus agité que ne l'était son frère au moment où il le traça.

« J'aurais cette robe d'or ?... » disait Nanon, qui s'endormit habillée de son devant d'autel, rêvant de fleurs, de tabis, de damas [2], pour la première fois de sa vie, comme Eugénie rêva d'amour.

Dans la pure et monotone vie des jeunes filles, il vient une heure délicieuse où le soleil leur épanche ses rayons dans l'âme, où la fleur leur exprime des pensées, où les palpitations du cœur communiquent au cerveau leur chaude fécondance[1], et fondent les idées en un vague désir; jour d'innocente mélancolie et de suaves joyeusetés! Quand les enfants commencent à voir, ils sourient; quand une fille entrevoit le sentiment dans la nature, elle sourit comme elle souriait enfant. Si la lumière est le premier amour de la vie, l'amour n'est-il pas la lumière du cœur? Le moment de voir clair aux choses d'ici-bas était arrivé pour Eugénie. Matinale comme toutes les filles de province, elle se leva de bonne heure, fit sa prière, et commença l'œuvre de sa toilette, occupation qui désormais allait avoir un sens. Elle lissa d'abord ses cheveux châtains, tordit leurs grosses nattes au-dessus de sa tête avec le plus grand soin, en évitant que les cheveux ne s'échappassent de leurs tresses, et introduisit dans sa coiffure une symétrie qui rehaussa la timide candeur de son visage, en accordant la simplicité des accessoires à la naïveté des lignes. En se lavant plusieurs fois les mains dans de l'eau pure qui lui durcissait et rougissait la peau, elle regarda ses beaux bras ronds, et se demanda ce que faisait son cousin pour avoir les mains si mollement blanches, les ongles si bien façonnés. Elle mit des bas neufs et ses plus jolis souliers. Elle se laça droit, sans passer d'œillets. Enfin souhaitant, pour la première fois de sa vie, de paraître à son avantage, elle connut le bonheur d'avoir une robe fraîche, bien faite, et qui la rendait attrayante. Quand sa toilette fut achevée, elle entendit sonner l'horloge de la paroisse, et s'étonna de ne compter que sept heures. Le désir d'avoir tout le temps nécessaire pour se bien habiller l'avait fait lever trop tôt. Ignorant l'art de remanier dix fois une

boucle de cheveux et d'en étudier l'effet, Eugénie se
croisa bonnement les bras, s'assit à sa fenêtre,
contempla la cour, le jardin étroit et les hautes ter-
rasses qui le dominaient ; vue mélancolique, bornée,
mais qui n'était pas dépourvue des mystérieuses
beautés particulières aux endroits solitaires ou à la
nature inculte. Auprès de la cuisine se trouvait un
puits entouré d'une margelle, et à poulie maintenue
dans une branche de fer courbée, qu'embrassait une
vigne aux pampres flétris, rougis, brouis[1] par la saison. De là, le tortueux sarment gagnait le mur, s'y
attachait, courait le long de la maison et finissait sur
un bûcher où le bois était rangé avec autant d'exactitude que peuvent l'être les livres d'un bibliophile. Le
pavé de la cour offrait ces teintes noirâtres produites
avec le temps par les mousses, par les herbes, par le
défaut de mouvement. Les murs épais présentaient
leur chemise verte, ondée de longues traces brunes.
Enfin les huit marches qui régnaient au fond de la
cour et menaient à la porte du jardin étaient dis-
jointes et ensevelies sous de hautes plantes comme
le tombeau d'un chevalier enterré par sa veuve au
temps des croisades. Au-dessus d'une assise de
pierres toutes rongées s'élevait une grille de bois
pourri, à moitié tombée de vétusté, mais à laquelle
se mariaient à leur gré des plantes grimpantes. De
chaque côté de la porte à claire-voie s'avançaient les
rameaux tortus de deux pommiers rabougris. Trois
allées parallèles, sablées et séparées par des carrés
dont les terres étaient maintenues au moyen d'une
bordure en buis, composaient ce jardin que termi-
nait, au bas de la terrasse, un couvert de tilleuls. À
un bout, des framboisiers ; à l'autre, un immense

noyer qui inclinait ses branches jusque sur le cabinet du tonnelier. Un jour pur et le beau soleil des automnes naturels aux rives de la Loire commençaient à dissiper le glacis imprimé par la nuit aux pittoresques objets, aux murs, aux plantes qui meublaient ce jardin et la cour. Eugénie trouva des charmes tout nouveaux dans l'aspect de ces choses, auparavant si ordinaires pour elle. Mille pensées confuses naissaient dans son âme, et y croissaient à mesure que croissaient au dehors les rayons du soleil. Elle eut enfin ce mouvement de plaisir vague, inexplicable, qui enveloppe l'être moral, comme un nuage envelopperait l'être physique. Ses réflexions s'accordaient avec les détails de ce singulier paysage, et les harmonies de son cœur firent alliance avec les harmonies de la nature. Quand le soleil atteignit un pan de mur, d'où tombaient des Cheveux de Vénus[1] aux feuilles épaisses à couleurs changeantes comme la gorge des pigeons, de célestes rayons d'espérance illuminèrent l'avenir pour Eugénie, qui désormais se plut à regarder ce pan de mur, ses fleurs pâles, ses clochettes bleues et ses herbes fanées, auxquelles se mêla un souvenir gracieux comme ceux de l'enfance. Le bruit que chaque feuille produisait dans cette cour sonore, en se détachant de son rameau, donnait une réponse aux secrètes interrogations de la jeune fille, qui serait restée là, pendant toute la journée, sans s'apercevoir de la fuite des heures. Puis vinrent de tumultueux mouvements d'âme. Elle se leva brusquement[2], se mit devant son miroir, et s'y regarda comme un auteur de bonne foi contemple son œuvre pour se critiquer, et se dire des injures à lui-même.

« Je ne suis pas assez belle pour lui. » Telle était
la pensée d'Eugénie, pensée humble et fertile en
souffrances. La pauvre fille ne se rendait pas justice ; mais la modestie, ou mieux la crainte, est une
des premières vertus de l'amour. Eugénie appartenait bien à ce type d'enfants fortement constitués,
comme ils le sont dans la petite bourgeoisie, et
dont les beautés paraissent vulgaires ; mais si elle
ressemblait à la Vénus de Milo, ses formes étaient
ennoblies par cette suavité du sentiment chrétien
qui purifie la femme et lui donne une distinction
inconnue aux sculpteurs anciens. Elle avait une
tête énorme, le front masculin mais délicat du
Jupiter de Phidias[1], et des yeux gris auxquels sa
chaste vie, en s'y portant tout entière, imprimait
une lumière jaillissante. Les traits de son visage
rond, jadis frais et rose, avaient été grossis par une
petite vérole assez clémente pour n'y point laisser
de traces, mais qui avait détruit le velouté de la
peau, néanmoins si douce et si fine encore que le
pur baiser de sa mère y traçait passagèrement une
marque rouge. Son nez était un peu trop fort, mais
il s'harmoniait[2] avec une bouche d'un rouge de
minium, dont les lèvres à mille raies étaient pleines
d'amour et de bonté. Le col avait une rondeur parfaite. Le corsage bombé, soigneusement voilé, attirait le regard et faisait rêver ; il manquait sans
doute un peu de la grâce due à la toilette ; mais,
pour les connaisseurs, la non-flexibilité de cette
haute taille devait être un charme. Eugénie, grande
et forte, n'avait donc rien du joli qui plaît aux
masses ; mais elle était belle de cette beauté si
facile à méconnaître[3], et dont s'éprennent seule-

ment les artistes. Le peintre qui cherche ici-bas un type à la céleste pureté de Marie, qui demande à toute la nature féminine ces yeux modestement fiers devinés par Raphaël, ces lignes vierges souvent dues aux hasards de la conception, mais qu'une vie chrétienne et pudique peut seule conserver ou faire acquérir ; ce peintre, amoureux d'un si rare modèle, eût trouvé tout à coup dans le visage d'Eugénie la noblesse innée qui s'ignore ; il eût vu sous un front calme un monde d'amour ; et, dans la coupe des yeux, dans l'habitude [1] des paupières, le je ne sais quoi divin. Ses traits, les contours de sa tête que l'expression du plaisir n'avait jamais ni altérés ni fatigués, ressemblaient aux lignes d'horizon si doucement tranchées dans le lointain des lacs tranquilles. Cette physionomie calme, colorée, bordée de lueur comme une jolie fleur éclose, reposait l'âme, communiquait le charme de la conscience qui s'y reflétait, et commandait le regard. Eugénie était encore sur la rive de la vie où fleurissent les illusions enfantines, où se cueillent les marguerites avec des délices plus tard inconnues. Aussi se dit-elle en se mirant, sans savoir encore ce qu'était l'amour : « Je suis trop laide, il ne fera pas attention à moi. »

Puis elle ouvrit la porte de sa chambre qui donnait sur l'escalier, et tendit le cou pour écouter les bruits de la maison. « Il ne se lève pas », pensat-elle en entendant la tousserie matinale de Nanon, et la bonne fille allant, venant, balayant la salle, allumant son feu, enchaînant le chien et parlant à ses bêtes dans l'écurie. Aussitôt Eugénie descendit et courut à Nanon qui trayait la vache.

« Nanon, ma bonne Nanon, fais donc de la crème pour le café de mon cousin.

— Mais, mademoiselle, il aurait fallu s'y prendre hier, dit Nanon qui partit d'un gros éclat de rire. Je ne peux pas faire de la crème. Votre cousin est mignon, mignon, mais vraiment mignon. Vous ne l'avez pas vu dans sa chambrelouque[1] de soie et d'or. Je l'ai vu, moi. Il porte du linge fin comme celui du surplis à M. le curé.

— Nanon, fais-nous donc de la galette.

— Et qui me donnera du bois pour le four, et de la farine, et du beurre ? dit Nanon, laquelle en sa qualité de premier ministre de Grandet prenait parfois une importance énorme aux yeux d'Eugénie et de sa mère. Faut-il pas le voler, cet homme, pour fêter votre cousin ? Demandez-lui du beurre, de la farine, du bois, il est votre père, il peut vous en donner. Tenez, le voilà qui descend pour voir aux provisions… »

Eugénie se sauva dans le jardin, tout épouvantée en entendant trembler l'escalier sous le pas de son père. Elle éprouvait déjà les effets de cette profonde pudeur et de cette conscience particulière de notre bonheur qui nous fait croire, non sans raison peut-être, que nos pensées sont gravées sur notre front et sautent aux yeux d'autrui. En s'apercevant enfin du froid dénuement de la maison paternelle, la pauvre fille concevait une sorte de dépit de ne pouvoir la mettre en harmonie avec l'élégance de son cousin. Elle éprouva un besoin passionné de faire quelque chose pour lui : quoi ? elle n'en savait rien. Naïve et vraie, elle se laissait aller à sa nature angélique sans se défier ni de ses impressions, ni de ses sentiments. Le seul aspect de son cousin avait éveillé chez elle les penchants naturels de la femme, et ils durent se déployer d'autant plus vivement, qu'ayant atteint sa vingt-troisième année, elle se trouvait dans la plénitude de son intelligence et de ses désirs. Pour la première fois, elle eut dans le cœur de la terreur à l'aspect de son père, vit en lui le maître de son sort, et se crut coupable d'une faute en lui taisant quelques pensées. Elle se mit à marcher à pas précipités en s'étonnant de respirer un air plus pur, de sentir les rayons du soleil plus vivifiants, et d'y puiser une chaleur morale, une vie nouvelle. Pendant qu'elle cherchait un artifice pour obtenir la galette, il s'élevait entre la Grande Nanon et Grandet une de ces querelles aussi rares entre eux que le sont les hirondelles en hiver. Muni de ses clefs, le bonhomme était venu pour mesurer les vivres nécessaires à la consommation de la journée.

« Reste-t-il du pain d'hier ? dit-il à Nanon.

— Pas une miette, monsieur. »

Grandet prit un gros pain rond, bien enfariné, moulé dans un de ces paniers plats qui servent à boulanger en Anjou, et il allait le couper, quand Nanon lui dit : « Nous sommes cinq, aujourd'hui, monsieur.

— C'est vrai, répondit Grandet, mais ton pain pèse six livres, il en restera. D'ailleurs, ces jeunes gens de Paris, tu verras que ça ne mange point de pain.

— Ça mangera donc de la *frippe* », dit Nanon.

En Anjou, la frippe, mot du lexique populaire, exprime l'accompagnement du pain, depuis le

beurre étendu sur la tartine, frippe vulgaire, jusqu'aux confitures d'alleberge[1], la plus distinguée
des frippes ; et tous ceux qui, dans leur enfance,
ont léché la frippe et laissé le pain, comprendront
la portée de cette locution.

« Non, répondit Grandet, ça ne mange ni frippe,
ni pain. Ils sont quasiment comme des filles à
marier. »

Enfin, après avoir parcimonieusement ordonné
le menu quotidien, le bonhomme allait se diriger
vers son fruitier, en fermant néanmoins les armoires
de sa *dépense*, lorsque Nanon l'arrêta pour lui dire :
« Monsieur, donnez-moi donc alors de la farine et
du beurre, je ferai une galette aux enfants.

— Ne vas-tu pas mettre la maison au pillage à
cause de mon neveu ?

— Je ne pensais pas plus à votre neveu qu'à
votre chien, pas plus que vous n'y pensez vous-
même. Ne voilà-t-il pas que vous ne m'avez *aveint*[2]
que six morceaux de sucre, m'en faut huit.

— Ha çà, Nanon, je ne t'ai jamais vue comme
ça. Qu'est-ce qui te passe donc par la tête ? Es-tu
la maîtresse ici ? Tu n'auras que six morceaux de
sucre.

— Eh bien, votre neveu, avec quoi donc qu'il
sucrera son café ?

— Avec deux morceaux, je m'en passerai, moi.

— Vous vous passerez de sucre, à votre âge !
J'aimerais mieux vous en acheter de ma poche.

— Mêle-toi de ce qui te regarde. »

Malgré la baisse du prix, le sucre était toujours,
aux yeux du tonnelier, la plus précieuse des denrées coloniales, il valait toujours six francs la livre,

pour lui. L'obligation de le ménager, prise sous
l'Empire[1], était devenue la plus indélébile de ses
habitudes. Toutes les femmes, même la plus niaise,
savent ruser pour arriver à leurs fins, Nanon abandonna la question du sucre pour obtenir la galette.

« Mademoiselle, cria-t-elle par la croisée, est-ce
pas que vous voulez de la galette ?

— Non, non, répondit Eugénie.

— Allons, Nanon, dit Grandet en entendant la
voix de sa fille, tiens. » Il ouvrit la *mette*[2] où était la
farine, lui en donna une mesure, et ajouta quelques
onces de beurre au morceau qu'il avait déjà coupé.

« Il faudra du bois pour chauffer le four, dit
l'implacable Nanon.

— Eh bien, tu en prendras à ta suffisance,
répondit-il mélancoliquement, mais alors tu nous
feras une tarte aux fruits, et tu nous cuiras au four
tout le dîner ; par ainsi, tu n'allumeras pas deux
feux.

— Quien ! s'écria Nanon, vous n'avez pas besoin
de me le dire. » Grandet jeta sur son fidèle ministre
un coup d'œil presque paternel. « Mademoiselle,
cria la cuisinière, nous aurons une galette. » Le
père Grandet revint chargé de ses fruits, et en
rangea une première assiettée sur la table de la
cuisine. « Voyez donc, monsieur, lui dit Nanon, les
jolies bottes qu'a votre neveu. Quel cuir, et qui sent
bon. Avec quoi que ça se nettoie donc ? Faut-il
y mettre de votre cirage à l'œuf ?

— Nanon, je crois que l'œuf gâterait ce cuir-là.
D'ailleurs, dis-lui que tu ne connais point la
manière de cirer le maroquin, oui, c'est du maroquin, il achètera lui-même à Saumur et t'apportera

de quoi illustrer ses bottes. J'ai entendu dire qu'on fourre du sucre dans leur cirage pour le rendre brillant.

— C'est donc bon à manger, dit la servante en portant les bottes à son nez. Tiens, tiens, elles sentent l'eau de Cologne de madame. Ah! c'est-il drôle.

— Drôle! dit le maître, tu trouves drôle de mettre à des bottes plus d'argent que n'en vaut celui qui les porte.

— Monsieur, dit-elle au second voyage de son maître qui avait fermé le fruitier, est-ce que vous ne mettrez pas une ou deux fois le pot-au-feu par semaine à cause de votre...?

— Oui.

— Faudra que j'aille à la boucherie.

— Pas du tout; tu nous feras du bouillon de volaille, les fermiers ne t'en laisseront pas chômer[1]. Mais je vais dire à Cornoiller de me tuer des corbeaux. Ce gibier-là donne le meilleur bouillon de la terre.

— C'est-y vrai, monsieur, que ça mange les morts?

— Tu es bête, Nanon! ils mangent, comme tout le monde, ce qu'ils trouvent. Est-ce que nous ne vivons pas des morts? Qu'est-ce donc que les successions? » Le père Grandet n'ayant plus d'ordre à donner, tira sa montre; et voyant qu'il pouvait encore disposer d'une demi-heure avant le déjeuner, il prit son chapeau, vint embrasser sa fille, et lui dit: « Veux-tu te promener au bord de la Loire sur mes prairies? j'ai quelque chose à y faire. »

Eugénie alla mettre son chapeau de paille cousue, doublé de taffetas rose ; puis, le père et la fille descendirent la rue tortueuse jusqu'à la place.

« Où dévalez-vous donc si matin ? dit le notaire Cruchot qui rencontra Grandet.

— Voir quelque chose », répondit le bonhomme sans être la dupe de la promenade matinale de son ami.

Quand le père Grandet allait voir quelque chose, le notaire savait par expérience qu'il y avait toujours quelque chose à gagner avec lui. Donc il l'accompagna.

« Venez, Cruchot ? dit Grandet au notaire. Vous êtes de mes amis, je vais vous démontrer comme quoi c'est une bêtise de planter des peupliers dans de bonnes terres...

— Vous comptez donc pour rien les soixante mille francs que vous avez palpés pour ceux qui étaient dans vos prairies de la Loire, dit Me Cruchot en ouvrant des yeux hébétés. Avez-vous eu du bonheur !... Couper vos arbres au moment où l'on manquait de bois blanc à Nantes, et les vendre trente francs ! »

Eugénie écoutait sans savoir qu'elle touchait au moment le plus solennel de sa vie, et que le notaire allait faire prononcer sur elle un arrêt paternel et souverain. Grandet était arrivé aux magnifiques prairies qu'il possédait au bord de la Loire, et où trente ouvriers s'occupaient à déblayer, combler, niveler les emplacements autrefois pris par les peupliers.

« Maître Cruchot, voyez ce qu'un peuplier prend de terrain, dit-il au notaire. Jean, cria-t-il à un ouvrier, me… me… mesure avec ta toise dans tou…tou… tous les sens ?

— Quatre fois huit pieds, répondit l'ouvrier après avoir fini.

— Trente-deux pieds de perte, dit Grandet à Cruchot. J'avais sur cette ligne trois cents peupliers, pas vrai ? Or… trois ce… ce… ce… cent fois trente-d…eux pie… pieds me man… man… man… mangeaient cinq… inq cents de foin ; ajoutez deux fois autant sur les côtés, quinze cents ; les rangées du milieu autant. Alors, mé… mé… mettons mille bottes de foin.

— Eh bien, dit Cruchot pour aider son ami, mille bottes de ce foin-là valent environ six cents francs.

— Di… di… dites dou… ou… ouze cents à cause des trois à quatre cents francs de regain. Eh bien, ca… ca… ca… calculez ce que que que dou… ouze cents francs par an… pen… pen… pendant quarante ans do… donnent a… a… avec les in… in… intérêts com… com… composés que que que vouous saaavez.

— Va pour soixante mille francs, dit le notaire.

— Je le veux bien ! ça ne ne ne fera que que que soixante mille francs. Eh bien, reprit le vigneron sans bégayer, deux mille peupliers de quarante ans ne me donneraient pas cinquante mille francs. Il y a perte. J'ai trouvé ça, moi, dit Grandet en se dressant sur ses ergots. Jean, reprit-il, tu combleras les trous, excepté du côté de la Loire, où tu planteras les peupliers que j'ai achetés. En les mettant dans la rivière, ils se nourriront aux frais du gouvernement [1], ajouta-t-il en se tournant vers Cruchot et imprimant à la loupe de son nez un léger mouvement qui valait le plus ironique des sourires.

— Cela est clair : les peupliers ne doivent se planter que sur les terres maigres, dit Cruchot stupéfait par les calculs de Grandet.

— *O-u-i, monsieur* », répondit ironiquement le tonnelier.

Eugénie, qui regardait le sublime paysage de la Loire sans écouter les calculs de son père, prêta bientôt l'oreille aux discours de Cruchot en l'entendant dire à son client : « Hé bien, vous avez fait venir un gendre de Paris, il n'est question que de votre neveu dans tout Saumur. Je vais bientôt avoir un contrat à dresser, père Grandet.

— Vous... ou... vous êtes so... so... orti de bo... bonne heure pooour me dire ça, reprit Grandet en accompagnant cette réflexion d'un mouvement de sa loupe. Hé bien, mon vieux camaaaarade, je serai franc, et je vous dirai ce que vooous voooulez sa savoir. J'aimerais mieux, voyez-vooous, je... jeter ma fi... fi fille dans la Loire que de la doonner à son cououousin : vous pou... pou... ouvez aaannoncer ça. Mais non, laissez jaaser le le mon... onde. »

Cette réponse causa des éblouissements à Eugénie. Les lointaines espérances qui pour elle commençaient à poindre dans son cœur fleurirent soudain, se réalisèrent et formèrent un faisceau de fleurs qu'elle vit coupées et gisant à terre. Depuis la veille, elle s'attachait à Charles par tous les liens de bonheur qui unissent les âmes ; désormais la souffrance allait donc les corroborer[1]. N'est-il pas dans la noble destinée de la femme d'être plus touchée des pompes de la misère que des splendeurs de la fortune ? Comment le sentiment paternel avait-il pu s'éteindre au fond du cœur de son père ? de quel crime Charles était-il donc coupable ? Questions mystérieuses ! Déjà son amour naissant, mystère si profond, s'enveloppait de mystères. Elle revint tremblant sur ses jambes, et en arrivant à la vieille rue sombre, si joyeuse pour elle, elle la trouva d'un aspect triste, elle y respira la mélancolie que les temps et les choses y avaient imprimée. Aucun des enseignements de l'amour ne lui manquait. À quelques pas du logis, elle devança son père et l'attendit à la porte après y avoir frappé. Mais Grandet, qui voyait dans la main du notaire un journal encore sous bande, lui avait dit : « Où en sont les fonds ?

— Vous ne voulez pas m'écouter, Grandet, lui répondit Cruchot. Achetez-en vite, il y a encore vingt pour cent à gagner en deux ans, outre les intérêts à un excellent taux, cinq mille livres de rente pour quatre-vingt mille francs. Les fonds sont à quatre-vingts francs cinquante centimes.

— Nous verrons cela, répondit Grandet en se frottant le menton.

— Mon Dieu ! dit le notaire.

— Hé bien, quoi ? » s'écria Grandet au moment où Cruchot lui mettait le journal sous les yeux en lui disant : « Lisez cet article. »

M. Grandet, l'un des négociants les plus estimés de Paris, s'est brûlé la cervelle hier après avoir fait son apparition accoutumée à la Bourse. Il avait envoyé au président de la Chambre des députés sa démission, et s'était également démis de ses fonc-

*tions de juge au tribunal de commerce. La faillite de
MM. Roguin et Souchet, son agent de change et son
notaire, l'ont ruiné*[1]. *La considération dont jouissait
M. Grandet et son crédit étaient néanmoins tels qu'il
eût sans doute trouvé des secours sur la place de
Paris. Il est à regretter que cet homme honorable ait
cédé à un premier moment de désespoir, etc.*

« Je le savais », dit le vieux vigneron au notaire.

Ce mot glaça Me Cruchot, qui, malgré son
impassibilité de notaire, se sentit froid dans le dos
en pensant que le Grandet de Paris avait peut-être
imploré vainement les millions du Grandet de
Saumur.

« Et son fils, si joyeux hier…

— Il ne sait rien encore, répondit Grandet avec
le même calme.

— Adieu, monsieur Grandet », dit Cruchot qui
comprit tout et alla rassurer le président de Bonfons.

En entrant, Grandet trouva le déjeuner prêt.
Mme Grandet, au cou de laquelle Eugénie sauta
pour l'embrasser avec cette vive effusion de cœur
que nous cause un chagrin secret, était déjà sur
son siège à patins, et se tricotait des manches pour
l'hiver.

« Vous pouvez manger, dit Nanon qui descendit
les escaliers quatre à quatre, l'enfant dort comme
un chérubin. Qu'il est gentil les yeux fermés ! Je
suis entrée, je l'ai appelé. Ah bien oui ! personne.

— Laisse-le dormir, dit Grandet, il s'éveillera
toujours assez tôt aujourd'hui pour apprendre de
mauvaises nouvelles.

— Qu'y a-t-il donc ? » demanda Eugénie en mettant dans son café les deux petits morceaux de sucre pesant on ne sait combien de grammes que le bonhomme s'amusait à couper lui-même à ses heures perdues. Mme Grandet, qui n'avait pas osé faire cette question, regarda son mari.

« Son père s'est brûlé la cervelle.

— Mon oncle ?... dit Eugénie.

— Le pauvre jeune homme ! s'écria Mme Grandet.

— Oui, pauvre, reprit Grandet, il ne possède pas un sou.

— Hé ben, il dort comme s'il était le roi de la terre », dit Nanon d'un accent doux.

Eugénie cessa de manger. Son cœur se serra, comme il se serre quand, pour la première fois, la compassion, excitée par le malheur de celui qu'elle aime, s'épanche dans le corps entier d'une femme. La pauvre fille pleura.

« Tu ne connaissais pas ton oncle, pourquoi pleures-tu ? lui dit son père en lui lançant un de ces regards de tigre affamé qu'il jetait sans doute à ses tas d'or.

— Mais, monsieur, dit la servante, qui ne se sentirait pas de pitié pour ce pauvre jeune homme qui dort comme un sabot[1] sans savoir son sort ?

— Je ne te parle pas, Nanon ! tiens ta langue. »

Eugénie apprit en ce moment que la femme qui aime doit toujours dissimuler ses sentiments. Elle ne répondit pas.

« Jusqu'à mon retour, vous ne lui parlerez de rien, j'espère, m'ame Grandet, dit le vieillard en continuant. Je suis obligé d'aller faire aligner le fossé de mes prés sur la route. Je serai revenu à midi pour le second déjeuner, et je causerai avec mon neveu de ses affaires. Quant à toi, mademoiselle Eugénie, si c'est pour ce mirliflor que tu pleures, assez comme cela, mon enfant. Il partira, dare dare, pour les grandes Indes[1]. Tu ne le verras plus... »

Le père prit ses gants au bord de son chapeau, les mit avec son calme habituel, les assujettit en s'emmortaisant[2] les doigts les uns dans les autres, et sortit.

« Ah ! maman, j'étouffe, s'écria Eugénie quand elle fut seule avec sa mère. Je n'ai jamais souffert ainsi. » Mme Grandet, voyant sa fille pâlir, ouvrit la croisée et lui fit respirer le grand air. « Je suis mieux », dit Eugénie après un moment.

Cette émotion nerveuse chez une nature jusqu'alors en apparence calme et froide réagit sur Mme Grandet, qui regarda sa fille avec cette intuition sympathique dont sont douées les mères pour l'objet de leur tendresse, et devina tout. Mais, à la vérité, la vie des célèbres sœurs hongroises[3], attachées l'une à l'autre par une erreur de la nature, n'avait pas été plus intime que ne l'était celle d'Eugénie et de sa mère, toujours ensemble dans cette embrasure de croisée, ensemble à l'église, et dormant ensemble dans le même air.

« Ma pauvre enfant ! » dit Mme Grandet en prenant la tête d'Eugénie pour l'appuyer contre son sein.

À ces mots, la jeune fille releva la tête, interrogea sa mère par un regard, en scruta les secrètes pensées, et lui dit : « Pourquoi l'envoyer aux Indes ? S'il

est malheureux, ne doit-il pas rester ici, n'est-il pas
notre plus proche parent ?

— Oui, mon enfant, ce serait bien naturel ; mais
ton père a ses raisons, nous devons les respecter. »

La mère et la fille s'assirent en silence, l'une sur
sa chaise à patins, l'autre sur son petit fauteuil ; et,
toutes deux, elles reprirent leur ouvrage. Oppres-
sée de reconnaissance pour l'admirable entente de
cœur que lui avait témoignée sa mère, Eugénie lui
baisa la main en disant : « Combien tu es bonne,
ma chère maman ! » Ces paroles firent rayonner le
vieux visage maternel, flétri par de longues douleurs. « Le trouves-tu bien ? » demanda Eugénie.

Mme Grandet ne répondit que par un sourire ;
puis, après un moment de silence, elle dit à voix
basse : « L'aimerais-tu donc déjà ? ce serait mal.

— Mal, reprit Eugénie, pourquoi ? Il te plaît, il
plaît à Nanon, pourquoi ne me plairait-il pas ?
Tiens, maman, mettons la table pour son déjeuner. » Elle jeta son ouvrage, la mère en fit autant en
lui disant : « Tu es folle ! » Mais elle se plut à justifier la folie de sa fille en la partageant. Eugénie
appela Nanon.

« Quoi que vous voulez encore, mademoiselle ?

— Nanon, tu auras bien de la crème pour midi ?

— Ah ! pour midi, oui, répondit la vieille servante.

— Hé bien, donne-lui du café bien fort, j'ai
entendu dire à M. des Grassins que le café se faisait bien fort à Paris. Mets-en beaucoup.

— Et où voulez-vous que j'en prenne ?

— Achètes-en.

— Et si monsieur me rencontre ?

— Il est à ses prés.

— Je cours. Mais M. Fessard m'a déjà demandé si les trois Mages étaient chez nous, en me donnant de la bougie. Toute la ville va savoir nos déportements.

— Si ton père s'aperçoit de quelque chose, dit Mme Grandet, il est capable de nous battre.

— Eh bien, il nous battra, nous recevrons ses coups à genoux. »

Mme Grandet leva les yeux au ciel, pour toute réponse. Nanon prit sa coiffe et sortit. Eugénie donna du linge blanc, elle alla chercher quelques-unes des grappes de raisin qu'elle s'était amusée à étendre sur des cordes dans le grenier ; elle marcha légèrement le long du corridor pour ne point éveiller son cousin, et ne put s'empêcher d'écouter à sa porte la respiration qui s'échappait en temps égaux de ses lèvres. « Le malheur veille pendant qu'il dort », se dit-elle. Elle prit les plus vertes feuilles de la vigne, arrangea son raisin aussi coquettement que l'aurait pu dresser un vieux chef d'office[1], et l'apporta triomphalement sur la table. Elle fit main basse, dans la cuisine, sur les poires comptées par son père, et les disposa en pyramide parmi des feuilles. Elle allait, venait, trottait, sautait. Elle aurait bien voulu mettre à sac toute la maison de son père ; mais il avait les clefs de tout. Nanon revint avec deux œufs frais. En voyant les œufs, Eugénie eut l'envie de lui sauter au cou.

« Le fermier de la Lande en avait dans son panier, je les lui ai demandés, et il me les a donnés pour m'être agréable, le mignon. »

Après deux heures de soins, pendant lesquelles Eugénie quitta vingt fois son ouvrage pour aller voir bouillir le café, pour aller écouter le bruit que faisait son cousin en se levant, elle réussit à préparer un déjeuner très simple, peu coûteux, mais qui dérogeait terriblement aux habitudes invétérées de la maison. Le déjeuner de midi s'y faisait debout. Chacun prenait un peu de pain, un fruit ou du beurre, et un verre de vin. En voyant la table placée auprès du feu, l'un des fauteuils mis devant le couvert de son cousin, en voyant les deux assiettées de fruits, le coquetier, la bouteille de vin blanc, le pain, et le sucre amoncelé dans une soucoupe, Eugénie trembla de tous ses membres en songeant seulement alors aux regards que lui lancerait son père, s'il venait à entrer en ce moment. Aussi regardait-elle souvent la pendule, afin de calculer si son cousin pourrait déjeuner avant le retour du bonhomme.

« Sois tranquille, Eugénie, si ton père vient, je prendrai tout sur moi », dit Mme Grandet.

Eugénie ne put retenir une larme.

« Oh ! ma bonne mère, s'écria-t-elle, je ne t'ai pas assez aimée ! »

Charles, après avoir fait mille tours dans sa chambre en chanteronnant, descendit enfin. Heureusement, il n'était encore que onze heures. Le Parisien ! il avait mis autant de coquetterie à sa toilette que s'il se fût trouvé au château de la noble dame qui voyageait en Écosse. Il entra de cet air affable et riant qui sied si bien à la jeunesse, et qui causa une joie triste à Eugénie. Il avait pris en plai-

santerie le désastre de ses châteaux en Anjou, et
aborda sa tante fort gaiement.

« Avez-vous bien passé la nuit, ma chère tante ?
Et vous, ma cousine ?

— Bien, monsieur, mais vous ? dit Mme Grandet.

— Moi, parfaitement.

— Vous devez avoir faim, mon cousin, dit Eugénie ; mettez-vous à table.

— Mais je ne déjeune jamais avant midi, le
moment où je me lève. Cependant, j'ai si mal vécu
en route, que je me laisserai faire. D'ailleurs... » Il
tira la plus délicieuse montre plate que Bréguet[1]
ait faite. « Tiens, mais il est onze heures, j'ai été
matinal.

— Matinal ?... dit Mme Grandet.

— Oui, mais je voulais ranger mes affaires. Eh
bien, je mangerais volontiers quelque chose, un
rien, une volaille, un perdreau.

— Sainte Vierge ! cria Nanon en entendant ces
paroles.

— Un perdreau, se disait Eugénie qui aurait
voulu payer un perdreau de tout son pécule.

— Venez vous asseoir », lui dit sa tante.

Le dandy se laissa aller sur le fauteuil comme
une jolie femme qui se pose sur son divan. Eugénie et sa mère prirent des chaises et se mirent près
de lui devant le feu.

« Vous vivez toujours ici ? leur dit Charles en
trouvant la salle encore plus laide au jour qu'elle
ne l'était aux lumières.

— Toujours, répondit Eugénie en le regardant,

excepté pendant les vendanges. Nous allons alors
aider Nanon, et logeons tous à l'abbaye de Noyers.

— Vous ne vous promenez jamais ?

— Quelquefois le dimanche après vêpres, quand
il fait beau, dit Mme Grandet, nous allons sur le
pont, ou voir les foins quand on les fauche.

— Avez-vous un théâtre ?

— Aller au spectacle, s'écria Mme Grandet, voir
des comédiens ! Mais, monsieur, ne savez-vous pas
que c'est un péché mortel ?

— Tenez, mon cher monsieur, dit Nanon en
apportant les œufs, nous vous donnerons les poulets à la coque.

— Oh ! des œufs frais, dit Charles qui semblable
aux gens habitués au luxe ne pensait déjà plus à
son perdreau. Mais c'est délicieux, si vous aviez du
beurre ? Hein, ma chère enfant.

— Ah ! du beurre ! Vous n'aurez donc pas de
galette, dit la servante.

— Mais donne du beurre, Nanon » s'écria Eugénie.

La jeune fille examinait son cousin coupant ses
mouillettes et y prenait plaisir, autant que la plus
sensible grisette de Paris en prend à voir jouer un
mélodrame où triomphe l'innocence. Il est vrai
que Charles, élevé par une mère gracieuse, perfec-
tionné par une femme à la mode, avait des mouvements coquets, élégants, menus, comme le sont
ceux d'une petite-maîtresse. La compatissance[1] et
la tendresse d'une jeune fille possèdent une
influence vraiment magnétique. Aussi Charles, en
se voyant l'objet des attentions de sa cousine et de
sa tante, ne put-il se soustraire à l'influence des

sentiments qui se dirigeaient vers lui en l'inon-
dant pour ainsi dire. Il jeta sur Eugénie un de ces
regards brillants de bonté, de caresses, un regard
qui semblait sourire. Il s'aperçut, en contemplant
Eugénie, de l'exquise harmonie des traits de ce
pur visage, de son innocente attitude, de la clarté
magique de ses yeux où scintillaient de jeunes
pensées d'amour, et où le désir ignorait la volupté.

« Ma foi, ma chère cousine, si vous étiez en
grande loge et en grande toilette à l'Opéra, je vous
garantis que ma tante aurait bien raison, vous
y feriez faire bien des péchés d'envie aux hommes
et de jalousie aux femmes. »

Ce compliment étreignit le cœur d'Eugénie, et le
fit palpiter de joie, quoiqu'elle n'y comprît rien.

« Oh ! mon cousin, vous voulez vous moquer
d'une pauvre petite provinciale.

— Si vous me connaissiez, ma cousine, vous
sauriez que j'abhorre la raillerie, elle flétrit le cœur,
froisse tous les sentiments... » Et il goba fort agréablement sa mouillette beurrée. « Non, je n'ai proba-
blement pas assez d'esprit pour me moquer des
autres, et ce défaut me fait beaucoup de tort. À
Paris, on trouve moyen de vous assassiner un
homme en disant : "Il a bon cœur." Cette phrase
veut dire : "Le pauvre garçon est bête comme un
rhinocéros." Mais comme je suis riche et connu
pour abattre une poupée du premier coup à trente
pas avec toute espèce de pistolet et en plein champ,
la raillerie me respecte.

— Ce que vous dites, mon neveu, annonce un
bon cœur.

— Vous avez une bien jolie bague, dit Eugénie, est-ce mal de vous demander à la voir ? »

Charles tendit la main en défaisant son anneau, et Eugénie rougit en effleurant du bout de ses doigts les ongles roses de son cousin.

« Voyez, ma mère, le beau travail.

— Oh ! il y a gros d'or, dit Nanon en apportant le café.

— Qu'est-ce que c'est que cela ? » demanda Charles en riant.

Et il montrait un pot oblong, en terre brune, verni, faïencé à l'intérieur, bordé d'une frange de cendre, et au fond duquel tombait le café en revenant à la surface du liquide bouillonnant.

« C'est du café boullu[1], dit Nanon.

— Ah ! ma chère tante, je laisserai du moins quelque trace bienfaisante de mon passage ici. Vous êtes bien arriérés ! Je vous apprendrai à faire du bon café dans une cafetière à la Chaptal[2]. »

Il tenta d'expliquer le système de la cafetière à la Chaptal.

« Ah bien, s'il y a tant d'affaires que ça, dit Nanon, il faudrait bien y passer sa vie. Jamais je ne ferai de café comme ça. Ah bien, oui. Et qui est-ce qui ferait de l'herbe pour notre vache pendant que je ferais le café ?

— C'est moi qui le ferai, dit Eugénie.

— Enfant », dit Mme Grandet en regardant sa fille.

À ce mot, qui rappelait le chagrin près de fondre sur ce malheureux jeune homme, les trois femmes se turent et le contemplèrent d'un air de commisération qui le frappa.

« Qu'avez-vous donc, ma cousine ?

— Chut ! dit Mme Grandet à Eugénie qui allait parler. Tu sais, ma fille, que ton père s'est chargé de parler à monsieur...

— Dites Charles, dit le jeune Grandet.

— Ah ! vous vous nommez Charles ? C'est un beau nom », s'écria Eugénie.

Les malheurs pressentis arrivent presque toujours. Là, Nanon, Mme Grandet et Eugénie, qui ne pensaient pas sans frisson au retour du vieux tonnelier, entendirent un coup de marteau dont le retentissement leur était bien connu.

« Voilà papa », dit Eugénie.

Elle ôta la soucoupe au sucre, en en laissant quelques morceaux sur la nappe. Nanon emporta l'assiette aux œufs. Mme Grandet se dressa comme une biche effrayée. Ce fut une peur panique de laquelle Charles s'étonna, sans pouvoir se l'expliquer.

« Eh bien, qu'avez-vous donc ? leur demanda-t-il.

— Mais voilà mon père, dit Eugénie.

— Eh bien ?... »

M. Grandet entra, jeta son regard clair sur la table, sur Charles, il vit tout.

« Ah ! ah ! vous avez fait fête à votre neveu, c'est bien, très bien, c'est fort bien ! dit-il sans bégayer. Quand le chat court sur les toits, les souris dansent sur les planchers.

— Fête ?... se dit Charles incapable de soupçonner le régime et les mœurs de cette maison.

— Donne-moi mon verre, Nanon ? » dit le bonhomme.

Eugénie apporta le verre. Grandet tira de son gousset un couteau de corne à grosse lame, coupa une tartine, prit un peu de beurre, l'étendit soigneusement et se mit à manger debout. En ce moment, Charles sucrait son café. Le père Grandet aperçut les morceaux de sucre, examina sa femme qui pâlit, et fit trois pas ; il se pencha vers l'oreille de la pauvre vieille, et lui dit : « Où donc avez-vous pris tout ce sucre ?

— Nanon est allée en chercher chez Fessard, il n'y en avait pas. »

Il est impossible de se figurer l'intérêt profond que cette scène muette offrait à ces trois femmes : Nanon avait quitté sa cuisine et regardait dans la salle pour voir comment les choses s'y passeraient. Charles, ayant goûté son café, le trouva trop amer et chercha le sucre que Grandet avait déjà serré.

« Que voulez-vous, mon neveu ? lui dit le bonhomme.

— Le sucre.

— Mettez du lait, répondit le maître de la maison, votre café s'adoucira. »

Eugénie reprit la soucoupe au sucre que Grandet avait déjà serrée, et la mit sur la table en contemplant son père d'un air calme. Certes, la Parisienne qui, pour faciliter la fuite de son amant, soutient de ses faibles bras une échelle de soie, ne montre pas plus de courage que n'en déployait Eugénie en remettant le sucre sur la table. L'amant récompensera sa Parisienne qui lui fera voir orgueilleusement un beau bras meurtri dont chaque veine flétrie sera baignée de larmes, de baisers, et guérie par le plaisir ; tandis que Charles ne devait jamais être dans le secret des profondes agitations qui brisaient le cœur de sa cousine, alors foudroyée par le regard du vieux tonnelier.

« Tu ne manges pas, ma femme ? »

La pauvre ilote s'avança, coupa piteusement un morceau de pain, et prit une poire. Eugénie offrit audacieusement à son père du raisin, en lui disant : « Goûte donc à ma conserve, papa ! Mon cousin, vous en mangerez, n'est-ce pas ? Je suis allée chercher ces jolies grappes-là pour vous.

— Oh ! si on ne les arrête, elles mettront Saumur au pillage pour vous, mon neveu. Quand vous aurez fini, nous irons ensemble dans le jardin, j'ai à vous dire des choses qui ne sont pas sucrées. »

Eugénie et sa mère lancèrent un regard sur Charles, à l'expression duquel le jeune homme ne put se tromper.

« Qu'est-ce que ces mots signifient, mon oncle ? Depuis la mort de ma pauvre mère... (à ces deux mots, sa voix mollit) il n'y a pas de malheur possible pour moi...

— Mon neveu, qui peut connaître les afflictions par lesquelles Dieu veut nous éprouver ? lui dit sa tante.

— Ta ! ta ! ta ! ta ! dit Grandet, voilà les bêtises qui commencent. Je vois avec peine, mon neveu, vos jolies mains blanches. » Il lui montra les espèces d'épaules de mouton[1] que la nature lui avait mises au bout des bras. « Voilà des mains faites pour ramasser des écus ! Vous avez été élevé à mettre vos pieds dans la peau avec laquelle se fabriquent les portefeuilles où nous serrons les billets de commerce. Mauvais ! mauvais !

— Que voulez-vous dire, mon oncle, je veux être pendu si je comprends un seul mot.

— Venez », dit Grandet.

L'avare fit claquer la lame de son couteau, but le reste de son vin blanc et ouvrit la porte.

« Mon cousin, ayez du courage ! »

L'accent de la jeune fille avait glacé Charles, qui suivit son terrible parent en proie à de mortelles inquiétudes. Eugénie, sa mère et Nanon vinrent dans la cuisine, excitées par une invincible curiosité à épier les deux acteurs de la scène qui allait se passer dans le petit jardin humide où l'oncle marcha d'abord silencieusement avec le neveu. Grandet n'était pas embarrassé pour apprendre à Charles la mort de son père, mais il éprouvait une sorte de compassion en le sachant sans un sou, et il cherchait des formules pour adoucir l'expression de cette cruelle vérité. « Vous avez perdu votre père ! » ce n'était rien à dire. Les pères meurent avant les enfants. Mais : « Vous êtes sans aucune espèce de fortune ! » tous les malheurs de la terre étaient réunis dans ces paroles. Et le bonhomme de faire, pour la troisième fois, le tour de l'allée du milieu dont le sable craquait sous les pieds. Dans les grandes circonstances de la vie, notre âme s'attache fortement aux lieux où les plaisirs et les chagrins fondent sur nous. Aussi Charles examinait-il avec une attention particulière les buis de ce petit jardin, les feuilles pâles qui tombaient, les dégradations des murs, les bizarreries des arbres fruitiers, détails pittoresques qui devaient rester gravés dans son souvenir, éternel-

lement mêlés à cette heure suprême, par une mné-
motechnie particulière aux passions.

« Il fait bien chaud, bien beau, dit Grandet en
aspirant une forte partie d'air.

— Oui, mon oncle, mais pourquoi...

— Eh bien, mon garçon, reprit l'oncle, j'ai de
mauvaises nouvelles à t'apprendre. Ton père est
bien mal...

— Pourquoi suis-je ici ? dit Charles. Nanon !
cria-t-il, des chevaux de poste. Je trouverai bien
une voiture dans le pays, ajouta-t-il en se tournant
vers son oncle qui demeurait immobile.

— Les chevaux et la voiture sont inutiles, répondit Grandet en regardant Charles qui resta muet
et dont les yeux devinrent fixes. Oui, mon pauvre
garçon, tu devines. Il est mort. Mais ce n'est rien, il
y a quelque chose de plus grave. Il s'est brûlé la
cervelle...

— Mon père ?...

— Oui. Mais ce n'est rien. Les journaux glosent
de cela comme s'ils en avaient le droit. Tiens, lis. »

Grandet, qui avait emprunté le journal de Cruchot, mit le fatal article sous les yeux de Charles.
En ce moment le pauvre jeune homme, encore
enfant, encore dans l'âge où les sentiments se produisent avec naïveté, fondit en larmes.

« Allons, bien, se dit Grandet. Ses yeux m'ef-
frayaient. Il pleure, le voilà sauvé. Ce n'est encore
rien, mon pauvre neveu, reprit Grandet à haute
voix sans savoir si Charles l'écoutait, ce n'est rien,
tu te consoleras ; mais...

— Jamais ! jamais ! mon père ! mon père !

— Il t'a ruiné, tu es sans argent.

— Qu'est-ce que cela me fait ! Où est mon père, mon père ? »

Les pleurs et les sanglots retentissaient entre ces murailles d'une horrible façon et se répercutaient dans les échos. Les trois femmes, saisies de pitié, pleuraient : les larmes sont aussi contagieuses que peut l'être le rire. Charles, sans écouter son oncle, se sauva dans la cour, trouva l'escalier, monta dans sa chambre, et se jeta en travers sur son lit en se mettant la face dans les draps pour pleurer à son aise loin de ses parents.

« Il faut laisser passer la première averse, dit Grandet en rentrant dans la salle où Eugénie et sa mère avaient brusquement repris leurs places et travaillaient d'une main tremblante après s'être essuyé les yeux. Mais ce jeune homme n'est bon à rien, il s'occupe plus des morts que de l'argent. »

Eugénie frissonna en entendant son père s'exprimant ainsi sur la plus sainte des douleurs. Dès ce moment, elle commença à juger son père. Quoique assourdis, les sanglots de Charles retentissaient dans cette sonore maison ; et sa plainte profonde, qui semblait sortir de dessous terre, ne cessa que vers le soir, après s'être graduellement affaiblie.

« Pauvre jeune homme ! » dit Mme Grandet.

Fatale exclamation ! Le père Grandet regarda sa femme, Eugénie et le sucrier ; il se souvint du déjeuner extraordinaire apprêté pour le parent malheureux, et se posa au milieu de la salle.

« Ah ! çà, j'espère, dit-il avec son calme habituel, que vous n'allez pas continuer vos prodigalités, madame Grandet. Je ne vous donne pas MON argent pour embucquer[1] de sucre ce jeune drôle.

— Ma mère n'y est pour rien, dit Eugénie. C'est moi qui...

— Est-ce parce que tu es majeure, reprit Grandet en interrompant sa fille, que tu voudrais me contrarier ? Songe, Eugénie...

— Mon père, le fils de votre frère ne devait pas manquer chez vous de...

— Ta, ta, ta, ta, dit le tonnelier sur quatre tons chromatiques[1], le fils de mon frère par-ci, mon neveu par là. Charles ne nous est de rien, il n'a ni sou ni maille ; son père a fait faillite ; et, quand ce mirliflor aura pleuré son soûl, il décampera d'ici ; je ne veux pas qu'il révolutionne ma maison.

— Qu'est-ce que c'est, mon père, que de faire faillite ? demanda Eugénie.

— Faire faillite, reprit le père, c'est commettre l'action la plus déshonorante entre toutes celles qui peuvent déshonorer l'homme.

— Ce doit être un bien grand péché, dit Mme Grandet, et notre frère serait damné.

— Allons, voilà tes litanies, dit-il à sa femme en haussant les épaules. Faire faillite, Eugénie, reprit-il, est un vol que la loi prend malheureusement sous sa protection. Des gens ont donné leurs denrées à Guillaume Grandet sur sa réputation d'honneur et de probité, puis il a tout pris, et ne leur laisse que les yeux pour pleurer. Le voleur de grand chemin est préférable au banqueroutier : celui-là vous attaque, vous pouvez vous défendre, il risque sa tête ; mais l'autre... Enfin Charles est déshonoré. »

Ces mots retentirent dans le cœur de la pauvre fille et y pesèrent de tout leur poids. Probe autant

qu'une fleur née au fond d'une forêt est délicate,
elle ne connaissait ni les maximes du monde, ni
ses raisonnements captieux, ni ses sophismes :
elle accepta donc l'atroce explication que son père
lui donnait à dessein de la faillite, sans lui faire
connaître la distinction qui existe entre une faillite
involontaire et une faillite calculée.

« Eh bien, mon père, vous n'avez donc pu empêcher ce malheur ?

— Mon frère ne m'a pas consulté ; d'ailleurs, il
doit quatre millions.

— Qu'est-ce que c'est donc qu'un million, mon
père ? demanda-t-elle avec la naïveté d'un enfant
qui croit pouvoir trouver promptement ce qu'il
désire.

— Deux millions[1] ? dit Grandet, mais c'est deux
millions de pièces de vingt sous, et il faut cinq
pièces de vingt sous pour faire cinq francs.

— Mon Dieu ! mon Dieu ! s'écria Eugénie, comment mon oncle avait-il eu à lui quatre millions ?
Y a-t-il quelque autre personne en France qui
puisse avoir autant de millions ? (Le père Grandet
se caressait le menton, souriait, et sa loupe semblait se dilater.) Mais que va devenir mon cousin
Charles ?

— Il va partir pour les Grandes-Indes, où, selon
le vœu de son père, il tâchera de faire fortune.

— Mais a-t-il de l'argent pour aller là ?

— Je lui payerai son voyage… jusqu'à… oui,
jusqu'à Nantes. »

Eugénie sauta d'un bond au cou de son père.

« Ah ! mon père, vous êtes bon, vous ! »

Elle l'embrassait de manière à rendre presque

honteux Grandet, que sa conscience harcelait un peu.

« Faut-il beaucoup de temps pour amasser un million ? lui demanda-t-elle.

— Dame ! dit le tonnelier, tu sais ce que c'est qu'un napoléon[1]. Eh bien, il en faut cinquante mille pour faire un million.

— Maman, nous dirons des neuvaines pour lui.

— J'y pensais, répondit la mère.

— C'est cela !... toujours dépenser de l'argent, s'écria le père. Ah ! çà, croyez-vous donc qu'il y ait des mille et des cent ici ? »

En ce moment une plainte sourde, plus lugubre que toutes les autres, retentit dans les greniers et glaça de terreur Eugénie et sa mère.

« Nanon, va voir là-haut s'il ne se tue pas, dit Grandet. Ha çà, reprit-il en se tournant vers sa femme et sa fille que son mot avait rendues pâles, pas de bêtises, vous deux. Je vous laisse. Je vais tourner autour de nos Hollandais, qui s'en vont aujourd'hui. Puis j'irai voir Cruchot et causer avec lui de tout ça. »

Il partit. Quand Grandet eut tiré la porte, Eugénie et sa mère respirèrent à leur aise. Avant cette matinée, jamais la fille n'avait senti de contrainte en présence de son père ; mais, depuis quelques heures, elle changeait à tous moments et de sentiments et d'idées.

« Maman, combien de louis a-t-on d'une pièce de vin ?

— Ton père vend les siennes entre cent et cent cinquante francs, quelquefois deux cents, à ce que j'ai entendu dire.

— Quand il récolte quatorze cents pièces de vin…

— Ma foi, mon enfant, je ne sais pas ce que cela fait ; ton père ne me dit jamais ses affaires.

— Mais alors papa doit être riche.

— Peut-être. Mais M. Cruchot m'a dit qu'il avait acheté Froidfond il y a deux ans. Ça l'aura gêné. »

Eugénie, ne comprenant plus rien à la fortune de son père, en resta là de ses calculs.

« Il ne m'a tant seulement point vue, le mignon ! dit Nanon en revenant. Il est étendu comme un veau sur son lit et pleure comme une Madeleine, que c'est une vraie bénédiction ! Quel chagrin a donc ce pauvre gentil jeune homme ! »

— Allons donc le consoler bien vite, maman ; et, si l'on frappe, nous descendrons. »

Mme Grandet fut sans défense contre les harmonies de la voix de sa fille. Eugénie était sublime, elle était femme. Toutes deux, le cœur palpitant, montèrent à la chambre de Charles. La porte était ouverte. Le jeune homme ne voyait ni n'entendait rien. Plongé dans les larmes, il poussait des plaintes inarticulées.

« Comme il aime son père ! », dit Eugénie à voix basse.

Il était impossible de méconnaître dans l'accent de ces paroles les espérances d'un cœur à son insu passionné. Aussi Mme Grandet jeta-t-elle à sa fille un regard empreint de maternité, puis tout bas à l'oreille : « Prends garde, tu l'aimerais, dit-elle.

— L'aimer ! reprit Eugénie. Ah ! si tu savais ce que mon père a dit ! »

Charles se retourna, aperçut sa tante et sa cousine.

« J'ai perdu mon père, mon pauvre père ! S'il m'avait confié le secret de son malheur, nous aurions travaillé tous deux à le réparer. Mon Dieu, mon bon père ! je comptais si bien le revoir que je l'ai, je crois, froidement embrassé. »

Les sanglots lui coupèrent la parole.

« Nous prierons bien pour lui, dit Mme Grandet. Résignez-vous à la volonté de Dieu.

— Mon cousin, dit Eugénie, prenez courage ! Votre perte est irréparable : ainsi songez maintenant à sauver votre honneur... »

Avec cet instinct, cette finesse de la femme qui a de l'esprit en toute chose, même quand elle console, Eugénie voulait tromper la douleur de son cousin en l'occupant de lui-même.

« Mon honneur ?... » cria le jeune homme en chassant ses cheveux par un mouvement brusque, et il s'assit sur son lit en se croisant les bras. « Ah ! c'est vrai. Mon père, disait mon oncle, a fait faillite. » Il poussa un cri déchirant et se cacha le visage dans ses mains. « Laissez-moi, ma cousine, laissez-moi ! Mon Dieu ! mon Dieu ! pardonnez à mon père, il a dû bien souffrir. »

Il y avait quelque chose d'horriblement attachant à voir l'expression de cette douleur jeune, vraie, sans calcul, sans arrière-pensée. C'était une pudique douleur que les cœurs simples d'Eugénie et de sa mère comprirent quand Charles fit un geste pour leur demander de l'abandonner à lui-même. Elles descendirent, reprirent en silence leurs places près de la croisée, et travaillèrent

pendant une heure environ sans se dire un mot.
Eugénie avait aperçu, par le regard furtif qu'elle
jeta sur le ménage du jeune homme, ce regard
des jeunes filles qui voient tout en un clin d'œil, les
jolies bagatelles de sa toilette, ses ciseaux, ses
rasoirs enrichis d'or. Cette échappée d'un luxe vu
à travers la douleur lui rendit Charles encore plus
intéressant, par contraste peut-être. Jamais un événement si grave, jamais un spectacle si dramatique
n'avait frappé l'imagination de ces deux créatures
incessamment plongées dans le calme et la solitude.

« Maman, dit Eugénie, nous porterons le deuil
de mon oncle.

— Ton père décidera de cela », répondit
Mme Grandet.

Elles restèrent de nouveau silencieuses. Eugénie
tirait ses points avec une régularité de mouvement qui eût dévoilé à un observateur les fécondes
pensées de sa méditation. Le premier désir de
cette adorable fille était de partager le deuil de son
cousin. Vers quatre heures, un coup de marteau
brusque retentit au cœur de Mme Grandet.

« Qu'a donc ton père ? » dit-elle à sa fille.

Le vigneron entra joyeux. Après avoir ôté ses
gants, il se frotta les mains à s'en emporter la peau,
si l'épiderme n'en eût pas été tanné comme du cuir
de Russie, sauf l'odeur des mélèzes et de l'encens.
Il se promenait, il regardait le temps. Enfin son
secret lui échappa.

« Ma femme, dit-il sans bégayer, je les ai tous
attrapés. Notre vin est vendu ! Les Hollandais et
les Belges partaient ce matin[1], je me suis promené

sur la place, devant leur auberge, en ayant l'air de bêtiser. Chose, que tu connais, est venu à moi. Les propriétaires de tous les bons vignobles gardent leur récolte et veulent attendre, je ne les en ai pas empêchés. Notre Belge était désespéré. J'ai vu cela. Affaire faite, il prend notre récolte à deux cents francs la pièce, moitié comptant. Je suis payé en or. Les billets sont faits, voilà six louis pour toi. Dans trois mois, les vins baisseront. »

Ces derniers mots furent prononcés d'un ton calme, mais si profondément ironique, que les gens de Saumur, groupés en ce moment sur la place et ameutés par la nouvelle de la vente que venait de faire Grandet, en auraient frémi s'ils les eussent entendus. Une peur panique eût fait tomber lés vins de cinquante pour cent.

« Vous avez mille pièces cette année, mon père ? dit Eugénie.

— Oui, *fifille*. »

Ce mot était l'expression superlative de la joie du vieux tonnelier.

« Cela fait deux cent mille pièces de vingt sous.

— Oui, mademoiselle Grandet.

— Eh bien, mon père, vous pouvez facilement secourir Charles. »

L'étonnement, la colère, la stupéfaction de Balthazar en apercevant le *Mane-Teckel-Pharès*[1] ne sauraient se comparer au froid courroux de Grandet qui, ne pensant plus à son neveu, le retrouvait logé au cœur et dans les calculs de sa fille.

« Ah ! çà, depuis que ce mirliflor a mis le pied dans *ma* maison, tout y va de travers. Vous vous donnez des airs d'acheter des dragées, de faire des

noces et des festins. Je ne veux pas de ces choses-là.
Je sais, à mon âge, comment je dois me conduire,
peut-être ! D'ailleurs je n'ai de leçons à prendre ni
de ma fille ni de personne. Je ferai pour mon neveu
ce qu'il sera convenable de faire, vous n'avez pas à
y fourrer le nez. Quant à toi, Eugénie, ajouta-t-il en
se tournant vers elle, ne m'en parle plus, sinon je
t'envoie à l'abbaye de Noyers avec Nanon voir si j'y
suis ; et pas plus tard que demain, si tu bronches.
Où est-il donc, ce garçon, est-il descendu ?

— Non, mon ami, répondit Mme Grandet.

— Eh bien, que fait-il donc ?

— Il pleure son père », répondit Eugénie.

Grandet regarda sa fille sans trouver un mot à
dire. Il était un peu père, lui. Après avoir fait un ou
deux tours dans la salle, il monta promptement à
son cabinet pour y méditer un placement dans les
fonds publics. Ses deux mille arpents de forêt
coupés à blanc lui avaient donné six cent mille
francs ; en joignant à cette somme l'argent de ses
peupliers, ses revenus de l'année dernière et de
l'année courante, outre les deux cent mille francs
du marché qu'il venait de conclure, il pouvait faire
une masse de neuf cent mille francs. Les vingt
pour cent à gagner en peu de temps sur les rentes,
qui étaient à 70 francs, le tentaient. Il chiffra sa
spéculation sur le journal où la mort de son frère
était annoncée, en entendant, sans les écouter, les
gémissements de son neveu. Nanon vint cogner au
mur pour inviter son maître à descendre, le dîner
était servi. Sous la voûte et à la dernière marche de
l'escalier, Grandet disait en lui-même : « Puisque je
toucherai mes intérêts à huit, je ferai cette affaire.

En deux ans, j'aurai quinze cent mille francs que je retirerai de Paris en bon or[1]. »

« Eh bien, où donc est mon neveu ?

— Il dit qu'il ne veut pas manger, répondit Nanon. Ça n'est pas sain.

— Autant d'économisé, lui répliqua son maître.

— Dame, *voui*, dit-elle.

— Bah ! il ne pleurera pas toujours. La faim chasse le loup hors du bois. »

Le dîner fut étrangement silencieux.

« Mon bon ami, dit Mme Grandet lorsque la nappe fut ôtée, il faut que nous prenions le deuil.

— En vérité, madame Grandet, vous ne savez quoi vous inventer pour dépenser de l'argent. Le deuil est dans le cœur et non dans les habits.

— Mais le deuil d'un frère est indispensable, et l'Église nous ordonne de…

— Achetez votre deuil sur vos six louis. Vous me donnerez un crêpe, cela me suffira. »

Eugénie leva les yeux au ciel sans mot dire. Pour la première fois dans sa vie, ses généreux penchants endormis, comprimés, mais subitement éveillés, étaient à tout moment froissés. Cette soirée fut semblable en apparence à mille soirées de leur existence monotone, mais ce fut certes la plus horrible. Eugénie travailla sans lever la tête, et ne se servit point du nécessaire que Charles avait dédaigné la veille. Mme Grandet tricota ses manches. Grandet tourna ses pouces pendant quatre heures, abîmé dans des calculs dont les résultats devaient, le lendemain, étonner Saumur. Personne ne vint, ce jour-là, visiter la famille. En ce moment, la ville entière retentissait du tour

de force de Grandet, de la faillite de son frère et
de l'arrivée de son neveu. Pour obéir au besoin de
bavarder sur leurs intérêts communs, tous les propriétaires de vignobles des hautes et moyennes
sociétés de Saumur étaient chez M. des Grassins,
où se fulminèrent de terribles imprécations contre
l'ancien maire. Nanon filait, et le bruit de son
rouet fut la seule voix qui se fît entendre sous les
planchers grisâtres [1] de la salle.

« Nous n'usons point nos langues, dit-elle en
montrant ses dents blanches et grosses comme des
amandes pelées.

— Ne faut rien user », répondit Grandet en se
réveillant de ses méditations. Il se voyait en perspective huit millions dans trois ans, et voguait sur
cette longue nappe d'or. « Couchons-nous. J'irai
dire bonsoir à mon neveu pour tout le monde, et
voir s'il veut prendre quelque chose. »

Mme Grandet resta sur le palier du premier
étage pour entendre la conversation qui allait avoir
lieu entre Charles et le bonhomme. Eugénie, plus
hardie que sa mère, monta deux marches.

« Hé bien, mon neveu, vous avez du chagrin. Oui,
pleurez, c'est naturel. Un père est un père. Mais
faut prendre notre mal en patience. Je m'occupe de
vous pendant que vous pleurez. Je suis un bon
parent, voyez-vous. Allons, du courage. Voulez-
vous boire un petit verre de vin ? Le vin ne coûte
rien à Saumur, on y offre du vin comme dans les
Indes une tasse de thé [2]. Mais, dit Grandet en continuant, vous êtes sans lumière. Mauvais, mauvais !
faut voir clair à ce que l'on fait. » Grandet marcha
vers la cheminée. « Tiens ! s'écria-t-il, voilà de la

bougie. Où diable a-t-on pêché de la bougie ? Les garces démoliraient le plancher de ma maison pour cuire des œufs à ce garçon-là. »

En entendant ces mots, la mère et la fille rentrèrent dans leurs chambres et se fourrèrent dans leurs lits avec la célérité de souris effrayées qui rentrent dans leurs trous.

« Madame Grandet, vous avez donc un trésor ? dit l'homme en entrant dans la chambre de sa femme.

— Mon ami, je fais mes prières, attendez, répondit d'une voix altérée la pauvre mère.

— Que le diable emporte ton bon Dieu ! » répliqua Grandet en grommelant.

Les avares ne croient point à une vie à venir, le présent est tout pour eux. Cette réflexion jette une horrible clarté sur l'époque actuelle, où, plus qu'en aucun autre temps, l'argent domine les lois, la politique et les mœurs. Institutions, livres, hommes et doctrines, tout conspire à miner la croyance d'une vie future sur laquelle l'édifice social est appuyé depuis dix-huit cents ans. Maintenant le cercueil est une transition peu redoutée. L'avenir, qui nous attendait par-delà le requiem, a été transposé dans le présent. Arriver *per fas et nefas*[1] au paradis terrestre du luxe et des jouissances vaniteuses, pétrifier son cœur et se macérer le corps en vue de possessions passagères, comme on souffrait jadis le martyre de la vie en vue de biens éternels, est la pensée générale ! pensée d'ailleurs écrite partout, jusque dans les lois, qui demandent au législateur[2] : « Que payes-tu ? » au lieu de lui dire : « Que penses-tu ? » Quand cette doctrine aura passé de la bourgeoisie au peuple, que deviendra le pays ?

« Madame Grandet, as-tu fini ? dit le vieux tonnelier.

— Mon ami, je prie pour toi.

— Très bien ! bonsoir. Demain matin, nous causerons. »

La pauvre femme s'endormit comme l'écolier qui, n'ayant pas appris ses leçons, craint de trouver à son réveil le visage irrité du maître. Au moment où, par frayeur, elle se roulait dans ses draps pour ne rien entendre, Eugénie se coula près d'elle, en chemise, pieds nus, et vint la baiser au front.

« Oh ! bonne mère, dit-elle, demain, je lui dirai que c'est moi.

— Non, il t'enverrait à Noyers. Laisse-moi faire, il ne me mangera pas.

— Entends-tu, maman ?

— Quoi ?

— Hé bien, *il* pleure toujours.

— Va donc te coucher, ma fille. Tu gagneras froid aux pieds. Le carreau est humide. »

Ainsi se passa la journée solennelle qui devait peser sur toute la vie de la riche et pauvre héritière dont le sommeil ne fut plus aussi complet ni aussi pur qu'il l'avait été jusqu'alors. Assez souvent certaines actions de la vie humaine paraissent, littérairement parlant, invraisemblables, quoique vraies. Mais ne serait-ce pas qu'on omet presque toujours de répandre sur nos déterminations spontanées une sorte de lumière psychologique, en n'expliquant pas les raisons mystérieusement conçues qui les ont nécessitées ? Peut-être la pro-

fonde passion d'Eugénie devrait-elle être analysée dans ses fibrilles les plus délicates ; car elle
devint, diraient quelques railleurs, une maladie, et
influença toute son existence. Beaucoup de gens
aiment mieux nier les dénouements que de mesurer la force des liens, des nœuds, des attaches qui
soudent secrètement un fait à un autre dans l'ordre
moral. Ici donc le passé d'Eugénie servira, pour
les observateurs de la nature humaine, de garantie
à la naïveté de son irréflexion et à la soudaineté
des effusions de son âme. Plus sa vie avait été tranquille, plus vivement la pitié féminine, le plus ingénieux des sentiments, se déploya dans son âme.
Aussi, troublée par les événements de la journée,
s'éveilla-t-elle, à plusieurs reprises, pour écouter
son cousin, croyant en avoir entendu les soupirs
qui depuis la veille lui retentissaient au cœur : tantôt elle le voyait expirant de chagrin, tantôt elle le
rêvait mourant de faim. Vers le matin, elle entendit
certainement une terrible exclamation. Aussitôt
elle se vêtit, et accourut au petit jour, d'un pied
léger, auprès de son cousin qui avait laissé sa porte
ouverte. La bougie avait brûlé dans la bobèche du
flambeau. Charles, vaincu par la nature, dormait
habillé, assis dans un fauteuil, la tête renversée
sur le lit ; il rêvait comme rêvent les gens qui ont
l'estomac vide. Eugénie put pleurer à son aise ; elle
put admirer ce jeune et beau visage, marbré par
la douleur, ces yeux gonflés par les larmes, et
qui tout endormis semblaient encore verser des
pleurs. Charles devina sympathiquement la présence d'Eugénie, il ouvrit les yeux, et la vit atten-
drie.

« Pardon, ma cousine, dit-il, ne sachant évidemment ni l'heure qu'il était ni le lieu où il se
trouvait.

— Il y a des cœurs qui vous entendent ici, mon
cousin, et *nous* avons cru que vous aviez besoin
de quelque chose. Vous devriez vous coucher,
vous vous fatiguez en restant ainsi.

— Cela est vrai.

— Hé bien, adieu. »

Elle se sauva, honteuse et heureuse d'être venue.
L'innocence ose seule de telles hardiesses. Instruite, la Vertu calcule aussi bien que le Vice. Eugénie, qui, près de son cousin, n'avait pas tremblé,
put à peine se tenir sur ses jambes quand elle fut
dans sa chambre. Son ignorante vie avait cessé
tout à coup, elle raisonna, se fit mille reproches.
« Quelle idée va-t-il prendre de moi ? Il croira que
je l'aime. » C'était précisément ce qu'elle désirait le
plus de lui voir croire. L'amour franc a sa pres-
cience et sait que l'amour excite l'amour. Quel événement pour cette jeune fille solitaire, d'être ainsi
entrée furtivement chez un jeune homme ! N'y a-
t-il pas des pensées, des actions qui, en amour,
équivalent, pour certaines âmes, à de saintes fiançailles ! Une heure après, elle entra chez sa mère, et
l'habilla suivant son habitude. Puis elles vinrent
s'asseoir à leurs places devant la fenêtre et atten-
dirent Grandet avec cette anxiété qui glace le
cœur ou l'échauffe, le serre ou le dilate suivant les
caractères, alors que l'on redoute une scène, une
punition ; sentiment d'ailleurs si naturel, que les
animaux domestiques l'éprouvent au point de crier
pour le faible mal d'une correction, eux qui se

taisent quand ils se blessent par inadvertance. Le bonhomme descendit, mais il parla d'un air distrait à sa femme, embrassa Eugénie, et se mit à table sans paraître penser à ses menaces de la veille.

« Que devient mon neveu ? l'enfant n'est pas gênant.

— Monsieur, il dort, répondit Nanon.

— Tant mieux, il n'a pas besoin de bougie », dit Grandet d'un ton goguenard.

Cette clémence insolite, cette amère gaieté frappèrent Mme Grandet qui regarda son mari fort attentivement. Le bonhomme... Ici peut-être est-il convenable de faire observer qu'en Touraine, en Anjou, en Poitou, dans la Bretagne, le mot bonhomme, déjà souvent employé pour désigner Grandet, est décerné aux hommes les plus cruels comme aux plus bonasses, aussitôt qu'ils sont arrivés à un certain âge. Ce titre ne préjuge rien sur la mansuétude individuelle. Le bonhomme, donc, prit son chapeau, ses gants, et dit : « Je vais muser sur la place pour rencontrer nos Cruchot. »

« Eugénie, ton père a décidément quelque chose. »

En effet, peu dormeur, Grandet employait la moitié de ses nuits aux calculs préliminaires qui donnaient à ses vues, à ses observations, à ses plans, leur étonnante justesse et leur assuraient cette constante réussite de laquelle s'émerveillaient les Saumurois. Tout pouvoir humain est un composé de patience et de temps. Les gens puissants veulent et veillent. La vie de l'avare est un constant exercice de la puissance humaine mise au service de la personnalité. Il ne s'appuie que sur deux sentiments : l'amour-propre et l'intérêt ; mais l'intérêt étant en quelque sorte l'amour-propre solide et bien entendu, l'attestation continue d'une supériorité réelle, l'amour-propre et l'intérêt sont deux parties d'un même tout, l'égoïsme. De là vient peut-être la prodigieuse curiosité qu'excitent les avares habilement mis en scène. Chacun tient par un fil à ces personnages qui s'attaquent à tous les sentiments humains, en les résumant tous. Où est l'homme sans désir, et quel désir social se résoudra sans argent ? Grandet avait bien réellement quelque chose, suivant l'expression de sa femme. Il se rencontrait en lui, comme chez tous les avares, un persistant besoin de jouer une partie avec les autres hommes, de leur gagner légalement leurs écus. Imposer autrui, n'est-ce pas faire acte de pouvoir, se donner perpétuellement le droit de mépriser ceux qui, trop faibles, se laissent ici-bas dévorer ? Oh ! qui a bien compris l'agneau paisiblement couché aux pieds de Dieu, le plus touchant emblème de toutes les victimes terrestres, celui de leur avenir, enfin la Souffrance et la Faiblesse glorifiées ? Cet agneau, l'avare le laisse s'engraisser, il le parque, le tue, le cuit, le mange et le méprise. La pâture des avares se compose d'argent et de dédain. Pendant la nuit, les idées du bonhomme avaient pris un autre cours : de là, sa clémence. Il avait ourdi une trame pour se moquer des Parisiens, pour les tordre, les rouler, les pétrir, les faire aller, venir, suer, espérer, pâlir ; pour s'amuser d'eux, lui, ancien tonnelier au fond de sa salle grise, en montant l'escalier vermoulu de sa maison de Saumur. Son neveu l'avait occupé. Il voulait sauver l'honneur de son frère mort sans qu'il en coûtât un sou ni à son neveu ni à lui. Ses fonds allaient être placés pour trois ans, il n'avait plus qu'à gérer ses biens, il fallait donc un aliment à son activité malicieuse[1] et il l'avait trouvé dans la faillite de son frère. Ne se sentant rien entre les pattes à pressurer, il voulait concasser les Parisiens au profit de Charles, et se montrer excellent frère à bon marché. L'honneur de la famille entrait pour si peu de chose dans son projet, que sa bonne volonté doit être comparée au besoin qu'éprouvent les joueurs de voir bien jouer une partie dans laquelle ils n'ont pas d'enjeu. Et les Cruchot lui étaient nécessaires, et il ne voulait pas les aller chercher, et il avait décidé de les faire arriver chez lui, et d'y commencer ce soir même la comédie dont le plan venait d'être conçu, afin d'être le lendemain, sans qu'il lui en coûtât un denier, l'objet de l'admiration de sa ville. En l'absence de son père, Eugénie eut le bonheur de pouvoir s'occuper ouvertement de son bien-aimé cousin, d'épancher sur lui sans crainte les trésors de sa pitié, l'une des sublimes supériorités de la femme, la seule qu'elle veuille faire sentir, la seule qu'elle pardonne à l'homme de lui laisser prendre sur lui. Trois ou quatre fois, Eugénie alla écouter la respiration de son cousin ; savoir s'il dormait, s'il se réveillait ; puis, quand il se leva, la crème, le café, les œufs, les fruits, les assiettes, le verre, tout ce qui faisait partie du déjeuner, fut pour elle l'objet de quelque soin. Elle grimpa lestement dans le vieil escalier pour écouter le bruit que faisait son cousin. S'habillait-il? pleurait-il encore? Elle vint jusqu'à la porte.

« Mon cousin?

— Ma cousine.

— Voulez-vous déjeuner dans la salle ou dans votre chambre?

— Où vous voudrez.

— Comment vous trouvez-vous?

— Ma chère cousine, j'ai honte d'avoir faim. »

Cette conversation à travers la porte était pour Eugénie tout un épisode de roman.

« Eh bien, nous vous apporterons à déjeuner dans votre chambre, afin de ne pas contrarier mon père. » Elle descendit dans la cuisine avec la légèreté d'un oiseau. « Nanon, va donc faire sa chambre. »

Cet escalier si souvent monté, descendu, où retentissait le moindre bruit, semblait à Eugénie avoir perdu son caractère de vétusté; elle le voyait lumineux, il parlait, il était jeune comme elle, jeune comme son amour auquel il servait. Enfin sa mère, sa bonne et indulgente mère, voulut bien se prêter aux fantaisies de son amour, et lorsque la chambre de Charles fut faite, elles allèrent toutes deux tenir compagnie au malheureux: la charité chrétienne n'ordonnait-elle pas de le consoler? Ces deux femmes puisèrent dans la religion bon nombre de petits sophismes pour se justifier leurs déportements. Charles Grandet se vit donc l'objet des soins les plus affectueux et les plus tendres. Son cœur endolori sentit vivement la douceur de cette amitié veloutée, de cette exquise sympathie, que ces deux âmes toujours contraintes surent déployer en se trouvant libres un moment dans la région des souffrances, leur sphère naturelle. Autorisée par la parenté, Eugénie se mit à ranger le linge, les objets de toilette que son cousin avait apportés, et put s'émerveiller à son aise de chaque luxueuse babiole, des colifichets d'argent, d'or travaillé qui lui tombaient sous la main, et qu'elle tenait longtemps sous prétexte de les examiner. Charles ne vit pas sans un attendrissement profond l'intérêt généreux que lui portaient sa tante et sa cousine, il connaissait assez la société de Paris pour savoir que dans sa position il n'y eût trouvé que des cœurs indifférents ou froids, Eugénie lui apparut alors dans toute la splendeur de sa beauté spéciale, et il admira dès lors l'innocence de ces mœurs dont il se moquait la veille. Aussi, quand Eugénie prit des mains de Nanon le bol de faïence plein de café à la crème pour le servir à son cousin avec toute l'ingénuité du sentiment, en lui jetant un bon regard, les yeux du Parisien se mouillèrent-ils de larmes, il lui prit la main et la baisa.

« Hé bien, qu'avez-vous encore ? demanda-t-elle.

— Oh ! c'est des larmes de reconnaissance », répondit-il.

Eugénie se tourna brusquement vers la cheminée pour prendre les flambeaux.

« Nanon, tenez, emportez », dit-elle.

Quand elle regarda son cousin, elle était bien rouge encore, mais au moins ses regards purent mentir et ne pas peindre la joie excessive qui lui inondait le cœur ; mais leurs yeux exprimèrent un même sentiment, comme leurs âmes se fondirent dans une même pensée : l'avenir était à eux. Cette douce émotion fut d'autant plus délicieuse pour Charles au milieu de son immense chagrin, qu'elle était moins attendue. Un coup de marteau rappela les deux femmes à leurs places. Par bonheur, elles purent redescendre assez rapidement l'escalier pour se trouver à l'ouvrage quand Grandet entra ; s'il les eût rencontrées sous la voûte, il n'en aurait pas fallu davantage pour exciter ses soupçons. Après le déjeuner, que le bonhomme fit sur le pouce, le garde, auquel l'indemnité promise n'avait pas encore été donnée, arriva de Froidfond, d'où il apportait un lièvre, des perdreaux tués dans le parc, des anguilles et deux brochets dus par les meuniers.

« Eh ! eh ! ce pauvre Cornoiller, il vient comme marée en carême[1]. Est-ce bon à manger, ça ?

— Oui, mon cher généreux monsieur, c'est tué depuis deux jours.

— Allons, Nanon, haut le pied[2], dit le bonhomme. Prends-moi cela, ce sera pour le dîner, je régale deux Cruchot. »

Nanon ouvrit des yeux bêtes et regarda tout le monde.

« Eh bien, dit-elle, où que je trouverai du lard et des épices ?

— Ma femme, dit Grandet, donne six francs à Nanon, et fais-moi souvenir d'aller à la cave chercher du bon vin.

— Eh bien, donc, M. Grandet, reprit le garde qui avait préparé sa harangue afin de faire décider la question de ses appointements, monsieur Grandet…

— Ta, ta, ta, ta, dit Grandet, je sais ce que tu veux

dire, tu es un bon diable, nous verrons cela demain,
je suis trop pressé aujourd'hui. Ma femme, donne-
lui cent sous », dit-il à Mme Grandet.

Il décampa. La pauvre femme fut trop heureuse
d'acheter la paix pour onze francs. Elle savait que
Grandet se taisait pendant quinze jours, après
avoir ainsi repris, pièce à pièce, l'argent qu'il avait
donné.

« Tiens, Cornoiller, dit-elle en lui glissant dix
francs dans la main, quelque jour nous reconnaî-
trons tes services. »

Cornoiller n'eut rien à dire. Il partit.

« Madame, dit Nanon, qui avait mis sa coiffe
noire et pris son panier, je n'ai besoin que de trois
francs, gardez le reste. Allez, ça ira tout de même.

— Fais un bon dîner, Nanon, mon cousin descendra, dit Eugénie.

— Décidément, il se passe ici quelque chose
d'extraordinaire, dit Mme Grandet. Voici la troisième fois que, depuis notre mariage, ton père
donne à dîner. »

Vers quatre heures, au moment où Eugénie et sa
mère avaient fini de mettre un couvert pour six
personnes, et où le maître du logis avait monté
quelques bouteilles de ces vins exquis que conser-
vent les provinciaux avec amour, Charles vint
dans la salle. Le jeune homme était pâle. Ses
gestes, sa contenance, ses regards et le son de sa
voix eurent une tristesse pleine de grâce. Il ne
jouait pas la douleur, il souffrait véritablement, et
le voile étendu sur ses traits par la peine lui donnait cet air intéressant qui plaît tant aux femmes.
Eugénie l'en aima bien davantage. Peut-être aussi

le malheur l'avait-il rapproché d'elle. Charles
n'était plus ce riche et beau jeune homme placé
dans une sphère inabordable pour elle ; mais un
parent plongé dans une effroyable misère. La
misère enfante l'égalité. La femme a cela de commun avec l'ange que les êtres souffrants lui appartiennent. Charles et Eugénie s'entendirent et se
parlèrent des yeux seulement ; car le pauvre dandy
déchu, l'orphelin se mit dans un coin, s'y tint muet,
calme et fier ; mais, de moment en moment, le
regard doux et caressant de sa cousine venait luire
sur lui, le contraignait à quitter ses tristes pensées,
à s'élancer avec elle dans les champs de l'Espérance et de l'Avenir où elle aimait à s'engager avec
lui. En ce moment, la ville de Saumur était plus
émue du dîner offert par Grandet aux Cruchot
qu'elle ne l'avait été la veille par la vente de sa
récolte qui constituait un crime de haute trahison
envers le vignoble. Si le politique vigneron eût
donné son dîner dans la même pensée qui coûta la
queue au chien d'Alcibiade, il aurait été peut-être
un grand homme [1] ; mais trop supérieur à une ville
de laquelle il se jouait sans cesse, il ne faisait
aucun cas de Saumur. Les des Grassins apprirent
bientôt la mort violente et la faillite probable du
père de Charles, ils résolurent d'aller dès le soir
même chez leur client afin de prendre part à son
malheur et lui donner des signes d'amitié, tout en
s'informant des motifs qui pouvaient l'avoir déterminé à inviter, en semblable occurrence, les Cruchot à dîner. À cinq heures précises, le président
C. de Bonfons et son oncle le notaire arrivèrent
endimanchés jusqu'aux dents. Les convives se

mirent à table et commencèrent par manger nota-
blement bien. Grandet était grave, Charles silencieux, Eugénie muette, Mme Grandet ne parla pas
plus que de coutume, en sorte que ce dîner fut un
véritable repas de condoléance. Quand on se leva
de table, Charles dit à sa tante et à son oncle :
« Permettez-moi de me retirer. Je suis obligé de
m'occuper d'une longue et triste correspondance.

— Faites, mon neveu. »

Lorsque après son départ le bonhomme put
présumer que Charles ne pouvait rien entendre, et
devait être plongé dans ses écritures, il regarda
sournoisement sa femme.

« Mme Grandet, ce que nous avons à dire serait
du latin pour vous, il est sept heures et demie, vous
devriez aller vous serrer dans votre portefeuille.
Bonne nuit, ma fille. »

Il embrassa Eugénie, et les deux femmes sor-
tirent. Là commença la scène où le père Grandet,
plus qu'en aucun autre moment de sa vie, employa
l'adresse qu'il avait acquise dans le commerce des
hommes, et qui lui valait souvent, de la part de
ceux dont il mordait un peu trop rudement la peau,
le surnom de *vieux chien*. Si le maire de Saumur
eût porté son ambition plus haut, si d'heureuses
circonstances, en le faisant arriver vers les sphères
supérieures de la Société, l'eussent envoyé dans les
congrès où se traitaient les affaires des nations, et
qu'il s'y fût servi du génie dont l'avait doté son intérêt personnel, nul doute qu'il n'y eût été glorieusement utile à la France. Néanmoins, peut-être aussi
serait-il également probable que, sorti de Saumur,
le bonhomme n'aurait fait qu'une pauvre figure.

Peut-être en est-il des esprits comme de certains animaux, qui n'engendrent plus transplantés hors des climats où ils naissent.

« Mon... on... on... on... sieur le pré... pré... pré... président, vouoouous di... di... di... disiiieeez que la faaaaiiillite... »

Le bredouillement affecté depuis si longtemps par le bonhomme et qui passait pour naturel, aussi bien que la surdité dont il se plaignait par les temps de pluie, devint, en cette conjoncture, si fatigant pour les deux Cruchot, qu'en écoutant le vigneron ils grimaçaient à leur insu, en faisant des efforts comme s'ils voulaient achever les mots dans lesquels il s'empêtrait à plaisir. Ici, peut-être, devient-il nécessaire de donner l'histoire du bégayement et de la surdité de Grandet. Personne, dans l'Anjou, n'entendait mieux et ne pouvait prononcer plus nettement le français angevin que le rusé vigneron. Jadis, malgré toute sa finesse, il avait été dupé par un Israélite qui, dans la discussion, appliquait sa main à son oreille en guise de cornet, sous prétexte de mieux entendre, et baragouinait si bien en cherchant ses mots, que Grandet, victime de son humanité, se crut obligé de suggérer à ce malin Juif les mots et les idées que paraissait chercher le Juif, d'achever lui-même les raisonnements dudit Juif, de parler comme devait parler le damné Juif, d'être enfin le Juif et non Grandet. Le tonnelier sortit de ce combat bizarre, ayant conclu le seul marché dont il ait eu à se plaindre pendant le cours de sa vie commerciale. Mais s'il y perdit pécuniairement parlant, il y gagna moralement une bonne leçon, et, plus tard, il en recueillit les fruits. Aussi le bonhomme finit-il par bénir le Juif qui lui avait appris l'art d'impatienter son adversaire commercial ; et, en l'occupant à exprimer sa pensée, de lui faire constamment perdre de vue la sienne. Or, aucune affaire n'exigea, plus que celle dont il s'agissait, l'emploi de la surdité, du bredouillement, et des ambages incompréhensibles dans lesquels Grandet enveloppait ses idées. D'abord, il ne voulait pas endosser la responsabilité de ses idées ; puis, il voulait rester maître de sa parole, et laisser en doute ses véritables intentions.

« Monsieur de Bon... Bon... Bonfons... » Pour la seconde fois, depuis trois ans, Grandet nommait Cruchot neveu M. de Bonfons. Le président put se croire choisi pour gendre par l'artificieux bonhomme. « Vooo ouous di... di... di...disiez donc que les faiiiillites peu... peu... peu... peuvent, dan-dans ce... ertains cas, être empê... pê... pê... chées pa... par...

— Par les tribunaux de commerce eux-mêmes. Cela se voit tous les jours, dit M. C. de Bonfons enfourchant l'idée du père Grandet ou croyant la deviner et voulant affectueusement la lui expliquer. Écoutez ?

— J'écoucoute, répondit humblement le bonhomme en prenant la malicieuse contenance d'un enfant qui rit intérieurement de son professeur tout en paraissant lui prêter la plus grande attention.

— Quand un homme considérable et considéré, comme l'était, par exemple, défunt monsieur votre frère à Paris...

— Mon... on frère, oui.

— Est menacé d'une déconfiture...

— Çaaaa s'aappelle dé, dé, déconfiture ?

— Oui. Que sa faillite devient imminente, le tribunal de commerce, dont il est justiciable (suivez bien), a la faculté, par un jugement, de nommer, à sa maison de commerce, des liquidateurs. Liquider n'est pas faire faillite, comprenez-vous ? En faisant faillite, un homme est déshonoré ; mais en liquidant, il reste honnête homme.

— C'est bien di, di, di, différent, si çaâââ ne coû, ou, ou, ou, oûte pas, pas, pas plus cher, dit Grandet.

— Mais une liquidation peut encore se faire, même sans le secours du tribunal de commerce. Car, dit le président en humant sa prise de tabac, comment se déclare une faillite ?

— Oui, je n'y ai jamais pen, pen, pen, pensé, répondit Grandet.

— Premièrement, reprit le magistrat, par le dépôt du bilan au greffe du tribunal, que fait le négociant lui-même, ou son fondé de pouvoirs, dûment enregistré. Deuxièmement, à la requête des créanciers. Or, si le négociant ne dépose pas de bilan, si aucun créancier ne requiert du tribunal un jugement qui déclare le susdit négociant en faillite, qu'arriverait-il ?

— Oui, i, i, voy, voy... ons.

— Alors la famille du décédé, ses représentants, son hoirie ; ou le négociant, s'il n'est pas mort ; ou ses amis, s'il est caché, liquident. Peut-être voulez-vous liquider les affaires de votre frère ? demanda le président.

— Ah ! Grandet, s'écria le notaire, ce serait bien.

Il y a de l'honneur au fond de nos provinces. Si vous sauviez votre nom, car c'est votre nom, vous seriez un homme...

— Sublime, dit le président en interrompant son oncle.

— Ceertainement, répliqua le vieux vigneron mon, mon fffr, fre, frère se no, no, no noommait Grandet tou... out comme moi. Cé, cé, c'es, c'est sûr et certain. Je, je, je ne ne dis pa pas non. Et, et, et, cette li, li, li, liquidation pou, pou, pourrait dans tooous llles cas, être sooous tous lles ra, ra, rapports très avanvantatageuse aux in, in, in, intérêts de mon ne, ne, neveu, que j'ai, j'ai, j'aime. Mais faut voir. Je ne co, co, co, connais pas *llles malins* de Paris. Je... suis à Sau, au, aumur, moi, voyez-vous ! Mes prooovins ! mes foooossés, et, en, enfin j'ai mes aaaffaires. Je n'ai jamais fait de bi, bi, billets. Qu'est-ce qu'un billet ? J'en, j'en, j'en ai beau, beaucoup reçu, je n'en ai jamais si, si, signé. Ça, aaa se ssse touche, ça s'essscoooompte. Voilllà tooout ce qu, qu, que je sais. J'ai en, en, en, entendu di, di, dire qu'onooon pou, ou, ouvait rachechecheter les bi, bi, bi...

— Oui, dit le président. L'on peut acquérir les billets sur la place, moyennant tant pour cent. Comprenez-vous ? »

Grandet se fit un cornet de sa main, l'appliqua sur son oreille, et le président lui répéta sa phrase.

« Mais, répondit le vigneron, il y a ddddonc à boire et à manger dan, dans tout cela. Je, je, je ne sais rien, à mon âââge, de toooutes ce, ce, ces choooses-là. Je doi, dois re, ester i, i, ici pour ve, ve, veiller au grain. Le grain, s'aama, masse, et c'e, c'e,

c'est aaavec le grain qu'on pai, paye. Aavant, tout,
faut, ve, ve, veiller aux, aux ré, ré, récoltes. J'ai des
aaaffaires ma, ma, majeures à Froidfond et des
inté, té, téressantes. Je ne puis pas a, a, abandonner
ma, ma, ma, maison pooour des em, em, *embrrr-
rououilllllamini gentes*[1] de, de, de tooous les di,
diaâblles, où je ne cooompre, prends rien. Voous
dites que, que je devrais, pour li, li, li, liquider, pour
arrêter la déclaration de faillite, être à Paris. On ne
peut pas se trooou, ouver à la fois en, en, en deux
endroits, à moins d'être pe, pe, pe, petit oiseau…
Et…

— Et, je vous entends, s'écria le notaire. Eh bien,
mon vieil, ami, vous avez des amis, de vieux amis,
capables de dévouement pour vous. »

« Allons donc, pensait en lui-même le vigneron,
décidez-vous donc ! »

— Et si quelqu'un partait pour Paris, y cherchait
le plus fort créancier de votre frère Guillaume, lui
disait…

— Mi, min, minute, ici, reprit le bonhomme, lui
disait. Quoi ? Quelque, que cho, chooo, chose co,
co, comme ça : "M. Grandet de Saumur pa, pa, par
ci, M. Grandet, det, det de Saumur par là. Il aime
son frère, il aime son ne, ne, neveu. Grandet .est
un bon pa, pa, parent, et il a de très bonnes intentions. Il a bien vendu sa ré, ré, récolte. Ne déclarez
pas la fa, fa, fâ, fâ, faillite, aaassemblez-vous, no,
no, nommez des li, li, liquidateurs. Aaalors Grandet ve, éé, erra. Voous au, au, aurez ez bien davantage en liquidant qu'en lai, lai, laissant les gens de
justice y mettre le né, né, nez…" Hein ! pas vrai ?

— Juste ! dit le président.

— Parce que, voyez-vous, monsieur de Bon, Bon, Bon, fons, faut voir, avant de se dé, décider. Qui ne, ne, ne, peut, ne, ne peut. En toute af, af, affaire ooonénéreuse, poour ne pas se ru, ru, rui, ruiner, il faut connaître les ressources et les charges. Hein ! pas vrai ?

— Certainement, dit le président. Je suis d'avis, moi, qu'en quelques mois de temps l'on pourra racheter les créances pour une somme de, et payer intégralement par arrangement. Ha ! ha ! l'on mène les chiens bien loin en leur montrant un morceau de lard. Quand il n'y a pas eu de déclaration de faillite et que vous tenez les titres de créances, vous devenez blanc comme neige.

— Comme né, né, neige, répéta Grandet en refaisant un cornet de sa main. Je ne comprends pas la né, né, neige.

— Mais, cria le président, écoutez-moi donc, alors.

— J'é, j'é, j'écoute.

— Un effet est une marchandise qui peut avoir sa hausse et sa baisse. Ceci est une déduction du principe de Jérémie Bentham sur l'usure. Ce publiciste a prouvé que le préjugé qui frappait de réprobation les usuriers était une sottise [1].

— Ouais ! fit le bonhomme.

— Attendu qu'en principe, selon Bentham, l'argent est une marchandise, et que ce qui représente l'argent devient également marchandise, reprit le président ; attendu qu'il est notoire que, soumise aux variations habituelles qui régissent les choses commerciales, la marchandise-billet, portant telle ou telle signature, comme tel ou tel article, abonde ou manque sur la place, qu'elle est chère ou tombe à rien, le tribunal ordonne... (tiens! que je suis bête, pardon), je suis d'avis que vous pourrez racheter votre frère pour vingt-cinq du cent.

— Vooous le no, no, no, nommez Jé, Jé, Jé, Jérémie Ben...

— Bentham, un Anglais.

— Ce Jérémie-là nous fera éviter bien des lamentations dans les affaires, dit le notaire en riant.

— Ces Anglais ont qué, qué, quelquefois du bon, on sens, dit Grandet. Ainsi, se, se, se, selon Ben, Ben, Ben, Bentham, si les effets de mon frère... va, va, va, va, valent... ne valent pas. Si. Je, je, je, dis bien, n'est-ce pas? Cela me paraît clair... Les créanciers seraient... Non, ne seraient pas. Je m'een, entends.

— Laissez-moi vous expliquer tout ceci, dit le président. En droit, si vous possédez les titres de toutes les créances dues par la maison Grandet, votre frère ou ses hoirs ne doivent rien à personne. Bien.

— Bien, répéta le bonhomme.

— En équité, si les effets de votre frère se négocient (négocient, entendez-vous bien ce terme?) sur la place à tant pour cent de perte; si l'un de vos amis a passé par là; s'il les a rachetés, les créanciers n'ayant été contraints par aucune violence à les donner, la succession de feu Grandet de Paris se trouve loyalement quitte.

— C'est vrai, les a, a, a, affaires sont les affaires, dit le tonnelier. Cela pooooosé... Mais, néanmoins, vous compre, ne, ne, ne, nez, que c'est di, di, di, difficile. Je, je, je n'ai pas d'aaargent, ni, ni, ni le temps, ni le temps, ni…

— Oui, vous ne pouvez pas vous déranger. Hé bien, je vous offre d'aller à Paris (vous me tiendriez compte du voyage, c'est une misère). J'y vois les créanciers, je leur parle, j'atermoie, et tout s'arrange avec un supplément de payement que vous ajoutez aux valeurs de la liquidation, afin de rentrer dans les titres de créances.

— Mais nooouous verrons cela, je ne, ne, ne peux pas, je, je, je ne veux pas m'en, en, en, engager sans, sans, que… Qui, qui, qui, ne, ne peut, ne peut. Vooouous comprenez ?

— Cela est juste.

— J'ai la tête ca, ca, cassée de ce que, que vooous, vous m'a, a, a, avez dé, dé, décliqué [1] là. Voilà la, la, la première fois de ma vie que je, je suis fooorcé de son, songer à de…

— Oui, vous n'êtes pas jurisconsulte.

— Je, je suis un pau, pau, pauvre vigneron, et ne sais rien de ce que vou, vou, vous venez de dire ; il fau, fau, faut que j'é, j'é, j'étudie çççà.

— Hé bien, reprit le président en se posant comme pour résumer la discussion.

— Mon neveu ?… fit le notaire d'un ton de reproche en l'interrompant.

— Hé bien, mon oncle, répondit le président.

— Laisse donc M. Grandet t'expliquer ses intentions. Il s'agit en ce moment d'un mandat important. Notre cher ami doit le définir congrûm [2]… »

Un coup de marteau qui annonça l'arrivée de la famille des Grassins, leur entrée et leurs salutations empêchèrent Cruchot d'achever sa phrase.

Le notaire fut content de cette interruption ; déjà Grandet le regardait de travers, et sa loupe indiquait un orage intérieur ; mais d'abord le prudent notaire ne trouvait pas convenable à un président de tribunal de première instance d'aller à Paris pour y faire capituler des créanciers et y prêter les mains à un tripotage qui froissait les lois de la stricte probité ; puis, n'ayant pas encore entendu le père Grandet exprimant la moindre velléité de payer quoi que ce fût, il tremblait instinctivement de voir son neveu engagé dans cette affaire. Il profita donc du moment où les des Grassins entraient pour prendre le président par le bras et l'attirer dans l'embrasure de la fenêtre.

« Tu t'es bien suffisamment montré, mon neveu ; mais assez de dévouement comme ça. L'envie d'avoir la fille t'aveugle. Diable ! il n'y faut pas aller comme une corneille qui abat des noix [1]. Laisse-moi maintenant conduire la barque, aide seulement à la manœuvre. Est-ce bien ton rôle de compromettre ta dignité de magistrat dans une pareille... »

Il n'acheva pas ; il entendait M. des Grassins disant au vieux tonnelier en lui tendant la main : « Grandet nous avons appris l'affreux malheur arrivé dans votre famille, le désastre de la maison Guillaume Grandet et la mort de votre frère ; nous venons vous exprimer toute la part que nous prenons à ce triste événement.

— Il n'y a d'autre malheur, dit le notaire en interrompant le banquier, que la mort de M. Grandet junior. Encore ne se serait-il pas tué s'il avait eu l'idée d'appeler son frère à son secours. Notre vieil ami, qui a de l'honneur jusqu'au bout des ongles, compte liquider les dettes de la maison Grandet de Paris. Mon neveu le président, pour lui éviter les tracas d'une affaire tout judiciaire, lui offre de partir sur-le-champ pour Paris, afin de transiger avec les créanciers et les satisfaire convenablement. »

Ces paroles, confirmées par l'attitude du vigneron, qui se caressait le menton, surprirent étrangement les trois des Grassins, qui pendant le chemin avaient médit tout à loisir de l'avarice de Grandet en l'accusant presque d'un fratricide.

« Ah ! je le savais bien, s'écria le banquier en regardant sa femme. Que te disais-je en route, madame des Grassins ? Grandet a de l'honneur jusqu'au bout des cheveux, et ne souffrira pas que son nom reçoive la plus légère atteinte ! L'argent sans l'honneur est une maladie[1]. Il y a de l'honneur dans nos provinces ! Cela est bien, très bien, Grandet. Je suis un vieux militaire, je ne sais pas déguiser ma pensée ; je la dis rudement : cela est, mille tonnerres ! sublime.

— Aaalors llle su… su… sub… sublime est bi… bi… bien cher, répondit le bonhomme pendant que le banquier lui secouait chaleureusement la main.

— Mais ceci, mon brave Grandet, n'en déplaise à M. le président, reprit des Grassins, est une affaire purement commerciale, et veut un négociant consommé. Ne faut-il pas se connaître aux comptes de retour[2], débours, calculs d'intérêts ? Je dois aller à Paris pour mes affaires, et je pourrais alors me charger de…

— Nous verrions donc à tâ… tâ… tâcher de

nous aaaarranger tou… tous deux dans les po…
po… po… possibilités relatives et sans m'en…
m'en… m'engager à quelque chose que je… je… je
ne voooou… oudrais pas faire, dit Grandet en
bégayant. Parce que, voyez-vous, M. le président
me demandait naturellement les frais du voyage. »

Le bonhomme ne bredouilla plus ces derniers
mots.

« Eh ! dit Mme des Grassins, mais c'est un plaisir que d'être à Paris. Je payerais volontiers pour y
aller, moi. »

Et elle fit un signe à son mari comme pour
l'encourager à souffler cette commission à leurs
adversaires coûte que coûte ; puis elle regarda fort
ironiquement les deux Cruchot, qui prirent une
mine piteuse. Grandet saisit alors le banquier par
un des boutons de son habit et l'attira dans un
coin.

« J'aurais bien plus de confiance en vous que
dans le président, lui dit-il. Puis il y a des anguilles
sous roche, ajouta-t-il en remuant sa loupe. Je veux
me mettre dans la rente ; j'ai quelques milliers de
francs de rente à faire acheter, et je ne veux placer
qu'à quatre-vingts francs. Cette mécanique baisse,
dit-on, à la fin des mois. Vous vous connaissez à
ça, pas vrai ?

— Pardieu ! Eh bien, j'aurais donc quelques
mille livres de rente à lever pour vous ?

— Pas grand-chose pour commencer. *Motus !* Je
veux jouer ce jeu-là sans qu'on n'en sache rien.
Vous me concluriez un marché pour la fin du
mois ; mais n'en dites rien aux Cruchot, ça les
taquinerait[1]. Puisque vous allez à Paris, nous y

verrons en même temps, pour mon pauvre neveu, de quelle couleur sont les atouts.

— Voilà qui est entendu. Je partirai demain en poste, dit à haute voix des Grassins, et je viendrai prendre vos dernières instructions à... à quelle heure ?

— À cinq heures, avant le dîner », dit le vigneron en se frottant les mains.

Les deux partis restèrent encore quelques instants en présence. Des Grassins dit après une pause en frappant sur l'épaule de Grandet : « Il fait bon avoir de bons parents comme ça...

— Oui, oui, sans que ça paraisse, répondit Grandet, je suis un bon pa... parent. J'aimais mon frère, et je le prouverai bien si si ça ne ne coûte pas...

— Nous allons vous quitter, Grandet, lui dit le banquier en l'interrompant heureusement avant qu'il n'achevât sa phrase. Si j'avance mon départ, il faut mettre en ordre quelques affaires.

— Bien, bien. Moi-même, raa...apport à ce que vouvous savez, je je vais me rereretirer dans ma cham... ambre des dédélibérations, comme dit le président Cruchot. »

« Peste ! je ne suis plus M. de Bonfons », pensa tristement le magistrat dont la figure prit l'expression de celle d'un juge ennuyé par une plaidoirie.

Les chefs des deux familles rivales s'en allèrent ensemble. Ni les uns ni les autres ne songeaient plus à la trahison dont s'était rendu coupable Grandet le matin envers le pays vignoble, et se sondèrent mutuellement, mais en vain, pour connaître ce qu'ils pensaient sur les intentions réelles du bonhomme en cette nouvelle affaire.

« Venez-vous chez Mme d'Orsonval avec nous ? dit des Grassins au notaire.

— Nous irons plus tard, répondit le président. Si mon oncle le permet, j'ai promis à Mlle de Gribeaucourt de lui dire un petit bonsoir, et nous nous y rendrons d'abord.

— Au revoir donc, messieurs », dit Mme des Grassins. Et, quand les des Grassins furent à quelques pas des deux Cruchot, Adolphe dit à son père : « Ils fument joliment[1], hein ?

— Tais-toi donc, mon fils, lui répliqua sa mère, ils peuvent encore nous entendre. D'ailleurs ce que tu dis n'est pas de bon goût et sent l'École de droit. »

« Eh bien, mon oncle, s'écria le magistrat quand il vit les des Grassins éloignés, j'ai commencé par être le président de Bonfons, et j'ai fini par être tout simplement un Cruchot.

— J'ai bien vu que ça te contrariait ; mais le vent était aux des Grassins. Es-tu bête, avec tout ton esprit !... Laisse-les s'embarquer sur un *nous verrons* du père Grandet, et tiens-toi tranquille, mon petit : Eugénie n'en sera pas moins ta femme. »

En quelques instants la nouvelle de la magnanime résolution de Grandet se répandit dans trois maisons à la fois, et il ne fut plus question dans toute la ville que de ce dévouement fraternel. Chacun pardonnait à Grandet sa vente faite au mépris de la foi jurée entre les propriétaires, en admirant son honneur, en vantant une générosité dont on ne le croyait pas capable. Il est dans le caractère français de s'enthousiasmer, de se colérer, de se passionner pour le météore du moment, pour les bâtons flottants[1] de l'actualité. Les êtres collectifs, les peuples, seraient-ils donc sans mémoire ?

Quand le père Grandet eut fermé sa porte, il appela Nanon.

« Ne lâche pas le chien et ne dors pas, nous avons à travailler ensemble. À onze heures Cornoiller doit se trouver à ma porte avec le berlingot[2] de Froidfond. Écoute-le venir afin de l'empêcher de cogner, et dis-lui d'entrer tout bellement[3]. Les lois de police défendent le tapage nocturne. D'ailleurs le quartier n'a pas besoin de savoir que je vais me mettre en route. »

Ayant dit, Grandet remonta dans son laboratoire, où Nanon l'entendit remuant, fouillant, allant, venant, mais avec précaution. Il ne voulait évidemment réveiller ni sa femme ni sa fille, et surtout ne point exciter l'attention de son neveu, qu'il avait commencé par maudire en apercevant de la lumière dans sa chambre. Au milieu de la nuit, Eugénie, préoccupée de son cousin, crut avoir entendu la plainte d'un mourant, et pour elle ce mourant était Charles : elle l'avait quitté si pâle, si désespéré ! peut-être s'était-il tué. Soudain elle s'enveloppa d'une coiffe, espèce de pelisse à capuchon, et voulut sortir. D'abord une vive lumière qui passait par les fentes de sa porte lui donna peur du feu ; puis elle se rassura bientôt en entendant les pas pesants de Nanon et sa voix mêlée au hennissement de plusieurs chevaux.

« Mon père enlèverait-il mon cousin ? » se dit-elle en entrouvrant sa porte avec assez de précaution pour l'empêcher de crier, mais de manière à voir ce qui se passait dans le corridor.

Tout à coup son œil rencontra celui de son père, dont le regard, quelque vague et insouciant[1] qu'il fût, la glaça de terreur. Le bonhomme et Nanon étaient accouplés par un gros gourdin dont chaque bout reposait sur leur épaule droite et soutenait un câble auquel était attaché un barillet semblable à ceux que le père Grandet s'amusait à faire dans son fournil à ses moments perdus.

« Sainte Vierge ! monsieur, ça pèse-t-i ?... dit à voix basse la Nanon.

— Quel malheur que ce ne soit que des gros sous ! répondit le bonhomme. Prends garde de heurter le chandelier. »

Cette scène était éclairée par une seule chandelle placée entre deux barreaux de la rampe.

« Cornoiller, dit Grandet à son garde *in partibus*[2], as-tu pris tes pistolets ?

— Non, monsieur. Pardé ! quoi qu'il y a donc à craindre pour vos gros sous ?...

— Oh ! rien, dit le père Grandet.

— D'ailleurs nous irons vite, reprit le garde, vos fermiers ont choisi pour vous leurs meilleurs chevaux.

— Bien, bien. Tu ne leur as pas dit où j'allais ?

— Je ne le savais point.

— Bien. La voiture est solide ?

— Ça, notre maître ? ha ben, ça porterait trois mille[3]. Qu'est-ce que ça pèse donc vos méchants barils ?

— Tiens, dit Nanon, je le savons bien ! Y a ben près de dix-huit cents.

— Veux-tu te taire, Nanon ! Tu diras à ma femme que je suis allé à la campagne. Je serai revenu pour dîner. Va bon train, Cornoiller, faut être à Angers avant neuf heures. »

La voiture partit. Nanon verrouilla la grande porte, lâcha le chien, se coucha l'épaule meurtrie, et personne dans le quartier ne soupçonna ni le départ de Grandet ni l'objet de son voyage. La discrétion du bonhomme était complète. Personne ne voyait jamais un sou dans cette maison pleine d'or. Après avoir appris dans la matinée par les causeries du port que l'or avait doublé de prix par suite de nombreux armements entrepris à Nantes, et que des spéculateurs étaient arrivés à Angers pour en acheter, le vieux vigneron, par un simple emprunt de chevaux fait à ses fermiers, se mit en mesure d'aller y vendre le sien et d'en rapporter en valeurs du receveur général sur le trésor la somme nécessaire à l'achat de ses rentes après l'avoir grossie de l'agio [1].

« Mon père s'en va », dit Eugénie qui du haut de l'escalier avait tout entendu. Le silence était rétabli dans la maison, et le lointain roulement de la voiture, qui cessa par degrés, ne retentissait déjà plus dans Saumur endormi. En ce moment, Eugénie entendit en son cœur, avant de l'écouter par l'oreille, une plainte qui perça les cloisons, et qui venait de la chambre de son cousin. Une bande lumineuse, fine autant que le tranchant d'un sabre, passait par la fente de la porte et coupait horizontalement les balustres du vieil escalier. « Il souffre », dit-elle en grimpant deux marches. Un second gémissement la fit arriver sur le palier de la chambre. La porte était entrouverte, elle la poussa. Charles dormait la tête penchée en dehors du vieux

fauteuil, sa main avait laissé tomber la plume et
touchait presque à terre. La respiration saccadée
que nécessitait la posture du jeune homme effraya
soudain Eugénie, qui entra promptement. « Il doit
être bien fatigué », se dit-elle en regardant une
dizaine de lettres cachetées, elle en lut les adresses :
À MM. Farry, Breilman et Cie, carrossiers. — À
M. Buisson, tailleur[1], etc. « Il a sans doute arrangé
toutes ses affaires pour pouvoir bientôt quitter la
France », pensa-t-elle. Ses yeux tombèrent sur
deux lettres ouvertes. Ces mots qui en commençaient une : « Ma chère Annette… » lui causèrent
un éblouissement. Son cœur palpita, ses pieds se
clouèrent sur le carreau. Sa chère Annette, il aime,
il est aimé ! Plus d'espoir ! Que lui dit-il ? Ces idées
lui traversèrent la tête et le cœur. Elle lisait ces
mots partout, même sur les carreaux, en traits de
flammes. « Déjà renoncer à lui ! Non, je ne lirai pas
cette lettre. Je dois m'en aller. Si je la lisais, cependant ? » Elle regarda Charles, lui prit doucement la
tête, la posa sur le dos du fauteuil, et il se laissa
faire comme un enfant qui, même en dormant,
connaît encore sa mère et reçoit, sans s'éveiller, ses
soins et ses baisers. Comme une mère, Eugénie
releva la main pendante, et, comme une mère, elle
baisa doucement les cheveux. Chère Annette ! Un
démon lui criait ces deux mots aux oreilles. « Je
sais que je fais peut-être mal, mais je lirai la lettre »,
dit-elle. Eugénie détourna la tête, car sa noble probité gronda. Pour la première fois de sa vie, le bien
et le mal étaient en présence dans son cœur.
Jusque-là elle n'avait eu à rougir d'aucune action.
La passion, la curiosité l'emportèrent. À chaque

phrase, son cœur se gonfla davantage, et l'ardeur piquante qui anima sa vie pendant cette lecture lui rendit encore plus friands[1] les plaisirs du premier amour.

« Ma chère Annette, rien ne devait nous séparer, si ce n'est le malheur qui m'accable et qu'aucune prudence humaine n'aurait su prévoir. Mon père s'est tué, sa fortune et la mienne sont entièrement perdues. Je suis orphelin à un âge où, par la nature de mon éducation, je puis passer pour un enfant ; et je dois néanmoins me relever homme de l'abîme où je suis tombé. Je viens d'employer une partie de cette nuit à faire mes calculs. Si je veux quitter la France en honnête homme, et ce n'est pas un doute, je n'ai pas cent francs à moi pour aller tenter le sort aux Indes ou en Amérique. Oui, ma pauvre Anna, j'irai chercher la fortune sous les climats les plus meurtriers. Sous de tels cieux, elle est sûre et prompte, m'a-t-on dit. Quant à rester à Paris, je ne saurais. Ni mon âme ni mon visage ne sont faits à supporter les affronts, la froideur, le dédain qui attendent l'homme ruiné, le fils du failli ! Bon Dieu ! devoir deux millions ?… J'y serais tué en duel dans la première semaine. Aussi n'y retournerai-je point. Ton amour, le plus tendre et le plus dévoué qui jamais ait ennobli le cœur d'un homme, ne saurait m'y attirer. Hélas ! ma bien-aimée, je n'ai point assez d'argent pour aller là où tu es, donner, recevoir un dernier baiser, un baiser où je puiserais la force nécessaire à mon entreprise. »

« Pauvre Charles, j'ai bien fait de lire ! J'ai de l'or, je le lui donnerai », dit Eugénie.

Elle reprit sa lecture après avoir essuyé ses
pleurs.

« Je n'avais point encore songé aux malheurs de
la misère. Si j'ai les cent louis indispensables au
passage, je n'aurai pas un sou pour me faire une
pacotille. Mais non, je n'aurai ni cent louis ni un
louis, je ne connaîtrai ce qui me restera d'argent
qu'après le règlement de mes dettes à Paris. Si je
n'ai rien, j'irai tranquillement à Nantes, je m'y
embarquerai simple matelot, et je commencerai là-
bas comme ont commencé les hommes d'énergie
qui, jeunes, n'avaient pas un sou, et sont revenus,
riches, des Indes. Depuis ce matin, j'ai froidement
envisagé mon avenir. Il est plus horrible pour moi
que pour tout autre, moi choyé par une mère qui
m'adorait, chéri par le meilleur des pères, et qui, à
mon début dans le monde, ai rencontré l'amour
d'une Anna ! Je n'ai connu que les fleurs de la vie :
ce bonheur ne pouvait pas durer. J'ai néanmoins,
ma chère Annette, plus de courage qu'il n'était permis à un insouciant jeune homme d'en avoir, surtout à un jeune homme habitué aux cajoleries de la
plus délicieuse femme de Paris, bercé dans les joies
de la famille, à qui tout souriait au logis, et dont les
désirs étaient des lois pour un père... Oh ! mon
père, Annette, il est mort... Eh bien, j'ai réfléchi à
ma position, j'ai réfléchi à la tienne aussi. J'ai bien
vieilli en vingt-quatre heures. Chère Anna, si, pour
me garder près de toi, dans Paris, tu sacrifiais
toutes les jouissances de ton luxe, ta toilette, ta loge
à l'Opéra, nous n'arriverions pas encore au chiffre
des dépenses nécessaires à ma vie dissipée ; puis je

ne saurais accepter tant de sacrifices. Nous nous quittons donc aujourd'hui pour toujours. »

« Il la quitte, Sainte Vierge ! Oh ! bonheur ! »

Eugénie sauta de joie. Charles fit un mouvement, elle en eut froid de terreur ; mais, heureusement pour elle, il ne s'éveilla pas. Elle reprit :

« Quand reviendrai-je ? je ne sais. Le climat des Indes vieillit promptement un Européen, et surtout un Européen qui travaille. Mettons-nous à dix ans d'ici. Dans dix ans, ta fille aura dix-huit ans, elle sera ta compagne, ton espion. Pour toi, le monde sera bien cruel, ta fille le sera peut-être davantage. Nous avons vu des exemples de ces jugements mondains et de ces ingratitudes de jeunes filles ; sachons en profiter. Garde au fond de ton âme comme je le garderai moi-même le souvenir de ces quatre années de bonheur, et sois fidèle, si tu peux, à ton pauvre ami. Je ne saurais toutefois l'exiger, parce que, vois-tu, ma chère Annette, je dois me conformer à ma position, voir bourgeoisement la vie, et la chiffrer au plus vrai. Donc je dois penser au mariage, qui devient une des nécessités de ma nouvelle existence ; et je t'avouerai que j'ai trouvé ici, à Saumur, chez mon oncle, une cousine dont les manières, la figure, l'esprit et le cœur te plairaient, et qui, en outre, me paraît avoir… »

« Il devait être bien fatigué, pour avoir cessé de lui écrire », se dit Eugénie en voyant la lettre arrêtée au milieu de cette phrase.

Elle le justifiait ! N'était-il pas impossible alors que cette innocente fille s'aperçût de la froideur empreinte dans cette lettre ? Aux jeunes filles religieusement élevées, ignorantes et pures, tout est amour dès qu'elles mettent le pied dans les régions enchantées de l'amour. Elles y marchent entourées de la céleste lumière que leur âme projette, et qui rejaillit en rayons sur leur amant ; elles le colorent des feux de leur propre sentiment et lui prêtent leurs belles pensées. Les erreurs de la femme viennent presque toujours de sa croyance au bien, ou de sa confiance dans le vrai. Pour Eugénie, ces mots : « Ma chère Annette, ma bien-aimée », lui résonnaient au cœur comme le plus joli langage de l'amour, et lui caressaient l'âme comme, dans son enfance, les notes divines du *Venite adoremus* [1], redites par l'orgue, lui caressèrent l'oreille. D'ailleurs, les larmes qui baignaient encore les yeux de Charles lui accusaient toutes les noblesses de cœur par lesquelles une jeune fille doit être séduite. Pouvait-elle savoir que si Charles aimait tant son père et le pleurait si véritablement, cette tendresse venait moins de la bonté de son cœur que des bontés paternelles ? M. et Mme Guillaume Grandet, en satisfaisant toujours les fantaisies de leur fils, en lui donnant tous les plaisirs de la fortune, l'avaient empêché de faire les horribles calculs dont sont plus ou moins coupables, à Paris, la plupart des enfants quand, en présence des jouissances parisiennes, ils forment des désirs et conçoivent des plans qu'ils voient avec chagrin incessamment ajournés et retardés par la vie de leurs parents. La prodigalité du père alla donc jusqu'à semer dans le cœur de son fils un amour filial vrai, sans arrière-pensée. Néanmoins, Charles était un enfant de Paris, habitué par les mœurs de Paris, par Annette elle-même, à tout calculer, déjà vieillard sous le masque du jeune homme. Il avait reçu l'épouvantable éducation de ce monde, où, dans une soirée, il se commet en pensées, en paroles, plus de crimes que la Justice n'en punit aux cours d'assises, où les bons mots assassinent les plus grandes idées, où l'on ne passe pour fort qu'autant que l'on voit juste ; et là, voir juste, c'est ne croire à rien, ni aux sentiments, ni aux hommes, ni même aux événements : on y fait de faux événements. Là, pour voir juste, il faut peser, chaque matin, la bourse d'un ami, savoir se mettre politiquement au-dessus de tout ce qui arrive ; provisoirement, ne rien admirer, ni les œuvres d'art, ni les nobles actions, et donner pour mobile à toute chose l'intérêt personnel. Après mille folies, la grande dame, la belle Annette, forçait Charles à penser gravement ; elle lui parlait de sa position future, en lui passant dans les cheveux une main parfumée ; en lui refaisant une boucle, elle lui faisait calculer la vie : elle le féminisait et le matérialisait. Double corruption, mais corruption élégante et fine, de bon goût.

« Vous êtes niais, Charles, lui disait-elle. J'aurai bien de la peine à vous apprendre le monde. Vous avez été très mal pour M. des Lupeaulx[1]. Je sais bien que c'est un homme peu honorable ; mais attendez qu'il soit sans pouvoir, alors vous le mépriserez à votre aise. Savez-vous ce que Mme Campan[2] nous disait ? "Mes enfants, tant qu'un homme est au ministère, adorez-le ; tombe-t-il, aidez à le traîner à la voirie. Puissant, il est une espèce de dieu ; détruit, il est au-dessous de Marat dans son égout[3], parce qu'il vit et que Marat était mort. La vie est une suite de combinaisons, et il faut les étudier, les suivre, pour arriver à se maintenir toujours en bonne position". »

Charles était un homme trop à la mode, il avait été trop constamment heureux par ses parents, trop adulé par le monde pour avoir de grands sentiments. Le grain d'or que sa mère lui avait jeté au cœur s'était étendu dans la filière parisienne[1], il l'avait employé en superficie et devait l'user par le frottement. Mais Charles n'avait encore que vingt et un ans. À cet âge, la fraîcheur de la vie semble inséparable de la candeur de l'âme. La voix, le regard, la figure paraissent en harmonie avec les sentiments. Aussi le juge le plus dur, l'avoué le plus incrédule, l'usurier le moins facile hésitent-ils toujours à croire à la vieillesse du cœur, à la corruption des calculs, quand les yeux nagent encore dans un fluide pur, et qu'il n'y a point de rides sur le front. Charles n'avait jamais eu l'occasion d'appliquer les maximes de la morale parisienne, et jusqu'à ce jour il était beau d'inexpérience. Mais, à son insu, l'égoïsme lui avait été inoculé. Les germes de l'économie politique à l'usage du Parisien, latents en son cœur, ne devaient pas tarder à y fleurir, aussitôt que de spectateur oisif il deviendrait acteur dans le drame de la vie réelle. Presque toutes les jeunes filles s'abandonnent aux douces promesses de ces dehors ; mais Eugénie eût-elle été prudente et observatrice autant que le sont certaines filles en province, aurait-elle pu se défier de son cousin, quand, chez lui, les manières, les paroles et les actions s'accordaient encore avec les inspirations du cœur ? Un hasard, fatal pour elle, lui fit essuyer les dernières effusions de sensibilité vraie qui fût en ce jeune cœur, et entendre, pour ainsi dire, les derniers soupirs de la conscience. Elle laissa donc cette lettre pour elle pleine d'amour, et se mit complaisamment à contempler son cousin endormi : les fraîches illusions de la vie jouaient encore pour elle sur ce visage, elle se jura d'abord à elle-même de l'aimer toujours. Puis elle jeta les yeux sur l'autre lettre sans attacher beaucoup d'importance à cette indiscrétion ; et, si elle commença de la lire, ce fut pour acquérir de nouvelles preuves des nobles qualités que, semblable à toutes les femmes, elle prêtait à celui qu'elle choisissait.

« Mon cher Alphonse, au moment où tu liras cette lettre je n'aurai plus d'amis ; mais je t'avoue qu'en doutant de ces gens du monde habitués à prodiguer ce mot, je n'ai pas douté de ton amitié. Je te charge donc d'arranger mes affaires, et compte sur toi, pour tirer un bon parti de tout ce que je possède. Tu dois maintenant connaître ma position. Je n'ai plus rien, et veux partir pour les Indes. Je viens d'écrire à toutes les personnes auxquelles je crois devoir quelque argent, et tu en trouveras ci-joint la liste aussi exacte qu'il m'est possible de la donner de mémoire. Ma bibliothèque, mes meubles, mes voitures, mes chevaux, etc., suffiront, je crois, à payer mes dettes. Je ne veux me réserver que les babioles sans valeur qui seront susceptibles de me faire un commencement de pacotille. Mon cher Alphonse, je t'enverrai d'ici, pour cette vente, une procuration régulière, en cas de contestations. Tu m'adresseras toutes mes armes. Puis tu garderas pour toi Briton[1]. Personne ne voudrait donner le prix de cette admirable bête, j'aime mieux te l'offrir, comme la bague d'usage que lègue un mourant à son exécuteur testamentaire. On m'a fait une très *comfortable*[1] voiture de voyage chez les Farry, Breilman et Cie, mais ils ne l'ont pas livrée, obtiens d'eux qu'ils la gardent sans me demander d'indemnité ; s'ils se refusaient à cet arrangement, évite tout ce qui pourrait entacher ma loyauté, dans les circonstances où je me trouve. Je dois six louis à l'insulaire[2], perdus au jeu, ne manque pas de les lui… »

« Cher cousin », dit Eugénie en laissant la lettre, et se sauvant à petits pas chez elle avec une des bougies allumées. Là ce ne fut pas sans une vive émotion de plaisir qu'elle ouvrit le tiroir d'un vieux meuble en chêne, l'un des plus beaux ouvrages de l'époque nommée la *Renaissance*[3], et sur lequel se voyait encore, à demi effacée, la fameuse Salamandre royale[4]. Elle y prit une grosse bourse en velours rouge à glands d'or, et bordée de cannetille[5] usée, provenant de la succession de sa grand-mère. Puis elle pesa fort orgueilleusement cette bourse, et se plut à vérifier le compte oublié de son petit pécule. Elle sépara d'abord vingt portugaises encore neuves, frappées sous le règne de Jean V, en 1725, valant réellement au change cinq lisbonines ou chacune cent soixante-huit francs soixante-quatre centimes, lui disait son père, mais dont la valeur conventionnelle était de cent quatre-vingts francs, attendu la rareté, la beauté desdites pièces qui reluisaient comme des soleils. ITEM[6], cinq génovines ou pièces de cent livres de Gênes, autre monnaie rare et valant quatre-vingt-sept francs au change, mais cent francs pour les amateurs d'or.

Elles lui venaient du vieux M. La Bertellière. ITEM,
trois quadruples d'or espagnols de Philippe V,
frappés en 1729, donnés par Mme Gentillet, qui,
en les lui offrant, lui disait toujours la même
phrase : « Ce cher serin-là, ce petit jaunet, vaut
quatre-vingt-dix-huit livres ! Gardez-le bien, ma
mignonne, ce sera la fleur de votre trésor. » ITEM,
ce que son père estimait le plus (l'or de ces pièces
était à vingt-trois carats et une fraction), cent
ducats de Hollande, fabriqués en l'an 1756, et
valant près de treize francs. ITEM, une grande
curiosité !... des espèces de médailles précieuses
aux avares, trois roupies au signe de la Balance, et
cinq roupies au signe de la Vierge, toutes d'or pur à
vingt-quatre carats, la magnifique monnaie du
Grand-Mogol[1], et dont chacune valait trente-sept
francs quarante centimes au poids ; mais au moins
cinquante francs pour les connaisseurs qui aiment
à manier l'or. ITEM, le napoléon de quarante
francs reçu l'avant-veille, et qu'elle avait négligemment mis dans sa bourse rouge. Ce trésor contenait des pièces neuves et vierges, de véritables
morceaux d'art desquels le père Grandet s'infor-
mait parfois et qu'il voulait revoir, afin de détailler
à sa fille les vertus intrinsèques, comme la beauté
du cordon[2], la clarté du plat, la richesse des lettres
dont les vives arêtes n'étaient pas encore rayées.
Mais elle ne pensait ni à ces raretés, ni à la manie
de son père, ni au danger qu'il y avait pour elle de
se démunir d'un trésor si cher à son père ; non, elle
songeait à son cousin, et parvint enfin à comprendre, après quelques fautes de calcul, qu'elle
possédait environ cinq mille huit cents francs en

valeurs réelles, qui, conventionnellement[1], pouvaient se vendre près de deux mille écus. À la vue
de ses richesses, elle se mit à applaudir en battant
des mains, comme un enfant forcé de perdre son
trop plein de joie dans les naïfs mouvements du
corps. Ainsi le père et la fille avaient compté chacun leur fortune : lui, pour aller vendre son or ;
Eugénie, pour jeter le sien dans un océan d'affection. Elle remit les pièces dans la vieille bourse, la
prit et remonta sans hésitation. La misère secrète
de son cousin lui faisait oublier la nuit, les convenances ; puis, elle était forte de sa conscience, de
son dévouement, de son bonheur. Au moment où
elle se montra sur le seuil de la porte, en tenant
d'une main la bougie, de l'autre sa bourse, Charles
se réveilla, vit sa cousine et resta béant de surprise.
Eugénie s'avança, posa le flambeau sur la table et
dit d'une voix émue : « Mon cousin, j'ai à vous
demander pardon d'une faute grave que j'ai com-
mise envers vous ; mais Dieu me le pardonnera, ce
péché, si vous voulez l'effacer.

— Qu'est-ce donc ? dit Charles en se frottant les
yeux.

— J'ai lu ces deux lettres. »

Charles rougit.

« Comment cela s'est-il fait ? reprit-elle, pourquoi suis-je montée ? En vérité, maintenant je ne
le sais plus. Mais je suis tentée de ne pas trop me
repentir d'avoir lu ces lettres, puisqu'elles m'ont
fait connaître votre cœur, votre âme et…

— Et quoi ? demanda Charles.

— Et vos projets, la nécessité où vous êtes d'avoir
une somme…

— Ma chère cousine...

— Chut, chut, mon cousin, pas si haut, n'éveillons personne. Voici, dit-elle en ouvrant la bourse, les économies d'une pauvre fille qui n'a besoin de rien. Charles, acceptez-les. Ce matin, j'ignorais ce qu'était l'argent, vous me l'avez appris, ce n'est qu'un moyen, voilà tout. Un cousin est presque un frère, vous pouvez bien emprunter la bourse de votre sœur. »

Eugénie, autant femme que jeune fille, n'avait pas prévu des refus, et son cousin restait muet.

« Eh bien, vous refuseriez ? » demanda Eugénie dont les palpitations retentirent au milieu du profond silence.

L'hésitation de son cousin l'humilia ; mais la nécessité dans laquelle il se trouvait se représenta plus vivement à son esprit, et elle plia le genou.

« Je ne me relèverai pas que vous n'ayez pris cet or ! dit-elle. Mon cousin, de grâce, une réponse ?... que je sache si vous m'honorez, si vous êtes généreux, si... »

En entendant le cri d'un noble désespoir, Charles laissa tomber des larmes sur les mains de sa cousine, qu'il saisit afin de l'empêcher de s'agenouiller. En recevant ces larmes chaudes, Eugénie sauta sur la bourse, la lui versa sur la table.

« Eh bien, oui, n'est-ce pas ? dit-elle en pleurant de joie. Ne craignez rien, mon cousin, vous serez riche. Cet or vous portera bonheur ; un jour vous me le rendrez ; d'ailleurs, nous nous associerons ; enfin je passerai par toutes les conditions que vous m'imposerez. Mais vous devriez ne pas donner tant de prix à ce don. »

Charles put enfin exprimer ses sentiments.

« Oui, Eugénie, j'aurais l'âme bien petite, si je n'acceptais pas. Cependant, rien pour rien, confiance pour confiance.

— Que voulez-vous, dit-elle effrayée.

— Écoutez, ma chère cousine, j'ai là... » Il s'interrompit pour montrer sur la commode une caisse carrée enveloppée d'un surtout de cuir[1]. « Là, voyez-vous, une chose qui m'est aussi précieuse que la vie. Cette boîte est un présent de ma mère. Depuis ce matin je pensais que, si elle pouvait sortir de sa tombe, elle vendrait elle-même l'or que sa tendresse lui a fait prodiguer dans ce nécessaire ; mais, accomplie par moi, cette action me paraîtrait un sacrilège. » Eugénie serra convulsivement la main de son cousin en entendant ces derniers mots. « Non, reprit-il après une légère pause, pendant laquelle tous deux ils se jetèrent un regard humide, non, je ne veux ni le détruire, ni le risquer dans mes voyages. Chère Eugénie, vous en serez dépositaire. Jamais ami n'aura confié quelque chose de plus sacré à son ami. Soyez-en juge. » Il alla prendre la boîte, la sortit du fourreau, l'ouvrit et montra tristement à sa cousine émerveillée un nécessaire où le travail donnait à l'or un prix bien supérieur à celui de son poids. « Ce que vous admirez n'est rien, dit-il en poussant un ressort qui fit partir un double fond. Voilà ce qui, pour moi, vaut la terre entière. » Il tira deux portraits, deux chefs-d'œuvre de Mme de Mirbel[2], richement entourés de perles.

« Oh ! la belle personne, n'est-ce pas cette dame à qui vous écriv...

— Non, dit-il en souriant. Cette femme est ma mère, et voici mon père, qui sont votre tante et votre oncle. Eugénie, je devrais vous supplier à genoux de me garder ce trésor. Si je périssais en perdant votre petite fortune, cet or vous dédommagerait ; et, à vous seule, je puis laisser les deux portraits, vous êtes digne de les conserver ; mais détruisez-les, afin qu'après vous ils n'aillent pas en d'autres mains... » Eugénie se taisait. « Hé bien, oui, n'est-ce pas ? » ajouta-t-il avec grâce.

En entendant les mots qu'elle venait de dire à son cousin[1], elle lui jeta son premier regard de femme aimante, un de ces regards où il y a presque autant de coquetterie que de profondeur ; il lui prit la main et la baisa.

« Ange de pureté ! entre nous, n'est-ce pas ?... l'argent ne sera jamais rien. Le sentiment, qui en fait quelque chose, sera tout désormais.

— Vous ressemblez à votre mère. Avait-elle la voix aussi douce que la vôtre ?

— Oh ! bien plus douce...

— Oui, pour vous, dit-elle en abaissant ses paupières. Allons, Charles, couchez-vous, je le veux, vous êtes fatigué. À demain. »

Elle dégagea doucement sa main d'entre celles de son cousin, qui la reconduisit en l'éclairant. Quand ils furent tous deux sur le seuil de la porte : « Ah ! pourquoi suis-je ruiné, dit-il.

— Bah ! mon père est riche, je le crois, répondit-elle.

— Pauvre enfant, reprit Charles en avançant un pied dans la chambre et s'appuyant le dos au mur, il n'aurait pas laissé mourir le mien, il ne vous laisserait pas dans ce dénuement, enfin il vivrait autrement.

— Mais il a Froidfond.

— Et que vaut Froidfond ?

— Je ne sais pas ; mais il a Noyers.

— Quelque mauvaise ferme !

— Il a des vignes et des prés...

— Des misères, dit Charles d'un air dédaigneux. Si votre père avait seulement vingt-quatre mille livres de rente, habiteriez-vous cette chambre froide et nue ? ajouta-t-il en avançant le pied gauche. Là seront donc mes trésors, dit-il en montrant le vieux bahut pour voiler sa pensée.

— Allez dormir », dit-elle en l'empêchant d'entrer dans une chambre en désordre.

Charles se retira, et ils se dirent bonsoir par un mutuel sourire.

Tous deux ils s'endormirent dans le même rêve, et Charles commença dès lors à jeter quelques roses sur son deuil. Le lendemain matin, Mme Grandet trouva sa fille se promenant avant le déjeuner en compagnie de Charles. Le jeune homme était encore triste comme devait l'être un malheureux descendu pour ainsi dire au fond de ses chagrins, et qui, en mesurant la profondeur de l'abîme où il était tombé, avait senti tout le poids de sa vie future.

« Mon père ne reviendra que pour le dîner », dit Eugénie en voyant l'inquiétude peinte sur le visage de sa mère.

Il était facile de voir dans les manières, sur la figure d'Eugénie et dans la singulière douceur que contracta sa voix, une conformité de pensée entre elle et son cousin. Leurs âmes s'étaient ardemment épousées avant peut-être même d'avoir bien éprouvé la force des sentiments par lesquels ils s'unissaient l'un à l'autre. Charles resta dans la salle, et sa mélancolie y fut respectée. Chacune des trois femmes eut à s'occuper. Grandet ayant oublié ses affaires, il vint un assez grand nombre de personnes. Le couvreur, le plombier, le maçon, les terrassiers, le charpentier, des closiers, des fermiers, les uns pour conclure des marchés relatifs à des réparations, les autres pour payer des fermages ou recevoir de l'argent. Mme Grandet et Eugénie furent donc obligées d'aller et de venir, de répondre aux interminables discours des ouvriers et des gens de la campagne. Nanon encaissait les redevances dans sa cuisine. Elle attendait toujours les ordres de son maître pour savoir ce qui devait être gardé pour la maison ou vendu au marché. L'habitude du bonhomme était, comme celle d'un grand nombre de gentilshommes campagnards, de boire son mauvais vin et de manger ses fruits gâtés. Vers cinq heures du soir, Grandet revint d'Angers ayant eu quatorze mille francs de son or, et tenant dans son portefeuille des bons royaux qui lui portaient intérêt jusqu'au jour où il aurait à payer ses rentes. Il avait laissé Cornoiller à Angers, pour y soigner les chevaux à demi fourbus, et les ramener lentement après les avoir bien fait reposer.

« Je reviens d'Angers, ma femme, dit-il. J'ai faim. »

Nanon lui cria de la cuisine : « Est-ce que vous n'avez rien mangé depuis hier ?

— Rien », répondit le bonhomme.

Nanon apporta la soupe. Des Grassins vint prendre les ordres de son client au moment où la famille était à table. Le père Grandet n'avait seulement pas vu son neveu.

« Mangez tranquillement, Grandet, dit le banquier. Nous causerons. Savez-vous ce que vaut l'or à Angers, où l'on en est venu chercher pour Nantes ? je vais en envoyer.

— N'en envoyez pas, répondit le bonhomme, il y en a déjà suffisamment. Nous sommes trop bons amis pour que je ne vous évite pas une perte de temps.

— Mais l'or y vaut treize francs cinquante centimes.

— Dites donc valait.

— D'où diable en serait-il venu ?

— Je suis allé cette nuit à Angers », lui répondit Grandet à voix basse.

Le banquier tressaillit de surprise. Puis une conversation s'établit entre eux d'oreille à oreille, pendant laquelle des Grassins et Grandet regardèrent Charles à plusieurs reprises. Au moment où sans doute l'ancien tonnelier dit au banquier de lui acheter cent mille livres de rente, des Grassins laissa derechef échapper un geste d'étonnement.

« Monsieur Grandet, dit-il à Charles, je pars pour Paris ; et, si vous aviez des commissions à me donner…

— Aucune, monsieur. Je vous remercie, répondit Charles.

— Remerciez-le mieux que ça, mon neveu. Monsieur va pour arranger les affaires de la maison Guillaume Grandet.

— Y aurait-il donc quelque espoir, demanda Charles.

— Mais, s'écria le tonnelier avec un orgueil bien joué, n'êtes-vous pas mon neveu ? votre honneur est le nôtre. Ne vous nommez-vous pas Grandet ? »

Charles se leva, saisit le père Grandet, l'embrassa, pâlit et sortit. Eugénie contemplait son père avec admiration.

« Allons, adieu, mon bon des Grassins, tout à vous, et emboisez-moi[1] bien ces gens-là ! » Les deux diplomates se donnèrent une poignée de main, l'ancien tonnelier reconduisit le banquier jusqu'à la porte ; puis, après l'avoir fermée, il revint et dit à Nanon en se plongeant dans son fauteuil : « Donne-moi du cassis ? » Mais trop ému pour rester en place, il se leva, regarda le portrait de M. de La Bertellière et se mit à chanter, en faisant ce que Nanon appelait des pas de danse :

> *Dans les gardes françaises*
> *J'avais un bon papa*[2].

Nanon, Mme Grandet, Eugénie s'examinèrent mutuellement et en silence. La joie du vigneron les épouvantait toujours quand elle arrivait à son apogée. La soirée fut bientôt finie. D'abord le père Grandet voulut se coucher de bonne heure ; et, lorsqu'il se couchait, chez lui tout devait dormir ; de même que quand Auguste buvait la Pologne était ivre[3]. Puis Nanon, Charles et Eugénie n'étaient pas moins las que le maître. Quant à Mme Grandet, elle dormait, mangeait, buvait, marchait suivant les désirs de son mari. Néanmoins, pendant les deux heures accordées à la digestion, le tonnelier, plus facétieux qu'il ne l'avait jamais été, dit beaucoup de ses apophtegmes particuliers, dont un seul donnera la mesure de son esprit. Quand il eut avalé son cassis, il regarda le verre.

« On n'a pas plutôt mis les lèvres à un verre qu'il est déjà vide ! Voilà notre histoire. On ne peut pas être et avoir été. Les écus ne peuvent pas rouler et rester dans votre bourse, autrement la vie serait trop belle. »

Il fut jovial et clément. Lorsque Nanon vint avec son rouet : « Tu dois être lasse, lui dit-il. Laisse ton chanvre.

— Ah ! ben !... quien, je m'ennuierais, répondit la servante.

— Pauvre Nanon ! Veux-tu du cassis ?

— Ah ! pour du cassis, je ne dis pas non ; madame le fait ben mieux que les apothicaires. Celui qu'i vendent est de la drogue[1].

— Ils y mettent trop de sucre, ça ne sent plus rien », dit le bonhomme.

Le lendemain la famille, réunie à huit heures pour le déjeuner, offrit le tableau de la première scène d'une intimité bien réelle. Le malheur avait promptement mis en rapport Mme Grandet, Eugénie et Charles ; Nanon elle-même sympathisait avec eux sans le savoir. Tous quatre commencèrent à faire une même famille. Quant au vieux vigneron, son avarice satisfaite et la certitude de voir bientôt partir le mirliflor sans avoir à lui payer autre chose que son voyage à Nantes le rendirent presque indifférent à sa présence au logis. Il laissa les deux enfants, ainsi qu'il nomma Charles et

Eugénie, libres de se comporter comme bon leur semblerait sous l'œil de Mme Grandet, en laquelle il avait d'ailleurs une entière confiance en ce qui concernait la morale publique et religieuse. L'alignement de ses prés et des fossés jouxtant la route, ses plantations de peupliers en Loire et les travaux d'hiver dans ses clos et à Froidfond l'occupèrent exclusivement. Dès lors commença pour Eugénie le primevère de l'amour[1]. Depuis la scène de nuit pendant laquelle la cousine donna son trésor au cousin, son cœur avait suivi le trésor. Complices tous deux du même secret, ils se regardaient en s'exprimant une mutuelle intelligence qui approfondissait leurs sentiments et les leur rendait mieux communs, plus intimes, en les mettant, pour ainsi dire, tous deux en dehors de la vie ordinaire. La parenté n'autorisait-elle pas une certaine douceur dans l'accent, une tendresse dans les regards : aussi Eugénie se plut-elle à endormir les souffrances de son cousin dans les joies enfantines d'un naissant amour. N'y a-t-il pas de gracieuses similitudes entre les commencements de l'amour et ceux de la vie ? Ne berce-t-on pas l'enfant par de doux chants et de gentils regards ? Ne lui dit-on pas de merveilleuses histoires qui lui dorent l'avenir ? Pour lui l'espérance ne déploie-t-elle pas incessamment ses ailes radieuses ? Ne verse-t-il pas tour à tour des larmes de joie et de douleur ? Ne se querelle-t-il pas pour des riens, pour des cailloux avec lesquels il essaie de se bâtir un mobile palais, pour des bouquets aussitôt oubliés que coupés ? N'est-il pas avide de saisir le temps, d'avancer dans la vie ? L'amour est notre seconde

transformation. L'enfance et l'amour furent même
chose entre Eugénie et Charles : ce fut la passion
première avec tous ses enfantillages, d'autant plus
caressants pour leurs cœurs qu'ils étaient enve-
loppés de mélancolie. En se débattant à sa naissance sous les crêpes du deuil, cet amour n'en était
d'ailleurs que mieux en harmonie avec la simplicité provinciale de cette maison en ruines. En
échangeant quelques mots avec sa cousine au bord
du puits, dans cette cour muette ; en restant dans
ce jardinet, assis sur un banc moussu jusqu'à
l'heure où le soleil se couchait, occupés à se dire de
grands riens ou recueillis dans le calme qui régnait
entre le rempart et la maison, comme on l'est sous
les arcades d'une église, Charles comprit la sainteté de l'amour ; car sa grande dame, sa chère
Annette ne lui en avait fait connaître que les
troubles orageux. Il quittait en ce moment la passion parisienne, coquette, vaniteuse, éclatante,
pour l'amour pur et vrai. Il aimait cette maison,
dont les mœurs ne lui semblèrent plus si ridicules.
Il descendait dès le matin afin de pouvoir causer
avec Eugénie quelques moments avant que Grandet ne vînt donner les provisions ; et, quand les pas
du bonhomme retentissaient dans les escaliers, il
se sauvait au jardin. La petite criminalité de ce
rendez-vous matinal, secret même pour la mère
d'Eugénie, et que Nanon faisait semblant de ne
pas apercevoir, imprimait à l'amour le plus innocent du monde la vivacité des plaisirs défendus.
Puis, quand, après le déjeuner, le père Grandet
était parti pour aller voir ses propriétés et ses
exploitations, Charles demeurait entre la mère et

la fille, éprouvant des délices inconnues à leur prêter les mains pour dévider du fil, à les voir travaillant, à les entendre jaser. La simplicité de cette vie presque monastique, qui lui révéla les beautés de ces âmes auxquelles le monde était inconnu, le toucha vivement. Il avait cru ces mœurs impossibles en France, et n'avait admis leur existence qu'en Allemagne, encore n'était-ce que fabuleusement[1] et dans les romans d'Auguste Lafontaine[2]. Bientôt pour lui Eugénie fut l'idéal de la Marguerite de Gœthe, moins la faute. Enfin de jour en jour ses regards, ses paroles ravirent la pauvre fille, qui s'abandonna délicieusement au courant de l'amour ; elle saisissait sa félicité comme un nageur saisit la branche de saule pour se tirer du fleuve et se reposer sur la rive. Les chagrins d'une prochaine absence n'attristaient-ils pas déjà les heures les plus joyeuses de ces fuyardes journées ? Chaque jour un petit événement leur rappelait la prochaine séparation. Ainsi, trois jours après le départ de des Grassins, Charles fut emmené par Grandet au tribunal de première instance avec la solennité que les gens de province attachent à de tels actes, pour y signer une renonciation à la succession de son père. Répudiation terrible ! espèce d'apostasie domestique. Il alla chez Me Cruchot faire faire deux procurations, l'une pour des Grassins, l'autre pour l'ami chargé de vendre son mobilier. Puis il fallut remplir les formalités nécessaires pour obtenir un passeport à l'étranger. Enfin, quand arrivèrent les simples vêtements de deuil que Charles avait demandés à Paris, il fit venir un tailleur de Saumur et lui vendit sa garde-robe inutile. Cet acte plut singulièrement au père Grandet.

« Ah ! vous voilà comme un homme qui doit s'embarquer et qui veut faire fortune, lui dit-il en le voyant vêtu d'une redingote de gros drap noir. Bien, très bien !

— Je vous prie de croire, monsieur, lui répondit Charles, que je saurai bien avoir l'esprit de ma situation.

— Qu'est-ce que c'est que cela ? dit le bonhomme dont les yeux s'animèrent à la vue d'une poignée d'or que lui montra Charles.

— Monsieur, j'ai réuni mes boutons, mes anneaux, toutes les superfluités que je possède et qui pouvaient avoir quelque valeur ; mais, ne connaissant personne à Saumur, je voulais vous prier ce matin de...

— De vous acheter cela ? dit Grandet en l'interrompant.

— Non, mon oncle, de m'indiquer un honnête homme qui...

— Donnez-moi cela, mon neveu ; j'irai vous estimer cela là-haut, et je reviendrai vous dire ce que cela vaut, à un centime près. Or de bijou, dit-il en examinant une longue chaîne, dix-huit à dix-neuf carats. »

Le bonhomme tendit sa large main et emporta la masse d'or.

« Ma cousine, dit Charles, permettez-moi de vous offrir ces deux boutons qui pourront vous servir à attacher des rubans à vos poignets. Cela fait un bracelet fort à la mode en ce moment.

— J'accepte sans hésiter, mon cousin, dit-elle en lui jetant un regard d'intelligence.

— Ma tante, voici le dé de ma mère, je le gardais précieusement dans ma toilette de voyage, dit Charles en présentant un joli dé d'or à Mme Grandet qui depuis dix ans en désirait un.

— Il n'y a pas de remerciements possibles, mon neveu, dit la vieille mère dont les yeux se mouillèrent de larmes. Soir et matin dans mes prières j'ajouterai la plus pressante de toutes pour vous, en disant celle des voyageurs. Si je mourais, Eugénie vous conserverait ce bijou.

— Cela vaut neuf cent quatre-vingt-neuf francs soixante-quinze centimes, mon neveu, dit Grandet en ouvrant la porte. Mais, pour vous éviter la peine de vendre cela, je vous en compterai l'argent... en livres. »

Le mot en livres signifie sur le littoral de la Loire que les écus de six livres doivent être acceptés pour six francs sans déduction[1].

« Je n'osais vous le proposer, répondit Charles ; mais il me répugnait de brocanter mes bijoux dans la ville que vous habitez. Il faut laver son linge sale en famille, disait Napoléon. Je vous remercie donc de votre complaisance. » Grandet se gratta l'oreille, et il y eut un moment de silence. « Mon cher oncle, reprit Charles en le regardant d'un air inquiet comme s'il eût craint de blesser sa susceptibilité, ma cousine et ma tante ont bien voulu accepter un faible souvenir de moi ; veuillez à votre tour agréer des boutons de manche qui me deviennent inutiles : ils vous rappelleront un pauvre garçon qui, loin de vous, pensera certes à ceux qui désormais seront toute sa famille.

— Mon garçon ! mon garçon, faut pas te dénuer comme ça… Qu'as-tu donc, ma femme ? dit-il en se tournant avec avidité vers elle, ah ! un dé d'or. Et toi, fifille, tiens, des agrafes de diamants. Allons, je prends tes boutons, mon garçon, reprit-il en serrant la main de Charles. Mais… tu me permettras de… te payer… ton, oui… ton passage aux Indes. Oui, je veux te payer ton passage. D'autant, vois-tu, garçon, qu'en estimant tes bijoux, je n'en ai compté que l'or brut, il y a peut-être quelque chose à gagner sur les façons. Ainsi, voilà qui est dit. Je te donnerai quinze cents francs… en livres, que Cruchot me prêtera ; car je n'ai pas un rouge liard ici, à moins que Perrottet, qui est en retard de son fermage, ne me le paye. Tiens, tiens, je vais l'aller voir. »

Il prit son chapeau, mit ses gants et sortit.

« Vous vous en irez donc, dit Eugénie en lui jetant un regard de tristesse mêlée d'admiration.

— Il le faut », dit-il en baissant la tête.

Depuis quelques jours, le maintien, les manières, les paroles de Charles étaient devenus ceux d'un homme profondément affligé, mais qui, sentant peser sur lui d'immenses obligations, puise un nouveau courage dans son malheur. Il ne soupirait plus, il s'était fait homme. Aussi jamais Eugénie ne présuma-t-elle mieux du caractère de son cousin qu'en le voyant descendre dans ses habits de gros drap noir, qui allaient bien à sa figure pâlie et à sa sombre contenance. Ce jour-là le deuil fut pris par les deux femmes, qui assistèrent avec Charles à un

Requiem célébré à la paroisse pour l'âme de feu Guillaume Grandet.

Au second déjeuner, Charles reçut des lettres de Paris, et les lut.

« Hé bien, mon cousin, êtes-vous content de vos affaires ? dit Eugénie à voix basse.

— Ne fais donc jamais de ces questions-là, ma fille, répondit Grandet. Que diable, je ne te dis pas les miennes, pourquoi fourres-tu le nez dans celles de ton cousin ? Laisse-le donc, ce garçon.

— Oh ! je n'ai point de secrets, dit Charles.

— Ta, ta, ta, mon neveu, tu sauras qu'il faut tenir sa langue en bride dans le commerce. »

Quand les deux amants furent seuls dans le jardin, Charles dit à Eugénie en l'attirant sur le vieux banc où ils s'assirent sous le noyer : « J'avais bien présumé d'Alphonse, il s'est conduit à merveille. Il a fait mes affaires avec prudence et loyauté. Je ne dois rien à Paris, tous mes meubles sont bien vendus, et il m'annonce avoir, d'après les conseils d'un capitaine au long cours, employé trois mille francs qui lui restaient en une pacotille composée de curiosités européennes desquelles on tire un excellent parti aux Indes. Il a dirigé mes colis sur Nantes, où se trouve un navire en charge pour Java. Dans cinq jours, Eugénie, il faudra nous dire adieu pour toujours peut-être, mais au moins pour longtemps. Ma pacotille et dix mille francs que m'envoient deux de mes amis sont un bien petit commencement. Je ne puis songer à mon retour avant plusieurs années. Ma chère cousine, ne mettez pas en balance ma vie et la vôtre, je puis périr,

peut-être se présentera-t-il pour vous un riche établissement...

— Vous m'aimez ?... dit-elle.

— Oh ! oui, bien, répondit-il avec une profondeur d'accent qui révélait une égale profondeur
dans le sentiment.

— J'attendrai, Charles. Dieu ! mon père est à sa
fenêtre », dit-elle en repoussant son cousin qui
s'approchait pour l'embrasser.

Elle se sauva sous la voûte, Charles l'y suivit ;
en le voyant, elle se retira au pied de l'escalier et
ouvrit la porte battante ; puis, sans trop savoir
où elle allait, Eugénie se trouva près du bouge
de Nanon, à l'endroit le moins clair du couloir ;
là Charles, qui l'avait accompagnée, lui prit la
main, l'attira sur son cœur, la saisit par la taille, et
l'appuya doucement sur lui. Eugénie ne résista
plus ; elle reçut et donna le plus pur, le plus suave,
mais aussi le plus entier de tous les baisers.

« Chère Eugénie, un cousin est mieux qu'un
frère, il peut t'épouser, lui dit Charles.

— Ainsi soit-il ! » cria Nanon en ouvrant la porte
de son taudis.

Les deux amants, effrayés, se sauvèrent dans la
salle, où Eugénie reprit son ouvrage, et où Charles
se mit à lire les litanies de la Vierge dans le parois-
sien de Mme Grandet.

« Quien ! dit Nanon, nous faisons tous nos
prières. »

Dès que Charles eut annoncé son départ, Grandet se mit en mouvement pour faire croire qu'il lui
portait beaucoup d'intérêt ; il se montra libéral de
tout ce qui ne coûtait rien, s'occupa de lui trouver

un emballeur, et dit que cet homme prétendait vendre ses caisses trop cher ; il voulut alors à toute force les faire lui-même, et y employa de vieilles planches ; il se leva dès le matin pour raboter, ajuster, planer, clouer ses voliges et en confectionner de très belles caisses dans lesquelles il emballa tous les effets de Charles ; il se chargea de les faire descendre par bateau sur la Loire, de les assurer, et de les expédier en temps utile à Nantes.

Depuis le baiser pris dans le couloir, les heures s'enfuyaient pour Eugénie avec une effrayante rapidité. Parfois elle voulait suivre son cousin. Celui qui a connu la plus attachante des passions, celle dont la durée est chaque jour abrégée par l'âge, par le temps, par une maladie mortelle, par quelques-unes des fatalités humaines, celui-là comprendra les tourments d'Eugénie. Elle pleurait souvent en se promenant dans ce jardin, maintenant trop étroit pour elle, ainsi que la cour, la maison, la ville : elle s'élançait par avance sur la vaste étendue des mers. Enfin la veille du départ arriva. Le matin, en l'absence de Grandet et de Nanon, le précieux coffret où se trouvaient les deux portraits fut solennellement installé dans le seul tiroir du bahut qui fermait à clef et où était la bourse maintenant vide. Le dépôt de ce trésor n'alla pas sans bon nombre de baisers et de larmes. Quand Eugénie mit la clef dans son sein, elle n'eut pas le courage de défendre à Charles d'y baiser la place.

« Elle ne sortira pas de là, mon ami.

— Eh bien, mon cœur y sera toujours aussi.

— Ah ! Charles, ce n'est pas bien, dit-elle d'un accent peu grondeur.

— Ne sommes-nous pas mariés, répondit-il ; j'ai ta parole, prends la mienne.

— À toi, pour jamais ! » fut dit deux fois de part et d'autre.

Aucune promesse faite sur cette terre ne fut plus pure : la candeur d'Eugénie avait momentanément sanctifié l'amour de Charles. Le lendemain matin le déjeuner fut triste. Malgré la robe d'or et une croix à la Jeannette [1] que lui donna Charles, Nanon elle-même, libre d'exprimer ses sentiments, eut la larme à l'œil.

« Ce pauvre mignon monsieur, qui s'en va sur mer. Que Dieu le conduise. »

À dix heures et demie, la famille se mit en route pour accompagner Charles à la diligence de Nantes. Nanon avait lâché le chien, fermé la porte, et voulut porter le sac de nuit de Charles. Tous les marchands de la vieille rue étaient sur le seuil de leurs boutiques pour voir passer ce cortège, auquel se joignit sur la place Me Cruchot.

« Ne va pas pleurer, Eugénie, lui dit sa mère.

— Mon neveu, dit Grandet sous la porte de l'auberge, en embrassant Charles sur les deux joues, partez pauvre, revenez riche, vous trouverez l'honneur de votre père sauf. Je vous en réponds, moi, Grandet ; car, alors, il ne tiendra qu'à vous de…

— Ah ! mon oncle, vous adoucissez l'amertume de mon départ. N'est-ce pas le plus beau présent que vous puissiez me faire ? »

Ne comprenant pas les paroles du vieux tonne-

lier, qu'il avait interrompu[1], Charles répandit sur
le visage tanné de son oncle des larmes de reconnaissance, tandis qu'Eugénie serrait de toutes ses
forces la main de son cousin et celle de son père.
Le notaire seul souriait en admirant la finesse
de Grandet, car lui seul avait bien compris le bonhomme. Les quatre Saumurois, environnés de
plusieurs personnes, restèrent devant la voiture
jusqu'à ce qu'elle partît ; puis, quand elle disparut
sur le pont et ne retentit plus que dans le lointain :
« Bon voyage ! » dit le vigneron. Heureusement
Me Cruchot fut le seul qui entendit cette exclamation. Eugénie et sa mère étaient allées à un endroit
du quai d'où elles pouvaient encore voir la diligence, et agitaient leurs mouchoirs blancs, signe
auquel répondit Charles en déployant le sien.

« Ma mère, je voudrais avoir pour un moment
la puissance de Dieu », dit Eugénie au moment où
elle ne vit plus le mouchoir de Charles.

Pour ne point interrompre le cours des événements qui se passèrent au sein de la famille Grandet, il est nécessaire de jeter par anticipation un
coup d'œil sur les opérations que le bonhomme fit
à Paris par l'entremise de des Grassins. Un mois
après le départ du banquier, Grandet possédait
une inscription de cent mille livres de rente achetée à quatre-vingts francs net[2]. Les renseignements donnés à sa mort par son inventaire n'ont
jamais fourni la moindre lumière sur les moyens
que sa défiance lui suggéra pour échanger le prix
de l'inscription contre l'inscription elle-même[3].
Me Cruchot pensa que Nanon fut, à son insu, l'ins-
trument fidèle du transport des fonds. Vers cette

époque, la servante fit une absence de cinq jours,
sous prétexte d'aller ranger quelque chose à Froidfond, comme si le bonhomme était capable de
laisser traîner quelque chose. En ce qui concerne
les affaires de la maison Guillaume Grandet,
toutes les prévisions du tonnelier se réalisèrent.

À la Banque de France se trouvent, comme
chacun sait, les renseignements les plus exacts sur
les grandes fortunes de Paris et des départements.
Les noms de des Grassins et de Félix Grandet
de Saumur y étaient connus et y jouissaient de
l'estime accordée aux célébrités financières qui
s'appuient sur d'immenses propriétés territoriales
libres d'hypothèques. L'arrivée du banquier de
Saumur, chargé, disait-on, de liquider par honneur la maison Grandet de Paris, suffit donc pour
éviter à l'ombre du négociant la honte des pro-
têts[1]. La levée des scellés se fit en présence des
créanciers, et le notaire de la famille se mit à pro-
céder régulièrement à l'inventaire de la succession. Bientôt des Grassins réunit les créanciers,
qui, d'une voix unanime, élurent pour liquidateurs le banquier de Saumur, conjointement avec
François Keller[2], chef d'une riche maison, l'un des
principaux intéressés, et leur confièrent tous les
pouvoirs nécessaires pour sauver à la fois l'honneur de la famille et les créances. Le crédit du
Grandet de Saumur, l'espérance qu'il répandit au
cœur des créanciers par l'organe de des Grassins,
facilitèrent les transactions ; il ne se rencontra pas
un seul récalcitrant parmi les créanciers. Personne ne pensait à passer sa créance au compte
de Profit et Pertes, et chacun se disait : « Grandet

de Saumur payera ! » Six mois s'écoulèrent. Les Parisiens avaient remboursé les effets en circulation et les conservaient au fond de leurs portefeuilles. Premier résultat que voulait obtenir le tonnelier. Neuf mois après la première assemblée, les deux liquidateurs distribuèrent quarante-sept pour cent à chaque créancier. Cette somme fut produite par la vente des valeurs, possessions, biens et choses généralement quelconques appartenant à feu Guillaume Grandet, et qui fut faite avec une fidélité scrupuleuse. La plus exacte probité présidait à cette liquidation. Les créanciers se plurent à reconnaître l'admirable et incontestable honneur des Grandet. Quand ces louanges eurent circulé convenablement, les créanciers demandèrent le reste de leur argent. Il leur fallut écrire une lettre collective à Grandet.

« Nous y voilà, dit l'ancien tonnelier en jetant la lettre au feu ; patience, mes petits amis. »

En réponse aux propositions contenues dans cette lettre, Grandet de Saumur demanda le dépôt chez un notaire de tous les titres de créance existants contre la succession de son frère, en les accompagnant d'une quittance des payements déjà faits, sous prétexte d'apurer les comptes, et de correctement établir l'état de la succession. Ce dépôt souleva mille difficultés. Généralement, le créancier est une sorte de maniaque. Aujourd'hui prêt à conclure, demain il veut tout mettre à feu et à sang ; plus tard il se fait ultra-débonnaire. Aujourd'hui sa femme est de bonne humeur, son petit dernier a fait ses dents, tout va bien au logis, il ne veut pas perdre un sou ; demain il pleut, il ne peut pas sortir, il est mélancolique, il dit oui à toutes les propositions qui peuvent terminer une affaire ; le surlendemain il lui faut des garanties, à la fin du mois il prétend vous exécuter, le bourreau ! Le créancier ressemble à ce moineau franc à la queue duquel on engage les petits enfants à tâcher de poser un grain de sel ; mais le créancier rétorque cette image contre sa créance[1], de laquelle il ne peut rien saisir. Grandet avait observé les variations atmosphériques des créanciers, et ceux de son frère obéirent à tous ses calculs. Les uns se fâchèrent et se refusèrent *net* au dépôt. « Bon ! ça va bien », disait Grandet en se frottant les mains à la lecture des lettres que lui écrivait à ce sujet des Grassins. Quelques autres ne consentirent audit dépôt que sous la condition de faire bien constater leurs droits, ne renoncer à aucun, et se réserver même celui de faire déclarer la faillite. Nouvelle correspondance, après laquelle Grandet de Saumur consentit à toutes les réserves demandées. Moyennant cette concession, les créanciers bénins firent entendre raison aux créanciers durs. Le dépôt eut lieu, non sans quelques plaintes. « Ce bonhomme, dit-on à des Grassins, se moque de vous et de nous. » Vingt-trois mois après la mort de Guillaume Grandet, beaucoup de commerçants, entraînés par le mouvement des affaires de Paris, avaient oublié leurs recouvrements Grandet, ou n'y pensaient que pour se dire : « Je commence à croire que les quarante-sept pour cent sont tout ce que je tirerai de cela. » Le tonnelier avait calculé sur la puissance du temps, qui, disait-il, est un bon diable. À la fin de la troisième année, des Grassins écrivit à Grandet que, moyennant dix pour cent des deux millions quatre cent mille francs restant dus par la maison Grandet, il avait amené les créanciers à lui rendre leurs titres. Grandet répondit que le notaire et l'agent de change dont les épouvantables faillites avaient causé la mort de son frère vivaient, *eux!* pouvaient être devenus bons, et qu'il fallait les actionner afin d'en tirer quelque chose et diminuer le chiffre du déficit. À la fin de la quatrième année, le déficit fut bien et dûment arrêté à la somme de douze cent mille francs[1]. Il y eut des pourparlers qui durèrent six mois entre les liquidateurs et les créanciers, entre Grandet et les liquidateurs. Bref, vivement pressé de s'exécuter, Grandet de Saumur répondit aux deux liquidateurs, vers le neuvième mois de cette année, que son neveu, qui avait fait fortune aux Indes, lui avait manifesté l'intention de payer intégralement les dettes de son père; il ne pouvait pas prendre sur lui de les solder frauduleusement[2] sans l'avoir consulté; il attendait une réponse. Les créanciers, vers le milieu de la cinquième année, étaient encore tenus en échec avec le mot *intégralement*, de temps en temps lâché par le sublime tonnelier, qui riait dans sa barbe, et ne disait jamais sans laisser échapper un fin sourire et un juron le mot: «Ces PARISIENS!» Mais les créanciers furent réservés à un sort inouï dans les fastes du commerce[3]. Ils se retrouveront dans la position où les avait maintenus Grandet au moment où les événements de cette histoire les obligeront à y reparaître. Quand les rentes atteignirent à 115, le père Grandet vendit, retira de Paris environ deux millions

quatre cent mille francs en or[1], qui rejoignirent
dans ses barillets les six cent mille francs d'intérêts
composés que lui avaient donnés ses inscriptions.
Des Grassins demeurait à Paris. Voici pourquoi.
D'abord il fut nommé député ; puis il s'amouracha,
lui père de famille, mais ennuyé par l'ennuyeuse
vie saumuroise, de Florine, une des plus jolies
actrices du théâtre de Madame[2], et il y eut recru-
descence du quartier-maître chez le banquier. Il
est inutile de parler de sa conduite ; elle fut jugée
à Saumur profondément immorale. Sa femme se
trouva très heureuse d'être séparée de biens et
d'avoir assez de tête pour mener la maison de Saumur, dont les affaires se continuèrent sous son
nom, afin de réparer les brèches faites à sa fortune
par les folies de M. des Grassins. Les Cruchotins
empiraient si bien la situation fausse de la quasi-
veuve, qu'elle maria fort mal sa fille, et dut renoncer à l'alliance d'Eugénie Grandet pour son fils.
Adolphe rejoignit des Grassins à Paris, et y devint,
dit-on, un fort mauvais sujet. Les Cruchot triom-
phèrent.

« Votre mari n'a pas de bon sens, disait Grandet
en prêtant une somme à Mme des Grassins,
moyennant sûretés. Je vous plains beaucoup, vous
êtes une bonne petite femme.

— Ah ! monsieur, répondit la pauvre dame, qui
pouvait croire que le jour où il partit de chez vous
pour aller à Paris, il courait à sa ruine.

— Le ciel m'est témoin, madame, que j'ai tout
fait jusqu'au dernier moment pour l'empêcher d'y
aller. M. le président voulait à toute force l'y rem-

placer ; et, s'il tenait tant à s'y rendre, nous savons maintenant pourquoi. »

Ainsi Grandet n'avait aucune obligation à des Grassins.

En toute situation, les femmes ont plus de causes de douleur que n'en a l'homme, et souffrent plus que lui. L'homme a sa force, et l'exercice de sa puissance : il agit, il va, il s'occupe, il pense, il embrasse l'avenir et y trouve des consolations. Ainsi faisait Charles. Mais la femme demeure, elle reste face à face avec le chagrin dont rien ne la distrait, elle descend jusqu'au fond de l'abîme qu'il a ouvert, le mesure et souvent le comble de ses vœux et de ses larmes. Ainsi faisait Eugénie. Elle s'initiait à sa destinée. Sentir, aimer, souffrir, se dévouer, sera toujours le texte de la vie des femmes. Eugénie devait être toute la femme, moins ce qui la console. Son bonheur, amassé comme les clous semés sur la muraille, suivant la sublime expression de Bossuet[1], ne devait pas un jour lui remplir le creux de la main. Les chagrins ne se font jamais attendre, et pour elle ils arrivèrent bientôt. Le lendemain du départ de Charles, la maison Grandet reprit sa physionomie pour tout le monde, excepté pour Eugénie qui la trouva tout à coup bien vide. À l'insu de son père, elle voulut que la chambre de Charles restât dans l'état où il l'avait laissée. Mme Grandet et Nanon furent volontiers complices de ce *statu quo*.

« Qui sait s'il ne reviendra pas plus tôt que nous ne le croyons, dit-elle.

— Ah ! je le voudrais voir ici, répondit Nanon. Je m'accoutumais ben à lui ! C'était un ben doux,

un ben parfait monsieur, quasiment joli, mou-
tonné comme une fille. » Eugénie regarda Nanon.
« Sainte Vierge, mademoiselle, vous avez les yeux
à la perdition de votre âme ! Ne regardez donc pas
le monde comme ça. »

Depuis ce jour, la beauté de Mlle Grandet prit un
nouveau caractère. Les graves pensées d'amour
par lesquelles son âme était lentement envahie, la
dignité de la femme aimée donnèrent à ses traits
cette espèce d'éclat que les peintres figurent par
l'auréole. Avant la venue de son cousin, Eugénie
pouvait être comparée à la Vierge avant la conception ; quand il fut parti elle ressemblait à la Vierge
mère : elle avait conçu l'amour. Ces deux Maries,
si différentes et si bien représentées par quelques
peintres espagnols, constituent l'une des plus
brillantes figures qui abondent dans le christianisme. En revenant de la messe où elle alla le lendemain du départ de Charles, et où elle avait fait
vœu d'aller tous les jours, elle prit, chez le libraire
de la ville, une mappemonde qu'elle cloua près de
son miroir, afin de suivre son cousin dans sa route
vers les Indes, afin de pouvoir se mettre un peu,
soir et matin, dans le vaisseau qui l'y transportait,
de le voir, de lui adresser mille questions, de lui
dire : « Es-tu bien ? ne souffres-tu pas ? penses-tu
bien à moi, en voyant cette étoile dont tu m'as
appris à connaître les beautés et l'usage ? » Puis, le
matin, elle restait pensive sous le noyer, assise sur
le banc de bois rongé par les vers et garni de
mousse grise où ils s'étaient dit tant de bonnes
choses, de niaiseries, où ils avaient bâti les châteaux en Espagne de leur joli ménage. Elle pensait

à l'avenir en regardant le ciel par le petit espace que les murs lui permettaient d'embrasser ; puis le vieux pan de muraille, et le toit sous lequel était la chambre de Charles. Enfin ce fut l'amour solitaire, l'amour vrai qui persiste, qui se glisse dans toutes les pensées, et devient la substance, ou, comme eussent dit nos pères, l'étoffe de la vie. Quand les soi-disant amis du père Grandet venaient faire la partie le soir, elle était gaie, elle dissimulait ; mais, pendant toute la matinée, elle causait de Charles avec sa mère et Nanon. Nanon avait compris qu'elle pouvait compatir aux souffrances de sa jeune maîtresse sans manquer à ses devoirs envers son vieux patron, elle qui disait à Eugénie : « Si j'avais eu un homme à moi, je l'aurais... suivi dans l'enfer. Je l'aurais... quoi... Enfin, j'aurais voulu m'exterminer pour lui ; mais... rin. Je mourrai sans savoir ce que c'est que la vie. Croiriez-vous, mademoiselle, que ce vieux Cornoiller, qu'est un bon homme tout de même, tourne autour de ma jupe, rapport à mes rentes, tout comme ceux qui viennent ici flairer le magot de monsieur, en vous faisant la cour ? Je vois ça, parce que je suis encore fine, quoique je sois grosse comme une tour ; hé bien, mam'zelle, ça me fait plaisir, quoique ça ne soye pas de l'amour. »

Deux mois se passèrent ainsi. Cette vie domestique, jadis si monotone, s'était animée par l'immense intérêt du secret qui liait plus intimement ces trois femmes. Pour elles, sous les planchers grisâtres de cette salle, Charles vivait, allait, venait encore. Soir et matin Eugénie ouvrait la toilette et contemplait le portrait de sa tante. Un dimanche matin elle fut surprise par sa mère au moment où elle était occupée à chercher les traits de Charles dans ceux du portrait. Mme Grandet fut alors initiée au terrible secret de l'échange fait par le voyageur contre le trésor d'Eugénie.

« Tu lui as tout donné, dit la mère épouvantée. Que diras-tu donc à ton père, au jour de l'an, quand il voudra voir ton or ? »

Les yeux d'Eugénie devinrent fixes, et ces deux femmes demeurèrent dans un effroi mortel pendant la moitié de la matinée. Elles furent assez troublées pour manquer la grand-messe, et n'allèrent qu'à la messe militaire[1]. Dans trois jours l'année 1819 finissait. Dans trois jours devait commencer une terrible action, une tragédie bourgeoise sans poison, ni poignard, ni sang répandu ; mais, relativement aux acteurs, plus cruelle que tous les drames accomplis dans l'illustre famille des Atrides.

« Qu'allons-nous devenir ? » dit Mme Grandet à sa fille en laissant son tricot sur ses genoux.

La pauvre mère subissait de tels troubles depuis deux mois que les manches de laine dont elle avait besoin pour son hiver n'étaient pas encore finies. Ce fait domestique, minime en apparence, eut de tristes résultats pour elle. Faute de manches, le froid la saisit d'une façon fâcheuse au milieu d'une sueur causée par une épouvantable colère de son mari.

« Je pensais, ma pauvre enfant, que, si tu m'avais confié ton secret, nous aurions eu le temps d'écrire à Paris à M. des Grassins. Il aurait pu nous envoyer des pièces d'or semblables aux tiennes ; et, quoique Grandet les connaisse bien, peut-être...

— Mais où donc aurions-nous pris tant d'argent ?

— J'aurais engagé mes propres[1]. D'ailleurs M. des Grassins nous eût bien...

— Il n'est plus temps, répondit Eugénie d'une voix sourde et altérée en interrompant sa mère. Demain matin ne devons-nous pas aller lui souhaiter la bonne année dans sa chambre ?

— Mais, ma fille, pourquoi n'irais-je donc pas voir les Cruchot ?

— Non, non, ce serait me livrer à eux et nous mettre sous leur dépendance. D'ailleurs j'ai pris mon parti. J'ai bien fait, je ne me repens de rien. Dieu me protégera. Que sa sainte volonté se fasse. Ah ! si vous aviez lu sa lettre, vous n'auriez pensé qu'à lui, ma mère. »

Le lendemain matin, premier janvier 1820, la terreur flagrante à laquelle la mère et la fille étaient en proie leur suggéra la plus naturelle des excuses pour ne pas venir solennellement dans la chambre de Grandet. L'hiver de 1819 à 1820 fut un des plus rigoureux de l'époque. La neige encombrait les toits.

Mme Grandet dit à son mari, dès qu'elle l'entendit se remuant dans sa chambre : « Grandet, fais donc allumer par Nanon un peu de feu chez moi ; le froid est si vif que je gèle sous ma couverture. Je suis arrivée à un âge où j'ai besoin de ménagements. D'ailleurs, reprit-elle après une légère pause, Eugénie viendra s'habiller là. Cette pauvre fille pourrait gagner une maladie à faire sa toilette

chez elle par un temps pareil. Puis nous irons te
souhaiter le bon an près du feu, dans la salle.

— Ta, ta, ta, ta, quelle langue ! comme tu com-
mences l'année, madame Grandet ? Tu n'as jamais
tant parlé. Cependant tu n'as pas mangé de pain
trempé dans du vin, je pense [1]. » Il y eut un moment
de silence. « Eh bien, reprit le bonhomme que sans
doute la proposition de sa femme arrangeait,
je vais faire ce que vous voulez, madame Grandet.
Tu es vraiment une bonne femme, et je ne veux
pas qu'il t'arrive malheur à l'échéance de ton âge,
quoique en général les La Bertellière soient faits
de vieux ciment. Hein ! pas vrai ? cria-t-il après
une pause. Enfin, nous en avons hérité, je leur
pardonne. » Et il toussa.

« Vous êtes gai ce matin, monsieur, dit gravement la pauvre femme.

— Toujours gai, moi,

> *Gai, gai, gai, le tonnelier,*
> *Raccommodez votre cuvier* [2] *!*

ajouta-t-il en entrant chez sa femme tout habillé.
Oui, nom d'un petit bonhomme, il fait solidement
froid tout de même. Nous déjeunerons bien, ma
femme. Des Grassins m'a envoyé un pâté de foies
gras truffé ! Je vais aller le chercher à la diligence.
Il doit y avoir joint un double napoléon pour Eugénie, vint lui dire le tonnelier à l'oreille. Je n'ai plus
d'or, ma femme. J'avais bien encore quelques
vieilles pièces, je puis te dire cela à toi ; mais il a
fallu les lâcher pour les affaires. » Et, pour célébrer
le premier jour de l'an, il l'embrassa sur le front.

« Eugénie, cria la bonne mère, je ne sais sur quel côté ton père a dormi ; mais il est bon homme, ce matin. Bah ! nous nous en tirerons.

— Quoi qu'il a donc, notre maître ? dit Nanon en entrant chez sa maîtresse pour y allumer du feu. D'abord, il m'a dit : "Bon jour, bon an, grosse bête ! Va faire du feu chez ma femme, elle a froid." Ai-je été sotte quand je l'ai vu me tendant la main pour me donner un écu de six francs qui n'est quasi point rogné du tout ! Tenez, madame, regardez-le donc ? Oh ! le brave homme. C'est un digne homme, tout de même. Il y en a qui, pus y deviennent vieux, pus y durcissent ; mais lui, il se fait doux comme votre cassis, et y rabonit[1]. C'est un ben parfait, un ben bon homme… »

Le secret de cette joie était dans une entière réussite de la spéculation de Grandet. M. des Grassins, après avoir déduit les sommes que lui devait le tonnelier pour l'escompte des cent cinquante mille francs d'effets hollandais, et pour le surplus qu'il lui avait avancé afin de compléter l'argent nécessaire à l'achat des cent mille livres de rente, lui envoyait, par la diligence, trente mille francs en écus, restant sur le semestre de ses intérêts, et lui avait annoncé la hausse des fonds publics. Ils étaient alors à 89, les plus célèbres capitalistes en achetaient, fin janvier, à 92. Grandet gagnait, depuis deux mois, douze pour cent sur ses capitaux, il avait apuré ses comptes, et allait désormais toucher cinquante mille francs tous les six mois sans avoir à payer ni impositions, ni réparations. Il concevait enfin la rente, placement pour lequel les gens de province manifestent une répugnance

invincible, et il se voyait, avant cinq ans, maître
d'un capital de six millions grossi sans beaucoup
de soins, et qui, joint à la valeur territoriale de ses
propriétés, composerait une fortune colossale. Les
six francs donnés à Nanon étaient peut-être le
solde d'un immense service[1] que la servante avait
à son insu rendu à son maître.

« Oh ! oh ! où va donc le père Grandet, qu'il court
dès le matin comme au feu ? » se dirent les marchands occupés à ouvrir leurs boutiques. Puis,
quand ils le virent revenant du quai suivi d'un facteur des messageries transportant sur une brouette
des sacs pleins : « L'eau va toujours à la rivière, le
bonhomme allait à ses écus, disait l'un. — Il lui en
vient de Paris, de Froidfond, de Hollande ! disait
un autre. — Il finira par acheter Saumur, s'écriait
un troisième. — Il se moque du froid, il est toujours
à son affaire, disait une femme à son mari. — Eh !
eh ! monsieur Grandet, si ça vous gênait, lui dit un
marchand de drap, son plus proche voisin, je vous
en débarrasserais.

— Ouin ! ce sont des sous, répondit le vigneron.

— D'argent, dit le facteur à voix basse.

— Si tu veux que je te soigne, mets une bride à
ta *margoulette*, dit le bonhomme au facteur en
ouvrant sa porte.

— Ah ! le vieux renard, je le croyais sourd, pensa
le facteur ; il paraît que quand il fait froid il entend.

— Voilà vingt sous pour tes étrennes, et *motus !*
Détale ! lui dit Grandet. Nanon te reportera ta
brouette. Nanon, les linottes sont-elles à la messe ?

— Oui, monsieur.

— Allons, haut la patte ! à l'ouvrage », cria-t-il en

la chargeant de sacs. En un moment les écus furent transportés dans sa chambre où il s'enferma. « Quand le déjeuner sera prêt, tu me cogneras au mur. Reporte la brouette aux Messageries. »

La famille ne déjeuna qu'à dix heures.

« Ici ton père ne demandera pas à voir ton or, dit Mme Grandet à sa fille en rentrant de la messe. D'ailleurs tu feras la frileuse. Puis nous aurons le temps de remplir ton trésor pour le jour de ta naissance... »

Grandet descendait l'escalier en pensant à métamorphoser promptement ses écus parisiens en bon or et à son admirable spéculation des rentes sur l'État. Il était décidé à placer ainsi ses revenus jusqu'à ce que la rente atteignît le taux de cent francs. Méditation funeste à Eugénie. Aussitôt qu'il entra, les deux femmes lui souhaitèrent une bonne année, sa fille en lui sautant au cou et le câlinant, Mme Grandet gravement et avec dignité.

« Ah ! ah ! mon enfant, dit-il en baisant sa fille sur les joues, je travaille pour toi, vois-tu ?... je veux ton bonheur. Il faut de l'argent pour être heureux. Sans argent, bernique. Tiens, voilà un napoléon tout neuf, je l'ai fait venir de Paris. Nom d'un petit bonhomme, il n'y a pas un grain d'or ici. Il n'y a que toi qui as de l'or. Montre-moi ton or, fifille.

— Bah ! il fait trop froid ; déjeunons, lui répondit Eugénie.

— Hé bien, après, hein ? Ça nous aidera tous à digérer. Ce gros des Grassins, il nous a envoyé ça tout de même, reprit-il. Ainsi mangez, mes enfants, ça ne nous coûte rien. Il va bien des Grassins, je suis content de lui. Le merluchon[1] rend service à

Charles, et gratis encore. Il arrange très bien les
affaires de ce pauvre défunt Grandet. Ououh!
ououh! fit-il, la bouche pleine, après une pause,
cela est bon! Manges-en donc, ma femme? ça
nourrit au moins pour deux jours.

— Je n'ai pas faim. Je suis tout[1] malingre, tu le
sais bien.

— Ah! ouin! Tu peux te bourrer sans crainte de
faire crever ton coffre; tu es une La Bertellière,
une femme solide. Tu es bien un petit brin jau-
nette, mais j'aime le jaune. »

L'attente d'une mort ignominieuse et publique
est moins horrible peut-être pour un condamné
que ne l'était pour Mme Grandet et pour sa fille
l'attente des événements qui devaient terminer ce
déjeuner de famille. Plus gaiement parlait et mangeait le vieux vigneron, plus le cœur de ces deux
femmes se serrait. La fille avait néanmoins un
appui dans cette conjoncture: elle puisait de la
force en son amour.

« Pour lui, pour lui, se disait-elle, je souffrirais
mille morts. »

À cette pensée, elle jetait à sa mère des regards
flamboyants de courage.

« Ôte tout cela, dit Grandet à Nanon quand, vers
onze heures, le déjeuner fut achevé; mais laisse-
nous la table. Nous serons plus à l'aise pour voir
ton petit trésor, dit-il en regardant Eugénie. Petit,
ma foi, non. Tu possèdes, valeur intrinsèque, cinq
mille neuf cent cinquante-neuf francs, et quarante
de ce matin, cela fait six mille francs moins un. Eh
bien, je te donnerai, moi, ce franc pour compléter
la somme, parce que, vois-tu, fifille... Hé bien,

pourquoi nous écoutes-tu ? Montre-moi tes talons,
Nanon, et va faire ton ouvrage », dit le bonhomme.
Nanon disparut. « Écoute, Eugénie, il faut que tu
me donnes ton or. Tu ne le refuseras pas à ton
pépère, ma petite fifille, hein ? » Les deux femmes
étaient muettes. « Je n'ai plus d'or, moi. J'en avais,
je n'en ai plus. Je te rendrai six mille francs en
livres, et tu vas les placer comme je vais te le dire. Il
ne faut plus penser au douzain. Quand je te marie-
rai, ce qui sera bientôt, je te trouverai un futur qui
pourra t'offrir le plus beau douzain dont on aura
jamais parlé dans la province. Écoute donc, fifille.
Il se présente une belle occasion : tu peux mettre
tes six mille francs dans le gouvernement, et tu en
auras tous les six mois près de deux cents francs
d'intérêts, sans impôts, ni réparations, ni grêle, ni
gelée, ni marée, ni rien de ce qui tracasse les revenus. Tu répugnes peut-être à te séparer de ton or,
hein, fifille ? Apporte-le-moi tout de même. Je te
ramasserai des pièces d'or, des hollandaises, des
portugaises, des roupies du Mogol, des génovines ;
et, avec celles que je te donnerai à tes fêtes, en trois
ans tu auras rétabli la moitié de ton joli petit trésor
en or. Que dis-tu, fifille ? Lève donc le nez. Allons,
va le chercher, le mignon[1]. Tu devrais me baiser
sur les yeux pour te dire ainsi des secrets et des
mystères de vie et de mort pour les écus. Vraiment
les écus vivent et grouillent comme des hommes :
ça va, ça vient, ça sue, ça produit. »

Eugénie se leva ; mais, après avoir fait quelques
pas vers la porte, elle se retourna brusquement,
regarda son père en face et lui dit : « Je n'ai plus
mon or.

— Tu n'as plus ton or ! s'écria Grandet en se dressant sur ses jarrets comme un cheval qui entend tirer le canon à dix pas de lui.

— Non, je ne l'ai plus.

— Tu te trompes, Eugénie.

— Non.

— Par la serpette de mon père ! »

Quand le tonnelier jurait ainsi, les planchers tremblaient.

« Bon saint bon Dieu ! voilà madame qui pâlit, cria Nanon.

— Grandet, ta colère me fera mourir, dit la pauvre femme.

— Ta, ta, ta, ta, vous autres, vous ne mourez jamais dans votre famille ! Eugénie, qu'avez-vous fait de vos pièces ? cria-t-il en fondant sur elle.

— Monsieur, dit la fille aux genoux de Mme Grandet, ma mère souffre beaucoup. Voyez, ne la tuez pas. »

Grandet fut épouvanté de la pâleur répandue sur le teint de sa femme, naguère si jaune.

« Nanon, venez m'aider à me coucher, dit la mère d'une voix faible. Je meurs. »

Aussitôt Nanon donna le bras à sa maîtresse, autant en fit Eugénie, et ce ne fut pas sans des peines infinies qu'elles purent la monter chez elle, car elle tombait en défaillance de marche en marche. Grandet resta seul. Néanmoins, quelques moments après, il monta sept ou huit marches, et cria : « Eugénie, quand votre mère sera couchée, vous descendrez.

— Oui, mon père. »

Elle ne tarda pas à venir, après avoir rassuré sa mère.

« Ma fille, lui dit Grandet, vous allez me dire où est votre trésor.

— Mon père, si vous me faites des présents dont je ne sois pas entièrement maîtresse, reprenez-les », répondit froidement Eugénie en cherchant le napoléon sur la cheminée et le lui présentant.

Grandet saisit vivement le napoléon et le coula dans son gousset.

« Je crois bien que je ne te donnerai plus rien. Pas seulement ça ! dit-il en faisant claquer l'ongle de son pouce sous sa maîtresse dent. Vous méprisez donc votre père, vous n'avez donc pas confiance en lui, vous ne savez donc pas ce que c'est qu'un père. S'il n'est pas tout pour vous, il n'est rien. Où est votre or ?

— Mon père, je vous aime et vous respecte, malgré votre colère ; mais je vous ferai fort humblement observer que j'ai vingt-deux ans[1]. Vous m'avez assez souvent dit que je suis majeure, pour que je le sache. J'ai fait de mon argent ce qu'il m'a plu d'en faire, et soyez sûr qu'il est bien placé...

— Où ?

— C'est un secret inviolable, dit-elle. N'avez-vous pas vos secrets ?

— Ne suis-je pas le chef de ma famille, ne puis-je avoir mes affaires ?

— C'est aussi mon affaire.

— Cette affaire doit être mauvaise, si vous ne pouvez pas la dire à votre père, mademoiselle Grandet.

— Elle est excellente, et je ne puis pas la dire à mon père.

— Au moins, quand avez-vous donné votre or ? » Eugénie fit un signe de tête négatif. « Vous l'aviez encore le jour de votre fête, hein ? » Eugénie, devenue aussi rusée par amour que son père l'était par avarice, réitéra le même signe de tête. « Mais l'on n'a jamais vu pareil entêtement, ni vol pareil, dit Grandet d'une voix qui alla *crescendo* et qui fit graduellement retentir la maison. Comment ! ici, dans ma propre maison, chez moi, quelqu'un aura pris ton or ! le seul or qu'il y avait ! et je ne saurai pas qui ? L'or est une chose chère. Les plus honnêtes filles peuvent faire des fautes, donner je ne sais quoi, cela se voit chez les grands seigneurs et même chez les bourgeois ; mais donner de l'or, car vous l'avez donné à quelqu'un, hein ? » Eugénie fut impassible. « A-t-on vu pareille fille ! Est-ce moi qui suis votre père ? Si vous l'avez placé, vous en avez un reçu…

— Étais-je libre, oui ou non, d'en faire ce que bon me semblait ? Était-ce à moi ?

— Mais tu es un enfant.

— Majeure. »

Abasourdi par la logique de sa fille, Grandet pâlit, trépigna, jura ; puis trouvant enfin des paroles, il cria : « Maudit serpent de fille ! ah ! mauvaise graine, tu sais bien que je t'aime, et tu en abuses. Elle égorge son père ! Pardieu, tu auras jeté notre fortune aux pieds de ce va-nu-pieds qui a des bottes de maroquin. Par la serpette de mon père, je ne peux pas te déshériter, nom d'un tonneau ! mais je te maudis, toi, ton cousin, et tes enfants! Tu ne verras rien arriver de bon de tout cela, entends-tu? Si c'était à Charles, que... Mais, non, ce n'est pas possible. Quoi! ce méchant mir-liflor m'aurait dévalisé... » Il regarda sa fille qui restait muette et froide. « Elle ne bougera pas, elle ne sourcillera pas, elle est plus Grandet que je ne suis Grandet. Tu n'as pas donné ton or pour rien, au moins. Voyons, dis? » Eugénie regarda son père, en lui jetant un regard ironique qui l'offensa. « Eugénie, vous êtes chez moi, chez votre père. Vous devez, pour y rester, vous soumettre à ses ordres. Les prêtres vous ordonnent de m'obéir. » Eugénie baissa la tête. « Vous m'offensez dans ce que j'ai de plus cher, reprit-il, je ne veux vous voir que soumise. Allez dans votre chambre. Vous y demeurerez jusqu'à ce que je vous permette d'en sortir. Nanon vous y portera du pain et de l'eau. Vous m'avez entendu, marchez! »

Eugénie fondit en larmes et se sauva près de sa mère. Après avoir fait un certain nombre de fois le tour de son jardin dans la neige, sans s'apercevoir du froid, Grandet se douta que sa fille devait être chez sa femme; et, charmé de la prendre en contra-vention à ses ordres, il grimpa les escaliers avec l'agilité d'un chat, et apparut dans la chambre de Mme Grandet au moment où elle caressait les che-veux d'Eugénie dont le visage était plongé dans le sein maternel.

« Console-toi, ma pauvre enfant, ton père s'apai-sera.

— Elle n'a plus de père, dit le tonnelier. Est-ce bien vous et moi, madame Grandet, qui avons fait une fille désobéissante comme l'est celle-là? Jolie éducation, et religieuse surtout. Hé bien, vous n'êtes pas dans votre chambre. Allons, en prison, en prison, mademoiselle.

— Voulez-vous me priver de ma fille, monsieur? dit Mme Grandet en montrant un visage rongé par la fièvre.

— Si vous la voulez garder, emportez-la, videz-moi toutes deux la maison. Tonnerre, où est l'or, qu'est devenu l'or? »

Eugénie se leva, lança un regard d'orgueil sur son père, et rentra dans sa chambre à laquelle le bonhomme donna un tour de clef.

« Nanon, cria-t-il, éteins le feu de la salle. » Et il vint s'asseoir sur un fauteuil au coin de la cheminée de sa femme, en lui disant: « Elle l'a donné sans doute à ce misérable séducteur de Charles qui n'en voulait qu'à notre argent. »

Mme Grandet trouva, dans le danger qui menaçait sa fille et dans son sentiment pour elle, assez de force pour demeurer en apparence froide, muette et sourde.

« Je ne savais rien de tout ceci, répondit-elle en se tournant du côté de la ruelle du lit pour ne pas subir les regards étincelants de son mari. Je souffre tant de votre violence, que si j'en crois mes pressentiments, je ne sortirai d'ici que les pieds en avant. Vous auriez dû m'épargner en ce moment, monsieur, moi qui ne vous ai jamais causé de chagrin, du moins, je le pense. Votre fille vous aime, je la crois innocente autant que l'enfant qui naît; ainsi ne lui faites pas de peine, révoquez votre arrêt. Le froid est bien vif, vous pouvez être cause de quelque grave maladie.

— Je ne la verrai ni ne lui parlerai. Elle restera dans sa chambre au pain et à l'eau jusqu'à ce qu'elle ait satisfait son père. Que diable, un chef de famille doit savoir où va l'or de sa maison. Elle possédait les seules roupies qui fussent en France peut-être, puis des génovines, des ducats de Hollande.

— Monsieur, Eugénie est notre unique enfant, et quand même elle les aurait jetés à l'eau...

— À l'eau ? cria le bonhomme, à l'eau ! Vous êtes folle, madame Grandet. Ce que j'ai dit est dit, vous le savez. Si vous voulez avoir la paix au logis, confessez votre fille, tirez-lui les vers du nez ? les femmes s'entendent mieux entre elles à ça que nous autres. Quoi qu'elle ait pu faire, je ne la mangerai point. A-t-elle peur de moi ? Quand elle aurait doré son cousin de la tête aux pieds, il est en pleine mer, hein ! nous ne pouvons pas courir après...

— Eh bien, monsieur ? » Excitée par la crise nerveuse où elle se trouvait, ou par le malheur de sa fille qui développait sa tendresse et son intelligence, la perspicacité de Mme Grandet lui fit apercevoir un mouvement terrible dans la loupe de son mari, au moment où elle répondait ; elle changea d'idée sans changer de ton. « Eh bien, monsieur, ai-je plus d'empire sur elle que vous n'en avez ? Elle ne m'a rien dit, elle tient de vous.

— Tudieu ! comme vous avez la langue pendue ce matin ! Ta, ta, ta, ta, vous me narguez, je crois. Vous vous entendez peut-être avec elle. »

Il regarda sa femme fixement.

« En vérité, monsieur Grandet, si vous voulez me tuer, vous n'avez qu'à continuer ainsi. Je vous le dis, monsieur, et, dût-il m'en coûter la vie, je vous

le répéterais encore : vous avez tort envers votre
fille, elle est plus raisonnable que vous ne l'êtes.
Cet argent lui appartenait, elle n'a pu qu'en faire un
bel usage, et Dieu seul a le droit de connaître nos
bonnes œuvres. Monsieur, je vous en supplie, rendez vos bonnes grâces à Eugénie ?... Vous amoin-
drirez ainsi l'effet du coup que m'a porté votre
colère, et vous me sauverez peut-être la vie. Ma
fille, monsieur, rendez-moi ma fille.

— Je décampe, dit-il. Ma maison n'est pas
tenable, la mère et la fille raisonnent et parlent
comme si... Brooouh ! Pouah ! Vous m'avez donné
de cruelles étrennes, Eugénie, cria-t-il. Oui, oui,
pleurez ! Ce que vous faites vous causera des
remords, entendez-vous. À quoi donc vous sert de
manger le bon Dieu six fois tous les trois mois, si
vous donnez l'or de votre père en cachette à un
fainéant qui vous dévorera votre cœur quand vous
n'aurez plus que ça à lui prêter ? Vous verrez ce que
vaut votre Charles avec ses bottes de maroquin et
son air de n'y pas toucher. Il n'a ni cœur ni âme,
puisqu'il ose emporter le trésor d'une pauvre fille
sans l'agrément des parents. »

Quand la porte de la rue fut fermée, Eugénie
sortit de sa chambre[1] et vint près de sa mère.

« Vous avez eu bien du courage pour votre fille,
lui dit-elle.

— Vois-tu, mon enfant, où nous mènent les
choses illicites ?... tu m'as fait faire un mensonge.

— Oh ! je demanderai à Dieu de m'en punir
seule.

— C'est-y vrai, dit Nanon effarée en arrivant, que

voilà mademoiselle au pain et à l'eau pour le reste des jours ?

— Qu'est-ce que cela fait, Nanon ? dit tranquillement Eugénie.

— Ah ! pus souvent que je mangerai de la frippe quand la fille de la maison mange du pain sec. Non, non.

— Pas un mot de tout ça, Nanon, dit Eugénie.

— J'aurai la goule morte, mais vous verrez. »

Grandet dîna seul pour la première fois depuis vingt-quatre ans.

« Vous voilà donc veuf, monsieur, lui dit Nanon. C'est bien désagréable d'être veuf avec deux femmes dans sa maison.

— Je ne te parle pas à toi. Tiens ta margoulette ou je te chasse. Qu'est-ce que tu as dans ta casserole que j'entends bouilloter sur le fourneau ?

— C'est des graisses que je fonds…

— Il viendra du monde ce soir, allume le feu. »

Les Cruchot, Mme des Grassins et son fils arrivèrent à huit heures, et s'étonnèrent de ne voir ni Mme Grandet ni sa fille.

« Ma femme est un peu indisposée. Eugénie est auprès d'elle », répondit le vieux vigneron dont la figure ne trahit aucune émotion.

Au bout d'une heure employée en conversations insignifiantes, Mme des Grassins, qui était montée faire sa visite à Mme Grandet, descendit, et chacun lui demanda : « Comment va Mme Grandet ?

— Mais, pas bien du tout, du tout, dit-elle. L'état de sa santé me paraît vraiment inquiétant. À son âge, il faut prendre les plus grandes précautions, papa Grandet.

— Nous verrons cela », répondit le vigneron d'un air distrait.

Chacun lui souhaita le bonsoir. Quand les Cruchot furent dans la rue, Mme des Grassins leur dit : « Il y a quelque chose de nouveau chez les Grandet. La mère est très mal sans seulement qu'elle s'en doute. La fille a les yeux rouges comme quelqu'un qui a pleuré longtemps. Voudraient-ils la marier contre son gré ? »

Lorsque le vigneron fut couché, Nanon vint en chaussons à pas muets chez Eugénie, et lui découvrit un pâté fait à la casserole.

« Tenez, mademoiselle, dit la bonne fille, Cornoiller m'a donné un lièvre. Vous mangez si peu, que ce pâté vous durera bien huit jours ; et, par la gelée, il ne risquera point de se gâter. Au moins, vous ne demeurerez pas au pain sec. C'est que ça n'est point sain du tout.

— Pauvre Nanon, dit Eugénie en lui serrant la main.

— Je l'ai fait ben bon, ben délicat, et *il* ne s'en est point aperçu. J'ai pris le lard, le laurier, tout sur mes six francs ; j'en suis ben la maîtresse. » Puis la servante se sauva, croyant entendre Grandet.

Pendant quelques mois, le vigneron vint voir constamment sa femme à des heures différentes dans la journée, sans prononcer le nom de sa fille, sans la voir, ni faire à elle la moindre allusion. Mme Grandet ne quitta point sa chambre, et, de jour en jour, son état empira. Rien ne fit plier le vieux tonnelier. Il restait inébranlable, âpre et froid comme une pile de granit. Il continua d'aller et venir selon ses habitudes ; mais il ne bégaya plus, causa moins, et se montra dans les affaires plus dur qu'il ne l'avait jamais été. Souvent il lui échappait quelque erreur dans ses chiffres. « Il s'est passé quelque chose chez les Grandet, disaient les Cruchotins et les Grassinistes. — Qu'est-il donc arrivé dans la maison Grandet ? » fut une question convenue que l'on s'adressait généralement dans toutes les soirées à Saumur. Eugénie allait aux offices sous la conduite de Nanon. Au sortir de l'église, si Mme des Grassins lui adressait quelques paroles, elle y répondait d'une manière évasive et sans satisfaire sa curiosité. Néanmoins il fut impossible au bout de deux mois de cacher, soit aux trois Cruchot, soit à Mme des Grassins, le secret de la réclusion d'Eugénie. Il y eut un moment où les prétextes manquèrent pour justifier sa perpétuelle absence. Puis, sans qu'il fût possible de savoir par qui le secret avait été trahi, toute la ville apprit que depuis le premier jour de l'an Mlle Grandet était, par l'ordre de son père, enfermée dans sa chambre, au pain et à l'eau, sans feu ; que Nanon lui faisait des friandises, les lui apportait pendant la nuit ; et l'on savait même que la jeune personne ne pouvait voir et soigner sa mère que pendant le temps où son père était absent du logis. La conduite de Grandet fut alors jugée très sévèrement. La ville entière le mit pour ainsi dire hors la loi, se souvint de ses trahisons, de ses duretés, et l'excommunia. Quand il passait, chacun se le montrait en chuchotant. Lorsque sa fille descendait la rue tortueuse pour aller à la messe ou à vêpres, accompagnée de Nanon, tous les habitants se mettaient aux fenêtres pour examiner avec curiosité la contenance de la riche héritière et son visage, où se peignaient une mélancolie et une douceur angéliques. Sa réclusion, la disgrâce de son père, n'étaient rien pour elle. Ne voyait-elle pas la mappemonde, le petit banc, le jardin, le pan de mur, et ne reprenait-elle pas sur ses lèvres le miel qu'y avaient laissé les baisers de l'amour? Elle ignora pendant quelque temps les conversations dont elle était l'objet en ville, tout aussi bien que les ignorait son père. Religieuse et pure devant Dieu, sa conscience et l'amour l'aidaient à patiemment supporter la colère et la vengeance paternelles. Mais une douleur profonde faisait taire toutes les autres douleurs. Chaque jour, sa mère, douce et tendre créature, qui s'embellissait de l'éclat que jetait son âme en approchant de la tombe, sa mère dépérissait de jour en jour. Souvent Eugénie se reprochait d'avoir été la cause innocente de la cruelle, de la lente maladie qui la dévorait. Ces remords, quoique calmés par sa mère, l'attachaient encore plus étroitement à son amour. Tous les matins, aussitôt que son père était sorti, elle venait au chevet du lit de sa mère, et là, Nanon lui apportait son déjeuner. Mais la pauvre Eugénie, triste et souffrante des souffrances de sa mère, en montrait le visage à Nanon par un geste muet, pleurait et n'osait parler de son cousin. Mme Grandet, la première, était forcée de lui dire : « Où est-*il*? pourquoi n'écrit-*il* pas ? »

La mère et la fille ignoraient complètement les distances.

« Pensons à lui, ma mère, répondait Eugénie, et n'en parlons pas. Vous souffrez, vous avant tout. »

Tout c'était *lui*.

« Mes enfants, disait Mme Grandet, je ne regrette point la vie. Dieu m'a protégée en me faisant envisager avec joie le terme de mes misères. »

Les paroles de cette femme étaient constamment saintes et chrétiennes. Quand, au moment de déjeuner près d'elle, son mari venait se promener dans sa chambre, elle lui dit, pendant les premiers mois de l'année, les mêmes discours, répétés avec une douceur angélique, mais avec la fermeté d'une femme à qui une mort prochaine donnait le courage qui lui avait manqué pendant sa vie.

« Monsieur, je vous remercie de l'intérêt que vous prenez à ma santé, lui répondait-elle quand il lui avait fait la plus banale des demandes ; mais si vous voulez rendre mes derniers moments moins amers et alléger mes douleurs, rendez vos bonnes grâces à notre fille ; montrez-vous chrétien, époux et père. »

En entendant ces mots, Grandet s'asseyait près du lit et agissait comme un homme qui, voyant venir une averse, se met tranquillement à l'abri sous une porte cochère : il écoutait silencieusement sa femme, et ne répondait rien. Quand les plus touchantes, les plus tendres, les plus religieuses supplications lui avaient été adressées, il disait : « Tu es un peu pâlotte aujourd'hui, ma pauvre femme. » L'oubli le plus complet de sa fille semblait être gravé sur son front de grès, sur ses lèvres serrées. Il n'était même pas ému par les larmes que ses vagues réponses, dont les termes étaient à peine variés, faisaient couler le long du blanc visage de sa femme.

« Que Dieu vous pardonne, monsieur, disait-elle, comme je vous pardonne moi-même. Vous aurez un jour besoin d'indulgence. »

Depuis la maladie de sa femme, il n'avait plus osé se servir de son terrible : ta, ta, ta, ta, ta ! Mais aussi son despotisme n'était-il pas désarmé par cet ange de douceur, dont la laideur disparaissait de jour en jour, chassée par l'expression des qualités morales qui venaient fleurir sur sa face. Elle était tout âme. Le génie de la prière semblait purifier, amoindrir les traits les plus grossiers de sa figure, et la faisait resplendir. Qui n'a pas observé le phénomène de cette transfiguration sur de saints visages où les habitudes de l'âme finissent par triompher des traits les plus rudement contournés[1], en leur imprimant l'animation particulière due à la noblesse et à la pureté des pensées élevées ! Le spectacle de cette transformation accomplie par les souffrances qui consumaient les lambeaux de l'être humain dans cette femme agissait, quoique faiblement, sur le vieux tonnelier dont le caractère resta de bronze. Si sa parole ne fut plus dédaigneuse, un imperturbable silence, qui sauvait sa supériorité de père de famille, domina sa conduite. Sa fidèle Nanon paraissait-elle au marché, soudain quelques lazzis, quelques plaintes sur son maître lui sifflaient aux oreilles ; mais, quoique l'opinion publique condamnât hautement le père Grandet, la servante le défendait par orgueil pour la maison.

« Eh bien, disait-elle aux détracteurs du bonhomme, est-ce que nous ne devenons pas tous plus durs en vieillissant ? pourquoi ne voulez-vous pas qu'il se racornisse un peu, cet homme ? Taisez donc vos menteries. Mademoiselle vit comme une reine. Elle est seule, eh bien, c'est son goût. D'ailleurs, mes maîtres ont des raisons majeures. »

Enfin, un soir, vers la fin du printemps, Mme Grandet, dévorée par le chagrin, encore plus que par la maladie, n'ayant pas réussi, malgré ses prières, à réconcilier Eugénie et son père, confia ses peines secrètes aux Cruchot.

« Mettre une fille de vingt-trois ans au pain et à l'eau ?... s'écria le président de Bonfons, et sans motifs ; mais cela constitue *des sévices tortion-naires ; elle peut protester contre, et tant dans que sur...*

— Allons, mon neveu, dit le notaire, laissez votre baragouin de palais. Soyez tranquille, madame, je ferai finir cette réclusion dès demain. »

En entendant parler d'elle, Eugénie sortit de sa chambre.

« Messieurs, dit-elle en s'avançant par un mouvement plein de fierté, je vous prie de ne pas vous occuper de cette affaire. Mon père est maître chez lui. Tant que j'habiterai sa maison, je dois lui obéir. Sa conduite ne saurait être soumise à l'approbation ni à la désapprobation du monde, il n'en est comptable qu'à Dieu. Je réclame de votre amitié le plus profond silence à cet égard. Blâmer mon père serait attaquer notre propre considéra-tion. Je vous sais gré, messieurs, de l'intérêt que vous me témoignez ; mais vous m'obligeriez davan-tage si vous vouliez faire cesser les bruits offen-sants qui courent par la ville, et desquels j'ai été instruite par hasard.

— Elle a raison, dit Mme Grandet.

— Mademoiselle, la meilleure manière d'empêcher le monde de jaser est de vous faire rendre la liberté, lui répondit respectueusement le vieux notaire frappé de la beauté que la retraite, la mélancolie et l'amour avaient imprimée à Eugénie.

— Eh bien, ma fille, laisse à M. Cruchot le soin d'arranger cette affaire, puisqu'il répond du succès. Il connaît ton père et sait comment il faut le prendre. Si tu veux me voir heureuse pendant le peu de temps qui me reste à vivre, il faut, à tout prix, que ton père et toi vous soyez réconciliés. »

Le lendemain, suivant une habitude prise par Grandet depuis la réclusion d'Eugénie, il vint faire un certain nombre de tours dans son petit jardin. Il avait pris pour cette promenade le moment où Eugénie se peignait. Quand le bonhomme arrivait au gros noyer, il se cachait derrière le tronc de l'arbre, restait pendant quelques instants à contempler les longs cheveux de sa fille, et flottait sans doute entre les pensées que lui suggérait la ténacité de son caractère et le désir d'embrasser son enfant. Souvent il demeurait assis sur le petit banc de bois pourri où Charles et Eugénie s'étaient juré un éternel amour, pendant qu'elle regardait aussi son père à la dérobée ou dans son miroir. S'il se levait et recommençait sa promenade, elle s'asseyait complaisamment à la fenêtre et se mettait à examiner le pan de mur où pendaient les plus jolies fleurs, d'où sortaient, d'entre les crevasses, des cheveux de Vénus, des liserons et une plante grasse, jaune ou blanche, un *sedum* très abondant dans les vignes à Saumur et à Tours. Me Cruchot vint de bonne heure et trouva le vieux vigneron assis par un beau jour de juin[1] sur le petit banc, le dos appuyé au mur mitoyen, occupé à voir sa fille.

« Qu'y a-t-il pour votre service, maître Cruchot ? dit-il en apercevant le notaire.

— Je viens vous parler d'affaires.

— Ah ! ah ! avez-vous un peu d'or à me donner contre des écus ?

— Non, non, il ne s'agit pas d'argent, mais de votre fille Eugénie. Tout le monde parle d'elle et de vous.

— De quoi se mêle-t-on ? Charbonnier est maître chez lui.

— D'accord, le charbonnier est maître de se tuer aussi, ou, ce qui est pis, de jeter son argent par les fenêtres.

— Comment cela ?

— Eh ! mais votre femme est très malade, mon ami. Vous devriez même consulter M. Bergerin, elle est en danger de mort. Si elle venait à mourir sans avoir été soignée comme il faut, vous ne seriez pas tranquille, je le crois.

— Ta ! ta ! ta ! ta ! vous savez ce qu'a ma femme ! Ces médecins, une fois qu'ils ont mis le pied chez vous, ils viennent des cinq à six fois par jour.

— Enfin, Grandet, vous ferez comme vous l'entendrez. Nous sommes de vieux amis ; il n'y a pas, dans tout Saumur, un homme qui prenne plus que moi d'intérêt à ce qui vous concerne ; j'ai donc dû vous dire cela. Maintenant, arrive qui plante[2], vous êtes majeur, vous savez vous conduire, allez. Ceci n'est d'ailleurs pas l'affaire qui m'amène. Il s'agit de quelque chose de plus grave pour vous, peut-être. Après tout, vous n'avez pas envie de tuer votre femme, elle vous est trop utile. Songez donc à la situation où vous seriez, vis-à-vis votre fille, si Mme Grandet mourait. Vous devriez des comptes à Eugénie, puisque vous êtes commun en biens avec votre femme. Votre fille sera en droit de réclamer le partage de votre fortune, de faire vendre Froidfond. Enfin, elle succède à sa mère, de qui vous ne pouvez pas hériter. »

Ces paroles furent un coup de foudre pour le bonhomme, qui n'était pas aussi fort en législation qu'il pouvait l'être en commerce. Il n'avait jamais pensé à une licitation[1].

« Ainsi je vous engage à la traiter avec douceur, dit Cruchot en terminant.

— Mais savez-vous ce qu'elle a fait, Cruchot ?

— Quoi ? dit le notaire curieux de recevoir une confidence du père Grandet et de connaître la cause de la querelle.

— Elle a donné son or.

— Eh bien, était-il à elle ? demanda le notaire.

— Ils me disent tous cela ! dit le bonhomme en laissant tomber ses bras par un mouvement tragique.

— Allez-vous, pour une misère, reprit Cruchot, mettre des entraves aux concessions que vous lui demanderez de vous faire à la mort de sa mère ?

— Ah ! vous appelez six mille francs d'or une misère ?

— Eh ! mon vieil ami, savez-vous ce que coûtera l'inventaire et le partage de la succession de votre femme si Eugénie l'exige ?

— Quoi ?

— Deux, ou trois, quatre cent mille francs peut-être ! Ne faudra-t-il pas liciter, et vendre pour connaître la véritable valeur ? au lieu qu'en vous entendant...

— Par la serpette de mon père ! s'écria le vigneron qui s'assit en pâlissant, nous verrons ça, Cruchot. »

Après un moment de silence ou d'agonie, le bonhomme regarda le notaire en lui disant : « La vie est bien dure ! Il s'y trouve bien des douleurs. Cruchot, reprit-il solennellement, vous ne voulez pas me tromper, jurez-moi sur l'honneur que ce que vous me chantez là est fondé en droit. Montrez-moi le Code, je veux voir le Code !

— Mon pauvre ami, répondit le notaire, ne sais-je pas mon métier ?

— Cela est donc bien vrai. Je serai dépouillé, trahi, tué, dévoré par ma fille.

— Elle hérite de sa mère.

— À quoi servent donc les enfants ! Ah ! ma femme, je l'aime. Elle est solide heureusement. C'est une La Bertellière.

— Elle n'a pas un mois à vivre. »

Le tonnelier se frappa le front, marcha, revint, et, jetant un regard effrayant à Cruchot : « Comment faire ? lui dit-il.

— Eugénie pourra renoncer purement et simplement à la succession de sa mère. Vous ne voulez pas la déshériter, n'est-ce pas ? Mais, pour obtenir un partage de ce genre, ne la rudoyez pas. Ce que je vous dis là, mon vieux, est contre mon intérêt.

Qu'ai-je à faire, moi ?… des liquidations, des inventaires, des ventes, des partages…

— Nous verrons, nous verrons. Ne parlons plus de cela, Cruchot. Vous me tribouillez les entrailles. Avez-vous reçu de l'or ?

— Non ; mais j'ai quelques vieux louis, une dizaine, je vous les donnerai. Mon bon ami, faites la paix avec Eugénie. Voyez-vous, tout Saumur vous jette la pierre.

— Les drôles !

— Allons, les rentes sont à 99. Soyez donc content une fois dans la vie.

— À 99, Cruchot ?

— Oui.

— Eh ! eh ! 99 ! » dit le bonhomme en reconduisant le vieux notaire jusqu'à la porte de la rue. Puis, trop agité par ce qu'il venait d'entendre pour rester au logis, il monta chez sa femme et lui dit : « Allons, la mère, tu peux passer la journée avec ta fille, je vas à Froidfond. Soyez gentilles toutes deux. C'est le jour de notre mariage, ma bonne femme : tiens, voilà dix écus pour ton reposoir de la Fête-Dieu. Il y a assez longtemps que tu veux en faire un, régale-toi ! Amusez-vous, soyez joyeuses, portez-vous bien. Vive la joie ! » Il jeta dix écus de six francs sur le lit de sa femme et lui prit la tête pour la baiser au front. « Bonne femme, tu vas mieux, n'est-ce pas ?

— Comment pouvez-vous penser à recevoir dans votre maison le Dieu qui pardonne en tenant votre fille exilée de votre cœur ? dit-elle avec émotion.

— Ta, ta, ta, ta, ta, dit le père d'une voix caressante, nous verrons cela.

— Bonté du ciel ! Eugénie, cria la mère en rougissant de joie, viens embrasser ton père ? il te pardonne ! »

Mais le bonhomme avait disparu. Il se sauvait à toutes jambes vers ses closeries en tâchant de mettre en ordre ses idées renversées. Grandet commençait alors sa soixante-seizième année. Depuis deux ans principalement, son avarice s'était accrue comme s'accroissent toutes les passions persistantes de l'homme. Suivant une observation faite sur les avares, sur les ambitieux, sur tous les gens dont la vie a été consacrée à une idée dominante, son sentiment avait affectionné plus particulièrement un symbole de sa passion. La vue de l'or, la possession de l'or était devenue sa monomanie. Son esprit de despotisme avait grandi en proportion de son avarice, et abandonner la direction de la moindre partie de ses biens à la mort de sa femme lui paraissait une chose *contre nature*. Déclarer sa fortune à sa fille, inventorier l'universalité de ses biens meubles et immeubles pour les liciter ?... « Ce serait à se couper la gorge », dit-il tout haut au milieu d'un clos en examinant les ceps. Enfin il prit son parti, revint à Saumur à l'heure du dîner, résolu de plier devant Eugénie, de la cajoler, de l'amadouer afin de pouvoir mourir royalement en tenant jusqu'au dernier soupir les rênes de ses millions. Au moment où le bonhomme, qui par hasard avait pris son passe-partout, montait l'escalier à pas de loup pour venir chez sa femme, Eugénie avait apporté sur le lit de sa mère le beau nécessaire. Toutes deux, en l'absence de Grandet, se donnaient le plaisir de voir le portrait de Charles, en examinant celui de sa mère.

« C'est tout à fait son front et sa bouche ! » disait Eugénie au moment où le vigneron ouvrit la porte. Au regard que jeta son mari sur l'or, Mme Grandet cria : « Mon Dieu, ayez pitié de nous ! »

Le bonhomme sauta sur le nécessaire comme un tigre fond sur un enfant endormi. « Qu'est-ce que c'est que cela ? dit-il en emportant le trésor et allant se placer à la fenêtre. Du bon or ! de l'or ! s'écria-t-il. Beaucoup d'or ! ça pèse deux livres. Ah ! ah ! Charles t'a donné cela contre tes belles pièces. Hein ! pourquoi ne me l'avoir pas dit ? C'est une bonne affaire, fifille ! Tu es ma fille, je te reconnais. » Eugénie tremblait de tous ses membres. « N'est-ce pas, ceci est à Charles ? reprit le bonhomme.

— Oui, mon père, ce n'est pas à moi. Ce meuble est un dépôt sacré.

— Ta ! ta ! ta ! il a pris ta fortune, faut te rétablir ton petit trésor.

— Mon père ?... »

Le bonhomme voulut prendre son couteau pour faire sauter une plaque d'or, et fut obligé de poser le nécessaire sur une chaise. Eugénie s'élança pour le ressaisir ; mais le tonnelier, qui avait tout à la fois l'œil à sa fille et au coffret, la repoussa si violemment en étendant le bras qu'elle alla tomber sur le lit de sa mère.

« Monsieur, monsieur », cria la mère en se dressant sur son lit.

Grandet avait tiré son couteau et s'apprêtait à soulever l'or.

« Mon père, cria Eugénie en se jetant à genoux et marchant ainsi pour arriver plus près du bon-homme et lever les mains vers lui, mon père, au nom de tous les Saints et de la Vierge, au nom du Christ, qui est mort sur la croix ; au nom de votre salut éternel, mon père, au nom de ma vie, ne touchez pas à ceci ! Cette toilette n'est ni à vous ni à moi ; elle est à un malheureux parent qui me l'a confiée, et je dois la lui rendre intacte.

— Pourquoi la regardais-tu, si c'est un dépôt ? Voir, c'est pis que toucher.

— Mon père, ne la détruisez pas, ou vous me déshonorez. Mon père, entendez-vous ?

— Monsieur, grâce ! dit la mère.

— Mon père », cria Eugénie d'une voix si écla-tante que Nanon effrayée monta. Eugénie sauta sur un couteau qui était à sa portée et s'en arma.

« Eh bien ? lui dit froidement Grandet en sou-riant à froid.

— Monsieur, monsieur, vous m'assassinez ! dit la mère.

— Mon père, si votre couteau entame seule-ment une parcelle de cet or, je me perce de celui-ci. Vous avez déjà rendu ma mère mortellement malade, vous tuerez encore votre fille. Allez main-tenant, blessure pour blessure ? »

Grandet tint son couteau sur le nécessaire, et regarda sa fille en hésitant.

« En serais-tu donc capable, Eugénie ? dit-il.

— Oui, monsieur, dit la mère.

— Elle le ferait comme elle le dit, cria Nanon.

Soyez donc raisonnable, monsieur, une fois dans votre vie. » Le tonnelier regarda l'or et sa fille alternativement pendant un instant. Mme Grandet s'évanouit. « Là, voyez-vous, mon cher monsieur ? madame se meurt, cria Nanon.

— Tiens, ma fille, ne nous brouillons pas pour un coffre. Prends donc ! s'écria vivement le tonnelier en jetant la toilette sur le lit. — Toi, Nanon, va chercher M. Bergerin. — Allons, la mère, dit-il en baisant la main de sa femme, ce n'est rien, va : nous avons fait la paix. Pas vrai, fifille ? Plus de pain sec, tu mangeras tout ce que tu voudras. Ah ! elle ouvre les yeux. Eh bien, la mère, mémère, timère, allons donc ! Tiens, vois, j'embrasse Eugénie. Elle aime son cousin, elle l'épousera si elle veut, elle lui gardera le petit coffre. Mais vis longtemps, ma pauvre femme. Allons, remue donc ! Écoute, tu auras le plus beau reposoir qui se soit jamais fait à Saumur.

— Mon Dieu, pouvez-vous traiter ainsi votre femme et votre enfant ! dit d'une voix faible Mme Grandet.

— Je ne le ferai plus, plus, cria le tonnelier. Tu vas voir, ma pauvre femme. » Il alla à son cabinet, et revint avec une poignée de louis qu'il éparpilla sur le lit. « Tiens, Eugénie, tiens, ma femme, voilà pour vous, dit-il en maniant les louis. Allons, égaie-toi, ma femme ; porte-toi bien, tu ne manqueras de rien ni Eugénie non plus. Voilà cent louis d'or pour elle. Tu ne les donneras pas, Eugénie, ceux-là, hein ? »

Mme Grandet et sa fille se regardèrent étonnées.

« Reprenez-les, mon père ; nous n'avons besoin que de votre tendresse.

— Eh bien, c'est ça, dit-il en empochant les louis, vivons comme de bons amis. Descendons tous dans la salle pour dîner, pour jouer au loto tous les soirs à deux sous. Faites vos farces ! Hein, ma femme ?

— Hélas ! je le voudrais bien, puisque cela peut vous être agréable, dit la mourante ; mais je ne saurais me lever.

— Pauvre mère, dit le tonnelier, tu ne sais pas combien je t'aime. Et toi, ma fille ! » Il la serra, l'embrassa. « Oh ! comme c'est bon d'embrasser sa fille après une brouille ! ma fifille ! Tiens, vois-tu, mémère, nous ne faisons qu'un maintenant. Va donc serrer cela, dit-il à Eugénie en lui montrant le coffret. Va, ne crains rien. Je ne t'en parlerai plus, jamais. »

M. Bergerin, le plus célèbre médecin de Saumur, arriva bientôt. La consultation finie, il déclara positivement à Grandet que sa femme était bien mal, mais qu'un grand calme d'esprit, un régime doux et des soins minutieux pourraient reculer l'époque de sa mort vers la fin de l'automne.

« Ça coûtera-t-il cher ? dit le bonhomme, faut-il des drogues ?

— Peu de drogues, mais beaucoup de soins, répondit le médecin qui ne put retenir un sourire.

— Enfin, monsieur Bergerin, répondit Grandet, vous êtes un homme d'honneur, pas vrai ? Je me fie à vous, venez voir ma femme toutes et quantes fois[1] vous le jugerez convenable. Conservez-moi ma bonne femme ; je l'aime beaucoup, voyez-vous, sans que ça paraisse, parce que, chez moi, tout se passe en dedans et me trifouille l'âme. J'ai du

chagrin. Le chagrin est entré chez moi avec la
mort de mon frère pour lequel je dépense, à Paris,
des sommes... les yeux de la tête, enfin ! et ça ne
finit point. Adieu, monsieur, si l'on peut sauver ma
femme, sauvez-la, quand même il faudrait dépenser pour ça cent ou deux cents francs. »

Malgré les souhaits fervents que Grandet faisait
pour la santé de sa femme, dont la succession
ouverte était une première mort pour lui ; malgré
la complaisance qu'il manifestait en toute occasion pour les moindres volontés de la mère et de la
fille étonnées ; malgré les soins les plus tendres
prodigués par Eugénie, Mme Grandet marcha
rapidement vers la mort. Chaque jour elle s'af-
faiblissait et dépérissait comme dépérissent la
plupart des femmes atteintes, à cet âge, par la
maladie. Elle était frêle autant que les feuilles des
arbres en automne. Les rayons du ciel la faisaient
resplendir comme ces feuilles que le soleil traverse
et dore. Ce fut une mort digne de sa vie, une mort
toute chrétienne ; n'est-ce pas dire sublime ? Au
mois d'octobre 1822[1] éclatèrent particulièrement
ses vertus, sa patience d'ange et son amour pour
sa fille ; elle s'éteignit sans avoir laissé échapper
la moindre plainte. Agneau sans tache, elle allait
au ciel, et ne regrettait ici-bas que la douce compagne de sa froide vie, à laquelle ses derniers
regards semblaient prédire mille maux. Elle tremblait de laisser cette brebis, blanche comme elle,
seule au milieu d'un monde égoïste qui voulait lui
arracher sa toison, ses trésors.

« Mon enfant, lui dit-elle avant d'expirer, il n'y a
de bonheur que dans le ciel, tu le sauras un jour. »

Le lendemain de cette mort, Eugénie trouva de nouveaux motifs de s'attacher à cette maison où elle était née, où elle avait tant souffert, où sa mère venait de mourir. Elle ne pouvait contempler la croisée et la chaise à patins dans la salle sans verser des pleurs. Elle crut avoir méconnu l'âme de son vieux père en se voyant l'objet de ses soins les plus tendres : il venait lui donner le bras pour descendre au déjeuner ; il la regardait d'un œil presque bon pendant des heures entières ; enfin il la couvait comme si elle eût été d'or. Le vieux tonnelier se ressemblait si peu à lui-même, il tremblait tellement devant sa fille, que Nanon et les Cruchotins, témoins de sa faiblesse, l'attribuèrent à son grand âge, et craignirent ainsi quelque affaiblissement dans ses facultés ; mais le jour où la famille prit le deuil, après le dîner auquel fut convié Me Cruchot, qui seul connaissait le secret de son client, la conduite du bonhomme s'expliqua.

« Ma chère enfant, dit-il à Eugénie lorsque la table fut ôtée et les portes soigneusement closes, te voilà héritière de ta mère, et nous avons de petites affaires à régler entre nous deux. Pas vrai, Cruchot ?

— Oui.

— Est-il donc si nécessaire de s'en occuper aujourd'hui, mon père ?

— Oui, oui, fifille. Je ne pourrais pas durer dans l'incertitude où je suis. Je ne crois pas que tu veuilles me faire de la peine.

— Oh ! mon père.

— Hé bien, il faut arranger tout cela ce soir.

— Que voulez-vous donc que je fasse ?

— Mais, fifille, ça ne me regarde pas. Dites-lui donc, Cruchot.

— Mademoiselle, monsieur votre père ne voudrait ni partager, ni vendre ses biens, ni payer des droits énormes pour l'argent comptant qu'il peut posséder. Donc, pour cela, il faudrait se dispenser de faire l'inventaire de toute la fortune qui aujourd'hui se trouve indivise entre vous et monsieur votre père...

— Cruchot, êtes-vous bien sûr de cela, pour en parler ainsi devant un enfant?

— Laissez-moi dire, Grandet.

— Oui, oui, mon ami. Ni vous ni ma fille ne voulez me dépouiller. N'est-ce pas, fifille?

— Mais, monsieur Cruchot, que faut-il que je fasse? demanda Eugénie impatientée.

— Eh bien, dit le notaire, il faudrait signer cet acte par lequel vous renonceriez à la succession de madame votre mère, et laisseriez à votre père l'usufruit de tous les biens indivis entre vous, et dont il vous assure la nue propriété...

— Je ne comprends rien à tout ce que vous me dites, répondit Eugénie, donnez-moi l'acte, et montrez-moi la place où je dois signer. »

Le père Grandet regardait alternativement l'acte et sa fille, sa fille et l'acte, en éprouvant de si violentes émotions qu'il s'essuya quelques gouttes de sueur venues sur son front.

« Fifille, dit-il, au lieu de signer cet acte qui coûtera gros à faire enregistrer, si tu voulais renoncer purement et simplement à la succession de ta pauvre chère mère défunte, et t'en rapporter à moi pour l'avenir, j'aimerais mieux ça. Je te ferais alors tous les mois une bonne grosse rente de cent francs. Vois, tu pourrais payer autant de messes que tu voudrais à ceux pour lesquels tu en fais dire… Hein! cent francs par mois, en livres?

— Je ferai tout ce qu'il vous plaira, mon père.

— Mademoiselle, dit le notaire, il est de mon devoir de vous faire observer que vous vous dépouillez…

— Eh! mon Dieu, dit-elle, qu'est-ce que cela me fait?

— Tais-toi, Cruchot. C'est dit, c'est dit, s'écria Grandet en prenant la main de sa fille et y frappant avec la sienne. Eugénie, tu ne te dédiras point, tu es une honnête fille, hein?

— Oh! mon père?… »

Il l'embrassa avec effusion, la serra dans ses bras à l'étouffer.

« Va, mon enfant, tu donnes la vie à ton père; mais tu lui rends ce qu'il t'a donné: nous sommes quittes. Voilà comment doivent se faire les affaires. La vie est une affaire. Je te bénis! Tu es une vertueuse fille, qui aime bien son papa. Fais ce que tu voudras maintenant. À demain donc, Cruchot, dit-il en regardant le notaire épouvanté. Vous verrez à bien préparer l'acte de renonciation au greffe du tribunal. »

Le lendemain, vers midi, fut signée la déclaration par laquelle Eugénie accomplissait elle-même sa spoliation. Cependant, malgré sa parole, à la fin de la première année, le vieux tonnelier n'avait pas encore donné un sou des cent francs par mois si solennellement promis à sa fille. Aussi, quand Eugénie lui en parla plaisamment, ne put-il s'empêcher de rougir ; il monta vivement à son cabinet, revint, et lui présenta environ le tiers des bijoux qu'il avait pris à son neveu.

« Tiens, petite, dit-il d'un accent plein d'ironie, veux-tu ça pour tes douze cents francs ?

— Ô mon père ! vrai, me les donnez-vous ?

— Je t'en rendrai autant l'année prochaine, dit-il en les lui jetant dans son tablier. Ainsi en peu de temps tu auras toutes *ses* breloques », ajouta-t-il en se frottant les mains, heureux de pouvoir spéculer sur le sentiment de sa fille.

Néanmoins le vieillard, quoique robuste encore, sentit la nécessité d'initier sa fille aux secrets du ménage. Pendant deux années consécutives il lui fit ordonner en sa présence le menu de la maison, et recevoir les redevances. Il lui apprit lentement et successivement les noms, la contenance de ses clos, de ses fermes. Vers la troisième année il l'avait si bien accoutumée à toutes ses façons d'avarice, il les avait si véritablement tournées chez elle en habitudes, qu'il lui laissa sans crainte les clefs de la dépense, et l'institua la maîtresse au logis.

Cinq ans se passèrent sans qu'aucun événement marquât dans l'existence monotone d'Eugénie et de son père. Ce fut les mêmes actes constamment accomplis avec la régularité chronométrique des mouvements de la vieille pendule. La profonde mélancolie de Mlle Grandet n'était un secret pour personne ; mais, si chacun put en pressentir la cause, jamais un mot prononcé par elle ne justifia les soupçons que toutes les sociétés de Saumur formaient sur l'état du cœur de la riche héritière. Sa seule compagnie se composait des trois Cru-

chot et de quelques-uns de leurs amis qu'ils avaient
insensiblement introduits au logis. Ils lui avaient
appris à jouer au whist, et venaient tous les soirs
faire la partie. Dans l'année 1827, son père, sentant
le poids des infirmités, fut forcé de l'initier aux
secrets de sa fortune territoriale, et lui disait, en
cas de difficultés, de s'en rapporter à Cruchot
le notaire, dont la probité lui était connue. Puis,
vers la fin de cette année, le bonhomme fut enfin,
à l'âge de quatre-vingt-deux[1] ans, pris par une
paralysie qui fit de rapides progrès. Grandet fut
condamné par M. Bergerin. En pensant qu'elle
allait bientôt se trouver seule dans le monde, Eugénie se tint, pour ainsi dire, plus près de son père, et
serra plus fortement ce dernier anneau d'affection.
Dans sa pensée, comme dans celle de toutes les
femmes aimantes, l'amour était le monde entier,
et Charles n'était pas là. Elle fut sublime de soins
et d'attentions pour son vieux père, dont les
facultés commençaient à baisser, mais dont l'avarice se soutenait instinctivement. Aussi la mort
de cet homme ne contrasta-t-elle point avec sa vie.
Dès le matin il se faisait rouler entre la cheminée
de sa chambre et la porte de son cabinet, sans
doute plein d'or. Il restait là sans mouvement,
mais il regardait tour à tour avec anxiété ceux qui
venaient le voir et la porte doublée de fer. Il se
faisait rendre compte des moindres bruits qu'il
entendait ; et, au grand étonnement du notaire, il
entendait le bâillement de son chien dans la cour.
Il se réveillait de sa stupeur apparente au jour et
à l'heure où il fallait recevoir des fermages, faire
des comptes avec les closiers, ou donner des quit-

tances. Il agitait alors son fauteuil à roulettes jusqu'à ce qu'il se trouvât en face de la porte de son
cabinet. Il le faisait ouvrir par sa fille, et veillait
à ce qu'elle plaçât en secret elle-même les sacs
d'argent les uns sur les autres, à ce qu'elle fermât
la porte. Puis il revenait à sa place silencieusement
aussitôt qu'elle lui avait rendu la précieuse clef,
toujours placée dans la poche de son gilet, et qu'il
tâtait de temps en temps. D'ailleurs son vieil ami
le notaire, sentant que la riche héritière épouserait
nécessairement son neveu le président si Charles
Grandet ne revenait pas, redoubla de soins et
d'attentions : il venait tous les jours se mettre aux
ordres de Grandet, allait à son commandement à
Froidfond, aux terres, aux prés, aux vignes, vendait
les récoltes, et transmutait[1] tout en or et en argent
qui venait se réunir secrètement aux sacs empilés
dans le cabinet. Enfin arrivèrent les jours d'agonie,
pendant lesquels la forte charpente du bonhomme
fut aux prises avec la destruction. Il voulut rester
assis au coin de son feu, devant la porte de son
cabinet. Il attirait à lui et roulait toutes les cou-
vertures que l'on mettait sur lui, et disait à Nanon :
« Serre, serre ça, pour qu'on ne me vole pas. »
Quand il pouvait ouvrir les yeux, où toute sa vie
s'était réfugiée, il les tournait aussitôt vers la porte
du cabinet où gisaient ses trésors en disant à sa
fille : « Y sont-ils ? y sont-ils ? » d'un son de voix qui
dénotait une sorte de peur panique.

     « Oui, mon père.

     — Veille à l'or, mets de l'or devant moi. »

     Eugénie lui étendait des louis sur une table, et
il demeurait des heures entières les yeux attachés

sur les louis, comme un enfant qui, au moment où il commence à voir, contemple stupidement le même objet ; et, comme à un enfant, il lui échappait un sourire pénible.

« Ça me réchauffe ! » disait-il quelquefois en laissant paraître sur sa figure une expression de béatitude.

Lorsque le curé de la paroisse vint l'administrer, ses yeux, morts en apparence depuis quelques heures, se ranimèrent à la vue de la croix, des chandeliers, du bénitier d'argent qu'il regarda fixement, et sa loupe remua pour la dernière fois. Lorsque le prêtre lui approcha des lèvres le crucifix en vermeil pour lui faire baiser le Christ, il fit un épouvantable geste pour le saisir et ce dernier effort lui coûta la vie, il appela Eugénie, qu'il ne voyait pas quoiqu'elle fût agenouillée devant lui et qu'elle baignât de ses larmes une main déjà froide.

« Mon père, bénissez-moi ? demanda-t-elle.

— Aie bien soin de tout. Tu me rendras compte de ça là-bas », dit-il en prouvant par cette dernière parole que le christianisme doit être la religion des avares.

Eugénie Grandet se trouva donc seule au monde dans cette maison, n'ayant que Nanon à qui elle pût jeter un regard avec la certitude d'être entendue et comprise, Nanon, le seul être qui l'aimât pour elle et avec qui elle pût causer de ses chagrins. La Grande Nanon était une providence pour Eugénie. Aussi ne fut-elle plus une servante, mais une humble amie. Après la mort de son père, Eugénie apprit par Me Cruchot qu'elle possédait trois cent mille livres de rente en biens-fonds dans l'arrondissement de Saumur, six millions placés en trois pour cent[1] à soixante francs, et il valait alors soixante-dix-sept francs; plus deux millions en or et cent mille francs en écus, sans compter les arrérages à recevoir. L'estimation totale de ses biens allait à dix-sept millions.

« Où donc est mon cousin ? » se dit-elle.

Le jour où Me Cruchot remit à sa cliente l'état de la succession, devenue claire et liquide[2], Eugénie resta seule avec Nanon, assises l'une et l'autre de chaque côté de la cheminée de cette salle si vide, où tout était souvenir, depuis la chaise à patins sur laquelle s'asseyait sa mère jusqu'au verre dans lequel avait bu son cousin.

« Nanon, nous sommes seules…

— Oui, mademoiselle ; et, si je savais où il est, ce mignon, j'irais de mon pied le chercher.

— Il y a la mer entre nous », dit-elle.

Pendant que la pauvre héritière pleurait ainsi en compagnie de sa vieille servante, dans cette froide et obscure maison, qui pour elle composait tout l'univers, il n'était question de Nantes à Orléans que des dix-sept millions de Mlle Grandet. Un de ses premiers actes fut de donner douze cents francs de rente viagère à Nanon, qui, possédant déjà six cents autres francs, devint un riche parti. En moins d'un mois, elle passa de l'état de fille à celui de femme sous la protection d'Antoine Cornoiller, qui fut nommé garde général des terres et propriétés de Mlle Grandet. Mme Cornoiller eut sur ses contemporaines un immense avantage. Quoiqu'elle eût cinquante-neuf ans[3], elle ne paraissait pas en avoir plus de quarante. Ses gros traits

avaient résisté aux attaques du temps. Grâce
au régime de sa vie monastique, elle narguait la
vieillesse par un teint coloré, par une santé de fer.
Peut-être n'avait-elle jamais été aussi bien qu'elle
le fut au jour de son mariage. Elle eut les bénéfices
de sa laideur, et apparut grosse, grasse, forte, ayant
sur sa figure indestructible un air de bonheur qui
fit envier par quelques personnes le sort de Cornoiller. « Elle est bon teint, disait le drapier. — Elle
est capable de faire des enfants, dit le marchand
de sel ; elle s'est conservée comme dans de la sau-
mure, sous votre respect[1]. — Elle est riche, et le
gars Cornoiller fait un bon coup », disait un autre
voisin. En sortant du vieux logis, Nanon, qui était
aimée de tout le voisinage, ne reçut que des compliments en descendant la rue tortueuse pour se
rendre à la paroisse. Pour présent de noce, Eugénie
lui donna trois douzaines de couverts. Cornoiller,
surpris d'une telle magnificence, parlait de sa maîtresse les larmes aux yeux : il se serait fait hacher
pour elle. Devenue la femme de confiance d'Eugénie, Mme Cornoiller eut désormais un bonheur
égal pour elle à celui de posséder un mari. Elle
avait enfin une dépense à ouvrir, à fermer, des provisions à donner le matin, comme faisait son
défunt maître. Puis elle eut à régir deux domestiques, une cuisinière et une femme de chambre
chargée de raccommoder le linge de la maison, de
faire les robes de mademoiselle. Cornoiller cumula
les fonctions de garde et de régisseur. Il est inutile
de dire que la cuisinière et la femme de chambre
choisies par Nanon étaient de véritables *perles*.
Mlle Grandet eut ainsi quatre serviteurs dont le

dévouement était sans bornes. Les fermiers ne
s'aperçurent donc pas de la mort du bonhomme,
tant il avait sévèrement établi les usages et coutumes de son administration, qui fut soigneusement continuée par M. et Mme Cornoiller.

À trente ans, Eugénie ne connaissait encore
aucune des félicités de la vie. Sa pâle et triste
enfance s'était écoulée auprès d'une mère dont le
cœur méconnu, froissé, avait toujours souffert. En
quittant avec joie l'existence, cette mère plaignit
sa fille d'avoir à vivre, et lui laissa dans l'âme de
légers remords et d'éternels regrets. Le premier, le
seul amour d'Eugénie était, pour elle, un principe
de mélancolie. Après avoir entrevu son amant pendant quelques jours, elle lui avait donné son cœur
entre deux baisers furtivement acceptés et reçus ;
puis, il était parti, mettant tout un monde entre
elle et lui. Cet amour, maudit par son père, lui
avait presque coûté sa mère, et ne lui causait que
des douleurs mêlées de frêles espérances. Ainsi
jusqu'alors elle s'était élancée vers le bonheur en
perdant ses forces, sans les échanger. Dans la vie
morale, aussi bien que dans la vie physique, il
existe une aspiration et une respiration : l'âme a
besoin d'absorber les sentiments d'une autre âme,
de se les assimiler pour les lui restituer plus riches.
Sans ce beau phénomène humain, point de vie au
cœur ; l'air lui manque alors, il souffre, et dépérit.
Eugénie commençait à souffrir. Pour elle, la fortune n'était ni un pouvoir ni une consolation ; elle
ne pouvait exister que par l'amour, par la religion,
par sa foi dans l'avenir. L'amour lui expliquait
l'éternité. Son cœur et l'Évangile lui signalaient

deux mondes à attendre. Elle se plongeait nuit et
jour au sein de deux pensées infinies, qui pour elle
peut-être n'en faisaient qu'une seule. Elle se reti-
rait en elle-même, aimant, et se croyant aimée.
Depuis sept ans, sa passion avait tout envahi. Ses
trésors n'étaient pas les millions dont les revenus
s'entassaient, mais le coffret de Charles, mais les
deux portraits suspendus à son lit, mais les bijoux
rachetés à son père, étalés orgueilleusement sur
une couche de ouate dans un tiroir du bahut ;
mais le dé de sa tante duquel s'était servi sa mère,
et que tous les jours elle prenait religieusement
pour travailler à une broderie, ouvrage de Péné-
lope, entrepris seulement pour mettre à son doigt
cet or plein de souvenirs. Il ne paraissait pas vraisemblable que Mlle Grandet voulût se marier
durant son deuil. Sa piété vraie était connue. Aussi
la famille Cruchot, dont la politique était sagement dirigée par le vieil abbé, se contenta-t-elle de
cerner l'héritière, en l'entourant des soins les plus
affectueux. Chez elle, tous les soirs, la salle se remplissait d'une société composée des plus chauds
et des plus dévoués Cruchotins du pays qui s'efforçaient de chanter les louanges de la maîtresse du
logis sur tous les tons. Elle avait le médecin ordinaire de sa chambre, son grand aumônier, son
chambellan, sa première dame d'atours, son premier ministre, son chancelier surtout, un chancelier qui voulait lui tout dire. L'héritière eût-elle
désiré un porte-queue [1], on lui en aurait trouvé un.
C'était une reine, et la plus habilement adulée de
toutes les reines. La flatterie n'émane jamais des
grandes âmes, elle est l'apanage des petits esprits

qui réussissent à se rapetisser encore pour mieux
entrer dans la sphère vitale de la personne autour
de laquelle ils gravitent. La flatterie sous-entend
un intérêt. Aussi les personnes qui venaient meu-
bler tous les soirs la salle de Mlle Grandet, nommée par elles Mlle de Froidfond, réussissaient-
elles merveilleusement à l'accabler de louanges.
Ce concert d'éloges, nouveaux pour Eugénie, la fit
d'abord rougir ; mais insensiblement, et quelque
grossiers que fussent les compliments, son oreille
s'accoutuma si bien à entendre vanter sa beauté,
que si quelque nouveau venu l'eût trouvée laide, ce
reproche lui aurait été beaucoup plus sensible
alors que huit ans auparavant. Puis, elle finit par
aimer des douceurs qu'elle mettait secrètement
aux pieds de son idole. Elle s'habitua donc par
degrés à se laisser traiter en souveraine et à voir sa
cour pleine tous les soirs. M. le président de Bonfons était le héros de ce petit cercle, où son esprit,
sa personne, son instruction, son amabilité sans
cesse étaient vantés. L'un faisait observer que,
depuis sept ans, il avait beaucoup augmenté sa
fortune ; que Bonfons valait au moins dix mille
francs de rente et se trouvait enclavé, comme tous
les biens des Cruchot, dans les vastes domaines de
l'héritière. « Savez-vous, mademoiselle, disait un
habitué, que les Cruchot ont à eux quarante mille
livres de rente. — Et leurs économies, reprenait
une vieille Cruchotine, Mlle de Gribeaucourt. Un
monsieur de Paris est venu dernièrement offrir à
M. Cruchot deux cent mille francs de son étude. Il
doit la vendre, s'il peut être nommé juge de paix.
— Il veut succéder à M. de Bonfons dans la prési-

dence du tribunal, et prend ses précautions,
répondit Mme d'Orsonval ; car M. le président
deviendra conseiller, puis président à la Cour, il a
trop de moyens pour ne pas arriver. — Oui, c'est
un homme bien distingué, disait un autre. Ne
trouvez-vous pas, mademoiselle ? » M. le président
avait tâché de se mettre en harmonie avec le rôle
qu'il voulait jouer. Malgré ses quarante ans, malgré sa figure brune et rébarbative, flétrie comme le
sont presque toutes les physionomies judiciaires,
il se mettait en jeune homme, badinait avec un
jonc, ne prenait point de tabac chez Mlle de Froidfond, y arrivait toujours en cravate blanche, et en
chemise dont le jabot à gros plis lui donnait un air
de famille avec les individus du genre dindon. Il
parlait familièrement à la belle héritière, et lui
disait : « Notre chère Eugénie ! » Enfin, hormis le
nombre des personnages, en remplaçant le loto
par le whist, et en supprimant les figures de M. et
de Mme Grandet, la scène par laquelle commence
cette histoire était à peu près la même que par
le passé. La meute poursuivait toujours Eugénie
et ses millions ; mais la meute plus nombreuse
aboyait mieux, et cernait sa proie avec ensemble.
Si Charles fût arrivé du fond des Indes, il eût donc
retrouvé les mêmes personnages et les mêmes
intérêts. Mme des Grassins, pour laquelle Eugénie
était parfaite de grâce et de bonté, persistait à
tourmenter les Cruchot. Mais alors, comme autrefois, la figure d'Eugénie eût dominé le tableau ;
comme autrefois, Charles eût encore été là le souverain. Néanmoins il y avait un progrès. Le bouquet présenté jadis à Eugénie aux jours de sa fête

par le président était devenu périodique. Tous les
soirs il apportait à la riche héritière un gros et
magnifique bouquet que Mme Cornoiller mettait
ostensiblement dans un bocal, et jetait secrètement dans un coin de la cour, aussitôt les visiteurs
partis. Au commencement du printemps, Mme des
Grassins essaya de troubler le bonheur des Cruchotins en parlant à Eugénie du marquis de Froidfond, dont la maison ruinée pouvait se relever si
l'héritière voulait lui rendre sa terre par un contrat
de mariage. Mme des Grassins faisait sonner haut
la pairie, le titre de marquise, et, prenant le sourire
de dédain d'Eugénie pour une approbation, elle
allait disant que le mariage de M. le président Cruchot n'était pas aussi avancé qu'on le croyait.
« Quoique M. de Froidfond ait cinquante ans,
disait-elle, il ne paraît pas plus âgé que ne l'est
M. Cruchot ; il est veuf, il a des enfants, c'est vrai ;
mais il est marquis, il sera pair de France, et par le
temps qui court trouvez donc des mariages de cet
acabit. Je sais de science certaine que le père
Grandet, en réunissant tous ses biens à la terre
de Froidfond, avait l'intention de s'enter sur les
Froidfond. Il me l'a souvent dit. Il était malin, le
bonhomme. »

   « Comment, Nanon, dit un soir Eugénie en se
couchant, il ne m'écrira pas une fois en sept
ans ?... »

   Pendant que ces choses se passaient à Saumur,
Charles faisait fortune aux Indes. Sa pacotille
s'était d'abord très bien vendue. Il avait réalisé
promptement une somme de six mille dollars. Le
baptême de la Ligne lui fit perdre beaucoup de pré-

jugés ; il s'aperçut que le meilleur moyen d'arriver
à la fortune était, dans les régions intertropicales,
aussi bien qu'en Europe, d'acheter et de vendre
des hommes. Il vint donc sur les côtes d'Afrique et
fit la traite des nègres, en joignant à son commerce
d'hommes celui des marchandises les plus avanta-
geuses à échanger sur les divers marchés où l'ame-
naient ses intérêts. Il porta dans les affaires une
activité qui ne lui laissait aucun moment de libre.
Il était dominé par l'idée de reparaître à Paris
dans tout l'éclat d'une haute fortune, et de ressaisir
une position plus brillante encore que celle d'où il
était tombé. À force de rouler à travers les hommes
et les pays, d'en observer les coutumes contraires,
ses idées se modifièrent et il devint sceptique. Il
n'eut plus de notions fixes sur le juste et l'injuste,
en voyant taxer de crime dans un pays ce qui était
vertu dans un autre. Au contact perpétuel des intérêts, son cœur se refroidit, se contracta, se dessé-
cha. Le sang des Grandet ne faillit point à sa
destinée. Charles devint dur, âpre à la curée. Il vendit des Chinois, des nègres, des nids d'hirondelles,
des enfants, des artistes[1] ; il fit l'usure en grand.
L'habitude de frauder les droits de douane le rendit
moins scrupuleux sur les droits de l'homme. Il
allait alors à Saint-Thomas[2] acheter à vil prix les
marchandises volées par les pirates, et les portait
sur les places où elles manquaient. Si la noble et
pure figure d'Eugénie l'accompagna dans son premier voyage comme cette image de Vierge que
mettent sur leur vaisseau les marins espagnols, et
s'il attribua ses premiers succès à la magique
influence des vœux et des prières de cette douce

fille ; plus tard, les Négresses, les Mulâtresses, les
Blanches, les Javanaises, les Almées[1], ses orgies
de toutes les couleurs, et les aventures qu'il eut en
divers pays effacèrent complètement le souvenir
de sa cousine, de Saumur, de la maison, du banc,
du baiser pris dans le couloir. Il se souvenait seulement du petit jardin encadré de vieux murs, parce
que là sa destinée hasardeuse avait commencé ;
mais il reniait sa famille : son oncle était un vieux
chien qui lui avait filouté ses bijoux ; Eugénie
n'occupait ni son cœur ni ses pensées, elle occupait
une place dans ses affaires comme créancière
d'une somme de six mille francs. Cette conduite et
ces idées expliquent le silence de Charles Grandet.
Dans les Indes, à Saint-Thomas, à la côte d'Afrique,
à Lisbonne et aux États-Unis, le spéculateur avait
pris, pour ne pas compromettre son nom, le pseudonyme de Sepherd[2]. Carl Sepherd pouvait sans
danger se montrer partout infatigable, audacieux,
avide, en homme qui, résolu de faire fortune *quibuscumque viis*[3], se dépêche d'en finir avec l'infamie pour rester honnête homme pendant le restant
de ses jours. Avec ce système, sa fortune fut rapide
et brillante. En 1827 donc, il revenait à Bordeaux,
sur le *Marie-Caroline*, joli brick appartenant à
une maison de commerce royaliste[4]. Il possédait
dix-neuf mille francs en trois tonneaux de poudre
d'or bien cerclés, desquels il comptait tirer sept ou
huit pour cent en les monnayant à Paris. Sur ce
brick, se trouvait également un gentilhomme ordinaire de la chambre de S. M. le roi Charles X,
M. d'Aubrion, bon vieillard qui avait fait la folie
d'épouser une femme à la mode, et dont la fortune

était aux îles. Pour réparer les prodigalités de Mme d'Aubrion, il était allé réaliser ses propriétés. M. et Mme d'Aubrion, de la maison d'Aubrion-de-Busch, dont le dernier Captal mourut avant 1789[1], réduits à une vingtaine de mille livres de rente, avaient une fille assez laide que la mère voulait marier sans dot, sa fortune lui suffisant à peine pour vivre à Paris. C'était une entreprise dont le succès eût semblé problématique à tous les gens du monde malgré l'habileté qu'ils prêtent aux femmes à la mode. Aussi Mme d'Aubrion elle-même désespérait-elle presque, en voyant sa fille, d'en embarrasser qui que ce fût, fût-ce même un homme ivre de noblesse. Mlle d'Aubrion était une demoiselle longue comme l'insecte, son homonyme[2], maigre, fluette, à bouche dédaigneuse, sur laquelle descendait un nez trop long, gros du bout, flavescent à l'état normal, mais complètement rouge après les repas, espèce de phénomène végétal plus désagréable au milieu d'un visage pâle et ennuyé que dans tout autre. Enfin, elle était telle que pouvait la désirer une mère de trente-huit ans qui, belle encore, avait encore des prétentions. Mais, pour contrebalancer de tels désavantages, la marquise d'Aubrion avait donné à sa fille un air très distingué, l'avait soumise à une hygiène qui maintenait provisoirement le nez à un ton de chair raisonnable, lui avait appris l'art de se mettre avec goût, l'avait dotée de jolies manières, lui avait enseigné ces regards mélancoliques qui intéressent un homme et lui font croire qu'il va rencontrer l'ange si vainement cherché ; elle lui avait montré la manœuvre du pied, pour l'avancer à propos et en

faire admirer la petitesse, au moment où le nez
avait l'impertinence de rougir ; enfin, elle avait tiré
de sa fille un parti très satisfaisant. Au moyen de
manches larges, de corsages menteurs, de robes
bouffantes et soigneusement garnies, d'un corset à
haute pression, elle avait obtenu des produits fémi-
nins si curieux que, pour l'instruction des mères,
elle aurait dû les déposer dans un musée. Charles
se lia beaucoup avec Mme d'Aubrion, qui voulait
précisément se lier avec lui. Plusieurs personnes
prétendent même que, pendant la traversée, la
belle Mme d'Aubrion ne négligea aucun moyen
de capturer un gendre si riche. En débarquant
à Bordeaux, au mois de juin 1827[1], M., Mme,
Mlle d'Aubrion et Charles logèrent ensemble dans
le même hôtel et partirent ensemble pour Paris.
L'hôtel d'Aubrion était criblé d'hypothèques,
Charles devait le libérer. La mère avait déjà parlé
du bonheur qu'elle aurait de céder son rez-de-
chaussée à son gendre et à sa fille. Ne partageant
pas les préjugés de M. d'Aubrion sur la noblesse,
elle avait promis à Charles Grandet d'obtenir du
bon Charles X une ordonnance royale qui l'autori-
serait, lui Grandet, à porter le nom d'Aubrion, à en
prendre les armes, et à succéder, moyennant la
constitution d'un majorat de trente-six mille livres
de rente, à Aubrion, dans le titre de Captal de Buch
et marquis d'Aubrion. En réunissant leurs fortunes, vivant en bonne intelligence, et moyennant
des sinécures, on pourrait réunir cent et quelques
mille livres de rente à l'hôtel d'Aubrion. « Et quand
on a cent mille livres de rente, un nom, une famille,
que l'on va à la cour, car je vous ferai nommer

gentilhomme de la chambre, on devient tout ce qu'on veut être, disait-elle à Charles. Ainsi vous serez, à votre choix, maître des requêtes au conseil d'État, préfet, secrétaire d'ambassade, ambassadeur. Charles X aime beaucoup d'Aubrion, ils se connaissent depuis l'enfance. »

Enivré d'ambition par cette femme, Charles avait caressé, pendant la traversée, toutes ces espérances qui lui furent présentées par une main habile, et sous forme de confidences versées de cœur à cœur. Croyant les affaires de son père arrangées par son oncle, il se voyait ancré tout à coup dans le faubourg Saint-Germain, où tout le monde voulait alors entrer, et où, à l'ombre du nez bleu de Mlle Mathilde, il reparaissait en comte d'Aubrion, comme les Dreux reparurent un jour en Brézé[1]. Ébloui par la prospérité de la Restauration qu'il avait laissée chancelante, saisi par l'éclat des idées aristocratiques, son enivrement commencé sur le vaisseau se maintint à Paris où il résolut de tout faire pour arriver à la haute position que son égoïste belle-mère lui faisait entrevoir. Sa cousine n'était donc plus pour lui qu'un point dans l'espace de cette brillante perspective. Il revit Annette. En femme du monde, Annette conseilla vivement à son ancien ami de contracter cette alliance, et lui promit son appui dans toutes ses entreprises ambitieuses. Annette était enchantée de faire épouser une demoiselle laide et ennuyeuse à Charles, que le séjour des Indes avait rendu très séduisant : son teint avait bruni, ses manières étaient devenues décidées, hardies, comme le sont celles des hommes habitués à trancher, à dominer, à réussir.

Charles respira plus à l'aise dans Paris, en voyant qu'il pouvait y jouer un rôle. Des Grassins, apprenant son retour, son mariage prochain, sa fortune, le vint voir pour lui parler des trois cent mille francs moyennant lesquels il pouvait acquitter les dettes de son père. Il trouva Charles en conférence avec le joaillier auquel il avait commandé des bijoux pour la corbeille de Mlle d'Aubrion, et qui lui en montrait les dessins. Malgré les magnifiques diamants que Charles avait rapportés des Indes, les façons, l'argenterie, la joaillerie solide et futile du jeune ménage allaient encore à plus de deux cent mille francs. Charles reçut des Grassins, qu'il ne reconnut pas, avec l'impertinence d'un jeune homme à la mode, qui, dans les Indes, avait tué quatre hommes en différents duels. M. des Grassins était déjà venu trois fois, Charles l'écouta froidement ; puis il lui répondit, sans l'avoir bien compris : « Les affaires de mon père ne sont pas les miennes. Je vous suis obligé, monsieur, des soins que vous avez bien voulu prendre, et dont je ne saurais profiter. Je n'ai pas ramassé presque deux millions à la sueur de mon front pour aller les flanquer à la tête des créanciers de mon père.

— Et si monsieur votre père était, d'ici à quelques jours, déclaré en faillite ?

— Monsieur, d'ici à quelques jours, je me nommerai le comte d'Aubrion. Vous entendez bien que ce me sera parfaitement indifférent. D'ailleurs, vous savez mieux que moi que quand un homme a cent mille livres de rente, son père n'a jamais fait faillite », ajouta-t-il en poussant poliment le sieur des Grassins vers la porte.

Au commencement du mois d'août de cette année, Eugénie était assise sur le petit banc de bois où son cousin lui avait juré un éternel amour, et où elle venait déjeuner quand il faisait beau. La pauvre fille se complaisait en ce moment, par la plus fraîche, la plus joyeuse matinée, à repasser dans sa mémoire les grands, les petits événements de son amour, et les catastrophes dont il avait été suivi. Le soleil éclairait le joli pan de mur tout fendillé, presque en ruines, auquel il était défendu de toucher, de par la fantasque héritière, quoique Cornoiller répétât souvent à sa femme qu'on serait écrasé dessous quelque jour. En ce moment, le facteur de poste frappa, remit une lettre à Mme Cornoiller, qui vint au jardin en criant : « Mademoiselle, une lettre ! » Elle la donna à sa maîtresse en lui disant : « C'est-y celle que vous attendez ? »

Ces mots retentirent aussi fortement au cœur d'Eugénie qu'ils retentirent réellement entre les murailles de la cour et du jardin.

« Paris ! C'est de lui. Il est revenu. »

Eugénie pâlit, et garda la lettre pendant un moment. Elle palpitait trop vivement pour pouvoir la décacheter et la lire. La Grande Nanon resta debout, les deux mains sur les hanches, et la joie semblait s'échapper comme une fumée par les crevasses de son brun visage.

« Lisez donc, mademoiselle...

— Ah ! Nanon, pourquoi revient-il par Paris, quand il s'en est allé par Saumur ?

— Lisez, vous le saurez. »

Eugénie décacheta la lettre en tremblant. Il en

tomba un mandat sur la maison *Madame des Grassins et Corret* de Saumur. Nanon le ramassa.

« Ma chère cousine… »

« Je ne suis plus Eugénie », pensa-t-elle. Et son cœur se serra.

« Vous… »

« Il me disait *tu* ! »

Elle se croisa les bras, n'osa plus lire la lettre, et de grosses larmes lui vinrent aux yeux.

« Est-il mort ? demanda Nanon.

— Il n'écrirait pas », dit Eugénie.

Elle lut toute la lettre que voici.

« Ma chère cousine, vous apprendrez, je le crois, avec plaisir, le succès de mes entreprises. Vous m'avez porté bonheur, je suis revenu riche, et j'ai suivi les conseils de mon oncle, dont la mort et celle de ma tante viennent de m'être apprises par M. des Grassins. La mort de nos parents est dans la nature, et nous devons leur succéder. J'espère que vous êtes aujourd'hui consolée. Rien ne résiste au temps, je l'éprouve. Oui, ma chère cousine, mal-heureusement pour moi, le moment des illusions est passé. Que voulez-vous ! En voyageant à travers de nombreux pays, j'ai réfléchi sur la vie. D'enfant que j'étais au départ, je suis devenu homme au retour. Aujourd'hui, je pense à bien des choses aux-quelles je ne songeais pas autrefois. Vous êtes libre, ma cousine, et je suis libre encore ; rien n'empêche, en apparence, la réalisation de nos petits projets ; mais j'ai trop de loyauté dans le caractère pour vous cacher la situation de mes affaires. Je n'ai point oublié que je ne m'appartiens pas ; je me suis toujours souvenu dans mes longues traversées du petit banc de bois... »

Eugénie se leva comme si elle eût été sur des charbons ardents, et alla s'asseoir sur une des marches de la cour.

« ... du petit banc de bois où nous nous sommes juré de nous aimer toujours, du couloir, de la salle grise, de ma chambre en mansarde, et de la nuit où vous m'avez rendu, par votre délicate obligeance, mon avenir plus facile. Oui, ces souvenirs ont soutenu mon courage, et je me suis dit que vous pensiez toujours à moi comme je pensais souvent à vous, à l'heure convenue entre nous. Avez-vous bien regardé les nuages à neuf heures ? Oui, n'est-ce pas ? Aussi, ne veux-je pas trahir une amitié sacrée pour moi ; non, je ne dois point vous tromper. Il s'agit, en ce moment, pour moi, d'une alliance qui satisfait à toutes les idées que je me suis formées sur le mariage. L'amour, dans le mariage, est une chimère. Aujourd'hui mon expérience me dit qu'il faut obéir à toutes les lois sociales et réunir toutes les convenances voulues par le monde en se mariant. Or, déjà se trouve entre nous une différence d'âge[1] qui, peut-être, influerait plus sur votre avenir, ma chère cousine, que sur le mien. Je ne vous parlerai ni de vos mœurs, ni de votre éducation, ni de vos habitudes, qui ne sont nullement en rapport avec la vie de Paris, et ne cadreraient sans doute point avec mes projets ultérieurs. Il entre dans mes plans de tenir un grand état de maison, de recevoir beaucoup de monde, et je crois me souvenir que vous aimez une vie douce et tranquille. Non, je serai plus

franc, et veux vous faire arbitre de ma situation ; il
vous appartient de la connaître, et vous avez le
droit de la juger. Aujourd'hui je possède quatre-
vingt mille livres de rentes. Cette fortune me
permet de m'unir à la famille d'Aubrion, dont
l'héritière, jeune personne de dix-neuf ans, m'apporte en mariage son nom, un titre, la place de
gentilhomme honoraire de la chambre de Sa
Majesté, et une position des plus brillantes. Je
vous avouerai, ma chère cousine, que je n'aime
pas le moins du monde Mlle d'Aubrion ; mais, par
son alliance, j'assure à mes enfants une situation
sociale dont un jour les avantages seront incalcu-
lables : de jour en jour, les idées monarchiques
reprennent faveur. Donc, quelques années plus
tard, mon fils, devenu marquis d'Aubrion, ayant
un majorat de quarante mille livres de rente,
pourra prendre dans l'État telle place qu'il lui
conviendra de choisir. Nous nous devons à nos
enfants. Vous voyez, ma cousine, avec quelle
bonne foi je vous expose l'état de mon cœur, de
mes espérances et de ma fortune. Il est possible
que de votre côté vous ayez oublié nos enfantillages après sept années d'absence ; mais moi,
je n'ai oublié ni votre indulgence, ni mes paroles ;
je me souviens de toutes, même des plus légèrement données, et auxquelles un jeune homme
moins consciencieux que je ne le suis, ayant un
cœur moins jeune et moins probe, ne songerait
même pas. En vous disant que je ne pense qu'à
faire un mariage de convenance, et que je me souviens encore de nos amours d'enfant, n'est-ce pas
me mettre entièrement à votre discrétion, vous

rendre maîtresse de mon sort, et vous dire que, s'il faut renoncer à mes ambitions sociales, je me contenterai volontiers de ce simple et pur bonheur duquel vous m'avez offert de si touchantes images... »

« Tan, ta, ta. — Tan, ta, ti. — Tinn, ta, ta. — Toûn ! — Toûn, ta, ti. — Tinn, ta, ta... », etc., avait chanté Charles Grandet sur l'air de *Non più andrai*[1], en signant :

> « Votre dévoué cousin,
>
> « CHARLES. »

« Tonnerre de Dieu ! c'est y mettre des procédés », se dit-il. Et il avait cherché le mandat, et il avait ajouté ceci :

« P.-S. — Je joins à ma lettre un mandat sur la maison des Grassins de huit mille francs à votre ordre, et payable en or, comprenant intérêts et capital de la somme que vous avez eu la bonté de me prêter. J'attends de Bordeaux une caisse où se trouvent quelques objets que vous me permettrez de vous offrir en témoignage de mon éternelle reconnaissance. Vous pouvez renvoyer par la diligence ma toilette à l'hôtel d'Aubrion, rue Hillerin-Bertin[2]. »

« Par la diligence ! dit Eugénie. Une chose pour laquelle j'aurais donné mille fois ma vie ! »

Épouvantable et complet désastre. Le vaisseau sombrait sans laisser ni un cordage, ni une planche sur le vaste océan des espérances. En se voyant abandonnées, certaines femmes vont arracher leur amant aux bras d'une rivale, la tuent et s'enfuient au bout du monde, sur l'échafaud ou dans la tombe. Cela, sans doute, est beau ; le mobile de ce crime est une sublime passion qui impose à la Justice humaine. D'autres femmes baissent la tête et souffrent en silence ; elles vont mourantes et résignées, pleurant et pardonnant, priant et se souvenant jusqu'au dernier soupir. Ceci est de l'amour, l'amour vrai, l'amour des anges, l'amour fier qui vit de sa douleur et qui en meurt. Ce fut le sentiment d'Eugénie après avoir lu cette horrible lettre. Elle jeta ses regards au ciel, en pensant aux dernières paroles de sa mère, qui, semblable à quelques mourants, avait projeté sur l'avenir un coup d'œil pénétrant, lucide ; puis, Eugénie, se souvenant de cette mort et de cette vie prophétique, mesura d'un regard toute sa destinée. Elle n'avait plus qu'à déployer ses ailes, tendre au ciel, et vivre en prières jusqu'au jour de sa délivrance.

« Ma mère avait raison, dit-elle en pleurant. Souffrir et mourir. »

Elle vint à pas lents de son jardin dans la salle. Contre son habitude, elle ne passa point par le couloir ; mais elle retrouva le souvenir de son cousin dans ce vieux salon gris, sur la cheminée duquel était toujours une certaine soucoupe dont elle se servait tous les matins à son déjeuner, ainsi que du sucrier de vieux Sèvres. Cette matinée devait être solennelle et pleine d'événements pour elle. Nanon lui annonça le curé de la paroisse. Ce curé, parent des Cruchot, était dans les intérêts du président de Bonfons. Depuis quelques jours, le vieil abbé l'avait déterminé à parler à Mlle Grandet, dans un sens purement religieux, de l'obligation où elle était de contracter mariage. En voyant son pasteur, Eugénie crut qu'il venait chercher les mille francs qu'elle donnait mensuellement aux pauvres, et dit à Nanon de les aller chercher; mais le curé se prit à sourire.

« Aujourd'hui, mademoiselle, je viens vous parler d'une pauvre fille à laquelle toute la ville de Saumur s'intéresse, et qui, faute de charité pour elle-même, ne vit pas chrétiennement.

— Mon Dieu! monsieur le curé, vous me trouvez dans un moment où il m'est impossible de songer à mon prochain, je suis tout occupée de moi. Je suis bien malheureuse, je n'ai d'autre refuge que l'Église; elle a un sein assez large pour contenir toutes nos douleurs, et des sentiments assez féconds pour que nous puissions y puiser sans craindre de les tarir.

— Eh bien, mademoiselle, en nous occupant de cette fille nous nous occuperons de vous. Écoutez. Si vous voulez faire votre salut, vous n'avez que deux voies à suivre, ou quitter le monde ou en suivre les lois. Obéir à votre destinée terrestre ou à votre destinée céleste.

— Ah! votre voix me parle au moment où je voulais entendre une voix. Oui, Dieu vous adresse ici, monsieur. Je vais dire adieu au monde et vivre pour Dieu seul dans le silence et la retraite.

— Il est nécessaire, ma fille, de longtemps réfléchir à ce violent parti. Le mariage est une vie, le voile est une mort.

— Eh bien, la mort, la mort promptement, monsieur le curé, dit-elle avec une effrayante vivacité.

— La mort ! mais vous avez de grandes obligations à remplir envers la Société, mademoiselle. N'êtes-vous donc pas la mère des pauvres auxquels vous donnez des vêtements, du bois en hiver et du travail en été ? Votre grande fortune est un prêt qu'il faut rendre, et vous l'avez saintement acceptée ainsi. Vous ensevelir dans un couvent, ce serait de l'égoïsme ; quant à rester vieille fille, vous ne le devez pas. D'abord, pourriez-vous gérer seule votre immense fortune ? vous la perdriez peut-être. Vous auriez bientôt mille procès, et vous seriez angariée[1] en d'inextricables difficultés. Croyez votre pasteur : un époux vous est utile, vous devez conserver ce que Dieu vous a donné. Je vous parle comme à une ouaille chérie. Vous aimez trop sincèrement Dieu pour ne pas faire votre salut au milieu du monde, dont vous êtes un des plus beaux ornements, et auquel vous donnez de saints exemples. »

En ce moment, Mme des Grassins se fit annoncer. Elle venait amenée par la vengeance et par un grand désespoir.

« Mademoiselle, dit-elle. Ah ! voici M. le curé. Je me tais, je venais vous parler d'affaires, et je vois que vous êtes en grande conférence.

— Madame, dit le curé, je vous laisse le champ libre.

— Oh ! monsieur le curé, dit Eugénie, revenez dans quelques instants, votre appui m'est en ce moment bien nécessaire.

— Oui, ma pauvre enfant, dit Mme des Grassins.

— Que voulez-vous dire ? demandèrent Mlle Grandet et le curé.

— Ne sais-je pas le retour de votre cousin, son mariage avec Mlle d'Aubrion ?... Une femme n'a jamais son esprit dans sa poche. »

Eugénie rougit et resta muette ; mais elle prit le parti d'affecter à l'avenir l'impassible contenance qu'avait su prendre son père.

« Eh bien, madame, répondit-elle avec ironie, j'ai sans doute l'esprit dans ma poche, je ne comprends pas. Parlez, parlez devant M. le curé, vous savez qu'il est mon directeur.

— Eh bien, mademoiselle, voici ce que des Grassins m'écrit. Lisez. »

Eugénie lut la lettre suivante :

« Ma chère femme, Charles Grandet arrive des Indes, il est à Paris depuis un mois...

— Un mois ! » se dit Eugénie en laissant tomber sa main.

Après une pause, elle reprit la lettre.

« ... Il m'a fallu faire antichambre deux fois avant de pouvoir parler à ce futur vicomte d'Aubrion. Quoique tout Paris parle de son mariage, et que tous les bans soient publiés... »

— Il m'écrivait donc au moment où... » se dit Eugénie. Elle n'acheva pas, elle ne s'écria pas comme une Parisienne : « Le polisson ! » Mais pour ne pas être exprimé, le mépris n'en fut pas moins complet.

« ... Ce mariage est loin de se faire ; le marquis d'Aubrion ne donnera pas sa fille au fils d'un banqueroutier. Je suis venu lui faire part des soins que son oncle et moi nous avons donnés aux affaires de son père, et des habiles manœuvres par lesquelles nous avons su faire tenir les créanciers tranquilles jusqu'aujourd'hui. Ce petit impertinent n'a-t-il pas eu le front de me répondre, à moi qui, pendant cinq ans, me suis dévoué nuit et jour à ses intérêts et à son honneur, que *les affaires de son père n'étaient pas les siennes*. Un agréé serait en droit de lui demander trente à quarante mille francs d'honoraires, à un pour cent sur la somme des créances. Mais, patience, il est bien légitimement dû douze cent mille francs aux créanciers, et je vais faire déclarer son père en faillite. Je me suis embarqué dans cette affaire sur la parole de ce vieux caïman de Grandet, et j'ai fait des promesses au nom de la famille. Si M. le vicomte d'Aubrion se soucie peu de son honneur, le mien m'intéresse fort. Aussi vais-je expliquer ma position aux créanciers. Néanmoins, j'ai trop de respect pour Mlle Eugénie, à l'alliance de laquelle, en des temps plus heureux, nous avions pensé, pour agir sans que tu lui aies parlé de cette affaire… »

Là, Eugénie rendit froidement la lettre sans l'achever. « Je vous remercie, dit-elle à Mme des Grassins, *nous verrons cela…*

— En ce moment, vous avez toute la voix de défunt votre père, dit Mme des Grassins.

— Madame, vous avez huit mille cent francs[1] d'or à nous compter, lui dit Nanon.

— Cela est vrai ; faites-moi l'avantage de venir avec moi, madame Cornoiller.

— Monsieur le curé, dit Eugénie avec un noble sang-froid que lui donna la pensée qu'elle allait exprimer, serait-ce pécher que de demeurer en état de virginité dans le mariage ?

— Ceci est un cas de conscience dont la solution m'est inconnue. Si vous voulez savoir ce qu'en pense en sa Somme *de Matrimonio* le célèbre Sanchez[1], je pourrai vous le dire demain. »

Le curé partit, Mlle Grandet monta dans le cabinet de son père et y passa la journée seule, sans vouloir descendre à l'heure du dîner, malgré les instances de Nanon. Elle parut le soir, à l'heure où les habitués de son cercle arrivèrent. Jamais le salon des Grandet n'avait été aussi plein qu'il le fut pendant cette soirée. La nouvelle du retour et de la sotte trahison de Charles avait été répandue dans toute la ville. Mais quelque attentive que fût la curiosité des visiteurs, elle ne fut point satisfaite. Eugénie, qui s'y était attendue, ne laissa percer sur son visage calme aucune des cruelles émotions qui l'agitaient. Elle sut prendre une figure riante pour répondre à ceux qui voulurent lui témoigner de l'intérêt par des regards ou des paroles mélancoliques. Elle sut enfin couvrir son malheur sous les voiles de la politesse. Vers neuf heures, les parties finissaient, et les joueurs quittaient leurs tables, se payaient et discutaient les derniers coups de whist en venant se joindre au cercle des causeurs. Au moment où l'assemblée se leva en masse pour quitter le salon, il y eut un coup de théâtre qui retentit dans Saumur, de là dans l'arrondissement et dans les quatre préfectures environnantes.

« Restez, monsieur le président », dit Eugénie à M. de Bonfons en lui voyant prendre sa canne.

À cette parole, il n'y eut personne dans cette

nombreuse assemblée qui ne se sentît ému. Le président pâlit et fut obligé de s'asseoir.

« Au président les millions, dit Mlle de Gribeaucourt.

— C'est clair, le président de Bonfons épouse Mlle Grandet, s'écria Mme d'Orsonval.

— Voilà le meilleur coup de la partie, dit l'abbé.

— C'est un beau *schleem*[1] », dit le notaire.

Chacun dit son mot, chacun fit son calembour, tous voyaient l'héritière montée sur ses millions, comme sur un piédestal. Le drame commencé depuis neuf ans se dénouait. Dire, en face de tout Saumur, au président de rester, n'était-ce pas annoncer qu'elle voulait faire de lui son mari. Dans les petites villes, les convenances sont si sévèrement observées, qu'une infraction de ce genre y constitue la plus solennelle des promesses.

« Monsieur le président, lui dit Eugénie d'une voix émue quand ils furent seuls, je sais ce qui vous plaît en moi. Jurez de me laisser libre pendant toute ma vie, de ne me rappeler aucun des droits que le mariage vous donne sur moi, et ma main est à vous. Oh ! reprit-elle en le voyant se mettre à ses genoux, je n'ai pas tout dit. Je ne dois pas vous tromper, monsieur. J'ai dans le cœur un sentiment inextinguible. L'amitié sera le seul sentiment que je puisse accorder à mon mari : je ne veux ni l'offenser, ni contrevenir aux lois de mon cœur. Mais vous ne posséderez ma main et ma fortune qu'au prix d'un immense service.

— Vous me voyez prêt à tout, dit le président.

— Voici quinze cent mille francs, monsieur le président, dit-elle en tirant de son sein une reconnaissance de cent actions de la Banque de France, partez pour Paris, non pas demain, non pas cette nuit, mais à l'instant même. Rendez-vous chez M. des Grassins, sachez-y le nom de tous les créanciers de mon oncle, rassemblez-les, payez tout ce que sa succession peut devoir, capital et intérêts à cinq pour cent depuis le jour de la dette jusqu'à celui du remboursement, enfin veillez à faire faire une quittance générale et notariée, bien en forme. Vous êtes magistrat, je ne me fie qu'à vous en cette affaire. Vous êtes un homme loyal, un galant homme ; je m'embarquerai sur la foi de votre parole pour traverser les dangers de la vie à l'abri de votre nom. Nous aurons l'un pour l'autre une mutuelle indulgence. Nous nous connaissons depuis si longtemps, nous sommes presque parents, vous ne voudriez pas me rendre malheureuse. »

Le président tomba aux pieds de la riche héritière en palpitant de joie et d'angoisse.

« Je serai votre esclave ! lui dit-il.

— Quand vous aurez la quittance, monsieur, reprit-elle en lui jetant un regard froid, vous la porterez avec tous les titres à mon cousin Grandet et vous lui remettrez cette lettre. À votre retour, je tiendrai ma parole. »

Le président comprit, lui, qu'il devait Mlle Grandet à un dépit amoureux ; aussi s'empressa-t-il d'exécuter ses ordres avec la plus grande promptitude, afin qu'il n'arrivât aucune réconciliation entre les deux amants.

Quand M. de Bonfons fut parti, Eugénie tomba sur son fauteuil et fondit en larmes. Tout était consommé[1]. Le président prit la poste, et se trouvait à Paris le lendemain soir. Dans la matinée du jour qui suivit son arrivée, il alla chez des Grassins. Le magistrat convoqua les créanciers en l'étude du notaire où étaient déposés les titres, et chez lequel pas un ne faillit à l'appel. Quoique ce fussent des créanciers, il faut leur rendre justice : ils furent exacts. Là, le président de Bonfons, au nom de Mlle Grandet, leur paya le capital et les intérêts dus. Le payement des intérêts fut pour le commerce parisien un des événements les plus étonnants de l'époque. Quand la quittance fut enregistrée et des Grassins payé de ses soins par le don d'une somme de cinquante mille francs que lui avait allouée Eugénie, le président se rendit à l'hôtel d'Aubrion, et y trouva Charles au moment où il rentrait dans son appartement, accablé par son beau-père. Le vieux marquis venait de lui déclarer que sa fille ne lui appartiendrait qu'autant que tous les créanciers de Guillaume Grandet seraient soldés.

Le président lui remit d'abord la lettre suivante.

« MON COUSIN, M. le président de Bonfons s'est chargé de vous remettre la quittance de toutes les sommes dues par mon oncle et celle par laquelle je reconnais les avoir reçues de vous. On m'a parlé de faillite !… J'ai pensé que le fils d'un failli ne pouvait peut-être pas épouser Mlle d'Aubrion. Oui, mon cousin, vous avez bien jugé de mon esprit et de mes manières : je n'ai sans doute rien du monde, je n'en connais ni les calculs ni les mœurs, et ne saurais vous y donner les plaisirs que vous voulez y trouver. Soyez heureux, selon les conventions sociales auxquelles vous sacrifiez nos premières amours. Pour rendre votre bonheur complet, je ne puis donc plus vous offrir que l'honneur de votre père. Adieu, vous aurez toujours une fidèle amie dans votre cousine,

« EUGÉNIE. »

Le président sourit de l'exclamation que ne put réprimer cet ambitieux au moment où il reçut l'acte authentique.

« Nous nous annoncerons réciproquement nos mariages, lui dit-il.

— Ah ! vous épousez Eugénie. Eh bien, j'en suis content, c'est une bonne fille. Mais, reprit-il frappé tout à coup par une réflexion lumineuse, elle est donc riche ?

— Elle avait, répondit le président d'un air gogue-nard, près de dix-neuf millions, il y a quatre jours ; mais elle n'en a plus que dix-sept aujourd'hui. »

Charles regarda le président d'un air hébété.

« Dix-sept… mil…

— Dix-sept millions, oui, monsieur. Nous réu-nissons, Mlle Grandet et moi, sept cent cinquante mille livres de rente, en nous mariant.

— Mon cher cousin, dit Charles en retrouvant un peu d'assurance, nous pourrons nous pousser l'un l'autre.

— D'accord, dit le président. Voici, de plus, une petite caisse que je dois aussi ne remettre qu'à vous, ajouta-t-il en déposant sur une table le cof-fret dans lequel était la toilette.

— Hé bien, mon cher ami, dit Mme la marquise d'Aubrion en entrant sans faire attention à Cruchot, ne prenez nul souci de ce que vient de vous dire ce pauvre M. d'Aubrion, à qui la duchesse de Chaulieu vient de tourner la tête. Je vous le répète, rien n'empêchera votre mariage...

— Rien, madame, répondit Charles. Les trois millions autrefois dus par mon père ont été soldés hier.

— En argent ? dit-elle.

— Intégralement, intérêts et capital, et je vais faire réhabiliter sa mémoire.

— Quelle bêtise ! » s'écria la belle-mère. « Quel est ce monsieur ? dit-elle à l'oreille de son gendre, en apercevant le Cruchot.

— Mon homme d'affaires », lui répondit-il à voix basse.

La marquise salua dédaigneusement M. de Bonfons et sortit.

« Nous nous poussons déjà, dit le président en prenant son chapeau. Adieu, mon cousin.

— Il se moque de moi, ce catacouas[1] de Saumur. J'ai envie de lui donner six pouces de fer dans le ventre. »

Le président était parti. Trois jours après, M. de Bonfons, de retour à Saumur, publia son mariage avec Eugénie. Six mois après, il était nommé conseiller à la Cour royale d'Angers. Avant de quitter Saumur, Eugénie fit fondre l'or des joyaux si longtemps précieux à son cœur, et les consacra, ainsi que les huit mille francs de son cousin, à un ostensoir d'or et en fit présent à la paroisse où elle avait tant prié Dieu pour *lui* ! Elle partagea d'ailleurs son temps entre Angers et Saumur. Son mari, qui montra du dévouement dans une circonstance politique, devint président de chambre, et enfin premier président au bout de quelques années. Il attendit impatiemment la réélection générale[1] afin d'avoir un siège à la Chambre. Il convoitait déjà la Pairie, et alors…

« Alors le roi sera donc son cousin », disait Nanon, la Grande Nanon, Mme Cornoiller, bourgeoise de Saumur, à qui sa maîtresse annonçait les grandeurs auxquelles elle était appelée. Néanmoins M. le président de Bonfons (il avait enfin aboli le nom patronymique de Cruchot) ne parvint à réaliser aucune de ses idées ambitieuses. Il mourut huit jours après avoir été nommé député de Saumur. Dieu, qui voit tout et ne frappe jamais à faux, le punissait sans doute de ses calculs et de l'habileté juridique avec laquelle il avait minuté[2], *accurante Cruchot*[3], son contrat de mariage où les deux futurs époux se donnaient l'un à l'autre, *au cas où ils n'auraient pas d'enfants, l'universalité de leurs biens, meubles et immeubles sans en rien excepter ni réserver, en toute propriété, se dispensant même de la formalité de l'inventaire, sans que l'omission dudit inventaire puisse être opposée à leurs héritiers ou ayants cause, entendant que ladite donation soit*, etc. Cette clause peut expliquer le profond respect que le président eut constamment pour la volonté, pour la solitude de Mme de Bonfons. Les femmes citaient M. le premier président comme un des hommes les plus délicats, le plaignaient et allaient jusqu'à souvent accuser la douleur, la passion d'Eugénie, mais comme elles

savent accuser une femme, avec les plus cruels
ménagements.

« Il faut que Mme la présidente de Bonfons soit
bien souffrante pour laisser son mari seul. Pauvre
petite femme ! Guérira-t-elle bientôt ? Qu'a-t-elle
donc, une gastrite, un cancer ? Pourquoi ne voit-
elle pas des médecins ? Elle devient jaune depuis
quelque temps ; elle devrait aller consulter les célébrités de Paris. Comment peut-elle ne pas désirer
un enfant ? Elle aime beaucoup son mari, dit-on,
comment ne pas lui donner d'héritier, dans sa position ? Savez-vous que cela est affreux ; et si c'était
par l'effet d'un caprice, il serait bien condamnable.
Pauvre président ! »

Douée de ce tact fin que le solitaire exerce par
ses perpétuelles méditations et par la vue exquise
avec laquelle il saisit les choses qui tombent dans
sa sphère, Eugénie, habituée par le malheur et par
sa dernière éducation à tout deviner, savait que
le président désirait sa mort pour se trouver en
possession de cette immense fortune, encore aug-
mentée par les successions de son oncle le notaire,
et de son oncle l'abbé, que Dieu eut la fantaisie
d'appeler à lui. La pauvre recluse avait pitié du
président. La Providence la vengea des calculs et
de l'infâme indifférence d'un époux qui respectait,
comme la plus forte des garanties, la passion sans
espoir dont se nourrissait Eugénie. Donner la vie
à un enfant, n'était-ce pas tuer les espérances de
l'égoïsme, les joies de l'ambition caressées par
le premier président ? Dieu jeta donc des masses
d'or à sa prisonnière pour qui l'or était indifférent
et qui aspirait au ciel, qui vivait, pieuse et bonne,

en de saintes pensées, qui secourait incessamment les malheureux en secret. Mme de Bonfons fut veuve à trente-trois ans, riche de huit cent mille livres de rente, encore belle, mais comme une femme est belle à près de quarante ans. Son visage est blanc, reposé, calme. Sa voix est douce et recueillie, ses manières sont simples. Elle a toutes les noblesses de la douleur, la sainteté d'une personne qui n'a pas souillé son âme au contact du monde, mais aussi la roideur de la vieille fille et les habitudes mesquines que donne l'existence étroite de la province. Malgré ses huit cent mille livres de rente, elle vit comme avait vécu la pauvre Eugénie Grandet, n'allume le feu de sa chambre qu'aux jours où jadis son père lui permettait d'allumer le foyer de la salle, et l'éteint conformément au programme en vigueur dans ses jeunes années. Elle est toujours vêtue comme l'était sa mère. La maison de Saumur, maison sans soleil, sans chaleur, sans cesse ombragée, mélancolique, est l'image de sa vie. Elle accumule soigneusement ses revenus, et peut-être semblerait-elle parcimonieuse si elle ne démentait la médisance par un noble emploi de sa fortune. De pieuses et charitables fondations, un hospice pour la vieillesse et des écoles chrétiennes pour les enfants, une bibliothèque publique richement dotée, témoignent chaque année contre l'avarice que lui reprochent certaines personnes. Les églises de Saumur lui doivent quelques embellissements. Mme de Bonfons que, par raillerie, on appelle *mademoiselle*, inspire généralement un religieux respect. Ce noble cœur, qui ne battait que pour les sentiments les plus

tendres, devait donc être soumis aux calculs de
l'intérêt humain. L'argent devait communiquer
ses teintes froides à cette vie céleste, et donner de
la défiance pour les sentiments à une femme qui
était tout sentiment.

« Il n'y a que toi qui m'aimes », disait-elle à
Nanon.

La main de cette femme panse les plaies secrètes
de toutes les familles. Eugénie marche au ciel
accompagnée d'un cortège de bienfaits. La grandeur de son âme amoindrit les petitesses de son
éducation et les coutumes de sa vie première.
Telle est l'histoire de cette femme qui n'est pas
du monde au milieu du monde, qui faite pour
être magnifiquement épouse et mère, n'a ni mari,
ni enfants, ni famille. Depuis quelques jours, il est
question d'un nouveau mariage pour elle. Les gens
de Saumur s'occupent d'elle et de M. le marquis
de Froidfond dont la famille commence à cerner
la riche veuve comme jadis avaient fait les Cruchot. Nanon et Cornoiller sont, dit-on, dans les
intérêts du marquis, mais rien n'est plus faux. Ni
la Grande Nanon, ni Cornoiller n'ont assez d'esprit
pour comprendre les corruptions du monde.

Paris, septembre 1833.

ANNEXES

PRÉAMBULE
DES PREMIÈRES ÉDITIONS
(1833-1839)

Il se rencontre au fond des provinces quelques têtes dignes d'une étude sérieuse, des caractères pleins d'originalité, des existences tranquilles à la superficie, et que ravagent secrètement de tumultueuses passions ; mais les aspérités les plus tranchées des caractères, mais les exaltations les plus passionnées finissent par s'y abolir dans la constante monotonie des mœurs. Aucun poète n'a tenté de décrire les phénomènes de cette vie qui s'en va, s'adoucissant toujours. Pourquoi non ? S'il y a de la poésie dans l'atmosphère de Paris, où tourbillonne un *simoun* qui enlève les fortunes et brise les cœurs, n'y en a-t-il donc pas aussi dans la lente action du *sirocco* de l'atmosphère provinciale, qui détend les plus fiers courages, relâche les fibres, et désarme les passions de leur *acutesse* [1] ? Si tout arrive à Paris, tout passe en province : là, ni relief, ni saillie ; mais là, des drames dans le silence ; là, des mystères habilement dissimulés ; là, des dénouements dans un seul mot ; là, d'énormes valeurs prêtées par le calcul et l'analyse aux actions les plus indifférentes. On y vit en public.

Si les peintres littéraires ont abandonné les admirables scènes de la vie de province, ce n'est ni par dédain, ni faute

---

1. *Acutesse* : synonyme rare d'« acuité », emprunté à l'italien *acutezza*.

d'observation ; peut-être y a-t-il impuissance. En effet, pour initier à un intérêt presque muet, qui gît moins dans l'action que dans la pensée ; pour rendre des figures, au premier aspect peu colorées, mais dont les détails et les demi-teintes sollicitent les plus savantes touches du pinceau ; pour restituer à ces tableaux leurs ombres grises et leur clair-obscur ; pour sonder une nature creuse en apparence, mais que l'examen trouve pleine et riche sous une écorce unie, ne faut-il pas une multitude de préparations, des soins inouïs, et, pour de tels portraits, les finesses de la miniature antique ?

La superbe littérature de Paris, économe de ses heures, qu'au détriment de l'art elle emploie en haine et en plaisirs, veut son drame tout fait ; quant à le chercher, elle n'en a le loisir, à une époque où le temps manque aux événements ; quant à le créer, si quelque auteur en émettait la prétention, cet acte viril exciterait des émeutes dans une république où, depuis longtemps, il est défendu de par la critique des eunuques, d'inventer une forme, un genre, une action quelconque.

Ces observations étaient nécessaires, et pour faire connaître la modeste intention de l'auteur, qui ne veut être ici que le plus humble des copistes, et pour établir incontestablement son droit à prodiguer les longueurs exigées par le cercle de minuties dans lequel il est obligé de se mouvoir. Enfin, au moment où l'on donne aux œuvres les plus éphémères le glorieux nom de *conte*, qui ne doit appartenir qu'aux créations les plus vivaces de l'art, il lui sera sans doute pardonné de descendre aux mesquines proportions de l'histoire, l'histoire vulgaire, le récit pur et simple de ce qui se voit tous les jours en province.

Plus tard, il apportera son grain de sable au tas élevé par les manœuvres de l'époque ; aujourd'hui, le pauvre artiste n'a saisi qu'un de ces fils blancs promenés dans les airs par la brise, et dont s'amusent les enfants, les jeunes filles, les poètes ; dont les savants ne se soucient guère, mais que, dit-on, laisse tomber, de sa quenouille, une céleste fileuse [1]. Prenez garde ! Il y a des *moralités* dans cette tradition champêtre ! Aussi l'auteur en fait-il son épigraphe. Il vous montrera comment, durant la belle saison de la vie, certaines illusions, de blanches espérances, des fils argentés descendent des cieux et y retournent sans avoir touché terre.

Septembre 1833.

1. *Une céleste fileuse* : fils légers volant dans l'air, appelés fils de la Vierge.

ÉPILOGUE
DES PREMIÈRES ÉDITIONS[1]

Ce dénouement trompe nécessairement la curiosité. Peut-être en est-il ainsi de tous les dénouements vrais. Les tragédies, les drames, pour parler le langage de ce temps, sont rares dans la nature. Souvenez-vous du préambule. Cette histoire est une traduction imparfaite de quelques pages oubliées par les copistes dans le grand livre du monde. Ici, nulle invention. L'œuvre est une humble miniature pour laquelle il fallait plus de patience que d'art. Chaque département a son Grandet. Seulement le Grandet de Mayenne ou de Lille est moins riche que ne l'était l'ancien maire de Saumur. L'auteur a pu forcer un trait, mal esquisser ses anges terrestres, mettre un peu trop ou pas assez de couleur sur son vélin. Peut-être a-t-il trop chargé d'or le contour de la tête de sa Maria ; peut-être n'a-t-il pas distribué la lumière suivant les règles de l'art ; enfin, peut-être a-t-il trop rembruni les teintes déjà noires de son vieillard, image toute matérielle. Mais ne refusez pas votre indulgence au moine patient, vivant au fond de sa cellule, humble adorateur de la *Rosa mundi*, de Marie, belle image de tout le sexe, la femme du moine, la seconde Eva des chrétiens[2].

1. Dans les éditions de 1833 et 1839, cet épilogue, supprimé dans l'édition Furne, suivait immédiatement la dernière phrase du roman.
2. *La seconde Eva des chrétiens* : ce galimatias érotico-mystique dissimule mal l'embarras du romancier. Le « moine patient vivant au fond de sa cellule », c'est Balzac lui-même. La « femme du moine », la Marie dont

S'il continue d'accorder, malgré les critiques, tant de perfections à la femme, il pense encore, lui jeune, que la femme est l'être le plus parfait entre les créatures. Sortie la dernière des mains qui façonnaient les mondes, elle doit exprimer plus purement que toute autre la pensée divine. Aussi n'est-elle pas, ainsi que l'homme, prise dans le granit primordial devenu molle argile sous les doigts de Dieu ; non, tirée des flancs de l'homme, matière souple et ductile, elle est une création transitoire entre l'homme et l'ange. Aussi la voyez-vous forte autant que l'homme est fort, et délicatement intelligente par le sentiment, comme est l'ange. Ne fallait-il pas unir en elle ces deux natures pour la charger de toujours porter l'espèce en son cœur ? Un enfant, pour elle, n'est-il pas toute l'humanité ?

Parmi les femmes, Eugénie Grandet sera peut-être un type, celui des dévouements jetés à travers les orages du monde et qui s'y engloutissent comme une noble statue enlevée à la Grèce et qui, pendant le transport, tombe à la mer où elle demeurera toujours ignorée.

Octobre 1833.

---

il se déclare l'« humble adorateur », la « seconde Eva des chrétiens », c'est Mme Hanska, dont le prénom d'Évelyne est souvent abrégé par Balzac en Ève. C'est elle qui est qualifiée ici de *Rosa mundi* (rose du monde), titre qui rappelle celui de *Rosa mystica* donné à la Vierge Marie dans ses litanies. Mais ces explications compliquées visent à dissimuler à la jalouse Ève l'existence d'une autre Maria, la maîtresse de Balzac en 1833, Maria Du Fresnay, à qui le roman est dédié à partir de l'édition de 1839 (voir ci-dessus p. 51, n. 1).

PREMIER DÉNOUEMENT ABANDONNÉ
(TEXTE DU MANUSCRIT)

À quarante ans, elle épousa le marquis de Froidfond dont la famille réussit enfin à la séduire. Quelques mois après son mariage, madame de Froidfond offrit une dot de quinze cent mille francs à la fille que le marquis avait eue d'un premier lit. Peu de femmes obtiennent à Paris une considération aussi grande que l'est celle dont jouit madame la marquise de Froidfond. Elle inspire un religieux respect. Ce noble cœur qui ne battait que par les sentiments les plus tendres était donc constamment soumis aux calculs de l'intérêt humain. L'argent avait communiqué ses teintes froides à cette vie pure et céleste. Elle voit son cousin, M. d'Aubrion ; mais elle seule est dans le secret de ses émotions. Alors sa voix est calme, son attitude noble, sa conversation, ses manières sont polies. La main de cette femme panse les plaies secrètes de deux familles. Eugénie marche au ciel accompagnée d'un cortège de bienfaits. La grandeur de son âme amoindrit les petitesses de son éducation et les coutumes de sa vie première. D'ailleurs, le monde la voit peu, la Cour ne l'a jamais vue. Elle a pour le marquis les procédés de l'amitié la plus tendre et la plus dévouée. Telle est l'histoire de cette femme qui n'est pas du monde au milieu du monde, qui n'est ni mère, ni épouse, au sein d'une famille.

DOSSIER

BIOGRAPHIE DE BALZAC

La biographie de Balzac est tellement chargée d'événements si divers, et tout s'y trouve si bien emmêlé, qu'un exposé purement chronologique des faits serait d'une confusion extrême.

Dans l'ordre chronologique, nous nous sommes donc contentés de distinguer, d'une manière aussi peu arbitraire que possible, cinq grandes époques de la vie de Balzac : des origines à 1814, 1815-1828, 1828-1833, 1833-1840, 1841-1850.

À l'intérieur des périodes principales, nous avons préféré, quand il y avait lieu, classer les faits selon leur nature : l'œuvre, les autres activités touchant la littérature, la vie sentimentale, les voyages, etc. (mais en reprenant, à l'intérieur de chaque paragraphe, l'ordre chronologique).

FAMILLE, ENFANCE : DES ORIGINES À 1814

En juillet 1746 naît dans le Rouergue, d'une lignée paysanne, Bernard-François Balssa, qui sera le père du romancier et mourra en 1829 ; trente ans plus tard nous retrouvons le nom orthographié « Balzac ». Signalons à titre anecdotique (car l'événement ne semble pas avoir marqué notre Balzac) qu'un frère de Bernard-François fut guillotiné à Albi en 1819 pour l'assassinat, dont il était peut-être innocent, d'une fille de ferme.

Janvier 1797 : Bernard-François, directeur des vivres de la division militaire de Tours, épouse à cinquante ans Laure Sallambier, qui en a dix-huit, et qui vivra jusqu'en 1854.

1799, 20 mai : naissance à Tours d'Honoré Balzac (le nom ne comporte pas encore la particule). Un premier fils, né jour pour jour un an plus tôt, n'avait pas vécu.

Après Honoré, le ménage aura trois autres enfants : 1° Laure (1800-1871), qui épousa en 1820 Eugène Surville, ingénieur des Ponts et Chaussées, et restera pour le romancier une confidente affectueuse et sûre ; 2° Laurence (1802-1825), devenue en 1821 Mme de Montzaigle : c'est sur son acte de baptême que la particule « de » apparaît pour la première fois devant le nom des Balzac ; 3° Henry (1807-1858), fils adultérin dont le père était Jean de Margonne (1780-1858), châtelain de Saché.

L'enfance et l'adolescence d'Honoré seront affectées par la préférence de la mère pour Henry, lequel, dépourvu de dons et de caractère, traînera une existence assez misérable ; les ternes séjours qu'il fera dans les îles de l'océan Indien avant de mourir à Mayotte contrastent absolument avec les aventures des romanesques coureurs de mers balzaciens. Balzac gardera des liens étroits avec Margonne et séjournera souvent à Saché, où l'on montre encore sa chambre et sa table de travail.

Dès sa naissance, Honoré est mis en nourrice chez la femme d'un gendarme à Saint-Cyr-sur-Loire, aujourd'hui faubourg de Tours (rive droite). De 1804 à 1807 il est externe dans un établissement scolaire de Tours, de 1807 à 1813 il est pensionnaire au collège de Vendôme. Puis, pendant plus d'un an, en 1813-1814, atteint de troubles et d'une espèce d'hébétude qu'on attribue à un abus de lecture, il demeure dans sa famille, au repos. En 1814, pendant quelques mois, il reprend ses études au collège de Tours, comme externe.

Son père, alors administrateur de l'Hospice général de

Tours, est nommé directeur des vivres dans une entreprise parisienne de fournitures aux armées. Toute la
famille quitte Tours pour Paris en novembre 1814.

APPRENTISSAGES, 1815-1828

1815-1819 : Honoré poursuit ses études à Paris. Il
entreprend son droit, suit des cours à la Sorbonne et
au Muséum. Il travaille comme clerc dans l'étude de
Me Guillonnet-Merville, avoué, puis dans celle de Me Pas-
sez, notaire ; ces deux stages laisseront sur lui une
empreinte profonde.

Son père ayant pris sa retraite, la famille, dont les ressources sont désormais réduites, quitte Paris et s'installe
pendant l'été 1819 à Villeparisis. Cependant Honoré, qu'on
destinait au notariat, obtient de renoncer à cette carrière,
et de demeurer seul à Paris, dans une mansarde, pour
éprouver sa vocation en s'exerçant au métier des lettres.

Dès 1817 il a rédigé des *Notes sur la philosophie et la
religion*, suivies en 1818 de *Notes sur l'immortalité de l'âme*,
premiers indices du goût prononcé qu'il gardera longtemps pour la spéculation philosophique : maintenant il
s'attaque à une tragédie, *Cromwell*, cinq actes en vers, qu'il
termine au printemps de 1820. Soumise à plusieurs juges
successifs, l'œuvre est uniformément estimée détestable ;
Andrieux, aimable écrivain, ami de la famille, professeur
au Collège de France et académicien, conclut que l'auteur
peut tenter sa chance dans n'importe quelle voie, hormis
la littérature. Balzac continue sa recherche philosophique
avec *Falthurne* (1820) et *Sténie* (1821), que suivront bientôt (1823) un *Traité de la prière* et un second *Falthurne*.

De 1822 à 1827, soit en collaboration soit seul, mais
toujours sous des pseudonymes, il publie une masse considérable de produits romanesques « de consommation

courante », qu'il lui arrivera d'appeler « petites opérations de littérature marchande » ou même « cochonneries littéraires ». À leur sujet les balzaciens se partagent ; les uns y cherchent des ébauches de thèmes et les signes avant-coureurs du génie romanesque ; les autres doutent que Balzac, soucieux seulement de satisfaire sa clientèle, y ait rien mis qui soit vraiment de lui-même.

En 1822 commence sa longue liaison (mais, de sa part, non exclusive) avec Laure de Berny, qu'il a rencontrée à Villeparisis l'année précédente. Née en 1777, elle a alors deux fois son âge, et elle est d'un an et demi l'aînée de la mère d'Honoré ; celui-ci aura pour elle un amour en quelque sorte ambivalent, où il trouvera une compensation à son enfance frustrée.

Fille d'un musicien de la Cour et d'une femme de la chambre de Marie-Antoinette, elle-même femme d'expérience, Laure initiera son jeune amant non seulement aux secrets de la vie mondaine sous l'Ancien Régime, mais aussi à ceux de la condition féminine et de la joie sensuelle. Elle restera pour lui un soutien, et le guide le plus sûr. Elle mourra en 1836.

En 1825 Balzac entre en relations avec la duchesse d'Abrantès (1784-1838) ; cette nouvelle maîtresse, qui d'ailleurs s'ajoute à la précédente et ne se substitue pas à elle, a encore quinze ans de plus que lui. Fort avertie de la grande et petite histoire de la Révolution et de l'Empire, elle complète l'éducation que lui a donnée Mme de Berny, et le présente aux nombreux amis qu'elle garde dans le monde ; lui-même, plus tard, se fera son conseiller et peut-être son collaborateur lorsqu'elle écrira ses *Mémoires*.

En septembre 1820, au tirage au sort, il obtient un « bon numéro » qui le dispense du service militaire.

Durant la fin de cette période, il se lance dans des affaires qui enrichissent d'une manière incomparable l'expérience du futur auteur de *La Comédie humaine*,

mais qui en attendant se soldent par de pénibles et coûteux échecs.

Il se fait éditeur en 1825, l'éditeur se fait imprimeur en
1826, l'imprimeur se fait fondeur de caractères en 1827,
— toujours en association, les fonds de ses propres
apports étant constitués par sa famille et par Mme de
Berny. En 1825 et 1826 il publie, entre autres, des éditions
compactes de Molière et de La Fontaine, pour lesquelles
il a composé des notices. En 1828 la société de fonderie
est remaniée ; il en est écarté au profit d'Alexandre de
Berny, fils de son amie : l'entreprise deviendra une des
plus belles réalisations françaises dans ce domaine.
L'imprimerie est liquidée quelques mois plus tard, en
août ; elle laisse à Balzac 60 000 francs de dettes (dont
50 000 envers sa famille).

Nombreux voyages et séjours en province, notamment
dans la région de l'Isle-Adam, en Normandie, et surtout
en Touraine, terre natale et terre d'élection.

LES DÉBUTS, 1828-1833

À la mi-septembre 1828, Balzac va s'établir pour six
semaines à Fougères, en vue du roman qu'il prépare sur
la chouannerie. *Le Dernier Chouan ou la Bretagne en 1800*,
dont le titre deviendra finalement *Les Chouans*, paraît en
mars 1829 ; c'est le premier roman dont il assume ouvertement la responsabilité en le signant de son véritable nom.

En décembre 1829, il publie sous l'anonymat *Physiologie du mariage*, un essai ou, comme il dira plus tard, une
« étude analytique » qu'il avait ébauchée puis délaissée
plusieurs années auparavant.

1830 : les *Scènes de la vie privée* réunissent en deux
volumes six nouvelles ou courts récits. Ce nombre sera
porté à quinze dans une réédition du même titre en quatre
tomes (1832).

1831 : *La Peau de chagrin* ; ce roman est repris pour former la même année, avec douze autres récits divers, trois volumes de *Romans et contes philosophiques* ; l'ensemble est précédé d'une introduction de Philarète Chasles, certainement inspirée par l'auteur. 1832 : les *Nouveaux contes philosophiques* augmentent de quatre récits (dont une première version de *Louis Lambert*) cette collection. Il faut noter que le mot « philosophiques » a encore un sens fort vague, et provisoire, dans l'esprit de Balzac.

Les *Contes drolatiques*. À l'imitation des *Cent nouvelles nouvelles* (il avait un goût très vif pour la vieille littérature dite gauloise), il voulait en écrire cent, répartis en dix dizains. Le premier dizain paraît en 1832, le deuxième en 1833 ; le troisième ne sera publié qu'en 1837, et l'entreprise s'arrêtera là.

Septembre 1833 : *Le Médecin de campagne*. Pendant toute cette époque, Balzac donne une foule de textes divers à de nombreux périodiques. Il poursuivra ce genre de collaboration durant toute sa vie, mais à une cadence moindre.

Continuation des amours avec Laure de Berny et avec Laure d'Abrantès.

Liaison avec Olympe Pélissier.

Présenté à la duchesse de Castries en 1831, il séjourne auprès d'elle, à Aix-les-Bains et à Genève, en septembre et octobre 1832 ; elle s'amuse à se laisser chaudement courtiser par lui, mais ne cède pas, ce dont il se montre fort déconfit.

Au début de 1832 il reçoit d'Odessa une lettre signée « L'Étrangère », et répond par une petite annonce insérée dans un journal : c'est le début de ses relations avec Mme Hanska (1805-1882), sa future femme, qu'il rencontre pour la première fois à Neuchâtel dans les derniers jours de septembre 1833.

Vers cette même époque il a une maîtresse discrète, Marie ou Maria Du Fresnay.

Voyages très nombreux. Outre ceux que nous avons signalés ci-dessus (Fougères, Aix, Genève, Neuchâtel), il faut mentionner plusieurs séjours près de Tours ou de Nemours avec Mme de Berny, à Saché, à Angoulême, chez ses amis Carraud, etc.

Son travail acharné n'empêche pas qu'il soit très répandu dans les milieux littéraires et dans le monde ; il mène une vie ostentatoire et dispendieuse.

En politique, il se convertit au légitimisme. Il envisage de se présenter aux élections législatives de 1831, et en 1832 à une élection partielle.

L'ESSOR, 1833-1840

Durant cette période, Balzac ne se contente pas d'assurer le développement de son œuvre : il se préoccupe de lui assurer une organisation d'ensemble. Déjà les *Scènes de la vie privée* et les *Romans et contes philosophiques* témoignaient chez lui de cette tendance ; maintenant il s'avance sur la voie qui le conduira à la conception globale de *La Comédie humaine*.

En octobre 1833 il signe un contrat pour la publication d'une collection intitulée *Études de mœurs au XIXe siècle*, et qui doit rassembler aussi bien les rééditions que des ouvrages nouveaux. Divisée en trois séries, cette collection va comprendre quatre tomes de *Scènes de la vie privée*, quatre de *Scènes de la vie de province*, et quatre de *Scènes de la vie parisienne*. Les douze volumes paraissent en ordre dispersé de décembre 1833 à février 1837. Le tome I est précédé d'une importante introduction de Félix Davin, porte-parole ou même prête-nom de Balzac. La classification a une valeur à la fois littérale et symbolique : elle se fonde sur le cadre de l'action et sur la signification du thème.

Parallèlement paraissent de 1834 à 1840 vingt volumes d'*Études philosophiques*, avec une nouvelle introduction de Félix Davin.

Principales créations en librairie de cette période : **Eugénie Grandet, fin 1833** ; *La Recherche de l'absolu*, 1834 ; *Le Père Goriot, La Fleur des pois* (titre qui deviendra *Le Contrat de mariage*), *Séraphita*, 1835 ; *Histoire des Treize*, 1833-1835 ; *Le Lys dans la vallée*, 1836 ; *La Vieille Fille, Illusions perdues* (début), *César Birotteau*, 1837 ; *La Femme supérieure* (titre qui deviendra *Les Employés*), *La Maison Nucingen, La Torpille* (début de *Splendeurs et Misères des courtisanes*), 1838 ; *Le Cabinet des Antiques, Une fille d'Ève, Béatrix*, 1839 ; *Une princesse parisienne* (titre qui deviendra *Les Secrets de la princesse de Cadignan*), *Pierrette, Pierre Grassou*, 1840.

En marge de cette activité essentielle, Balzac prend à la fin de 1835 une participation majoritaire dans la *Chronique de Paris*, journal politique et littéraire ; il y publie un bon nombre de textes, jusqu'à ce que la société, irrémédiablement déficitaire, soit dissoute six mois plus tard. Curieusement il réédite (et complète à l'aide de « nègres ») une partie de ses romans de jeunesse, en gardant un pseudonyme qui n'abuse personne : ce sont les *Œuvres complètes d'Horace de Saint-Aubin*, seize volumes, 1836-1840.

En 1838 il s'inscrit à la toute jeune Société des Gens de Lettres, il la préside en 1839, et mène diverses campagnes pour la protection de la propriété littéraire et des droits des auteurs.

Candidat à l'Académie française en 1839, il s'efface devant Hugo, qui d'ailleurs n'est pas élu.

En 1840 il fonde la *Revue parisienne*, mensuelle et entièrement rédigée par lui ; elle disparaît après le troisième numéro, où il a inséré son long et fameux article sur *La Chartreuse de Parme*.

Théâtre : en 1839, la Renaissance refuse *L'École des ménages*, pièce dont il donne chez Custine une lecture à laquelle assistent Stendhal et Théophile Gautier. En 1840 la censure refuse plusieurs fois et finit par autoriser *Vautrin*, pièce interdite dès le lendemain de la première.

Il séjourne à Genève auprès de Mme Hanska du 24 décembre 1833 au 8 février 1834 ; il la retrouve à Vienne (Autriche) en mai-juin 1835, alors commence une séparation qui durera huit ans.

Le 4 juin 1834 naît Marie du Fresnay, présumée être sa fille, et qu'il regarde comme telle ; elle ne mourra qu'en 1930.

Mme de Berny cesse de le voir à la fin de 1835 ; elle va mourir huit mois plus tard.

En 1836, naissance de Lionel-Richard Lowell, fils présumé de Balzac et de la comtesse Guidoboni-Visconti ; en 1837, le comte lui donne lui-même procuration pour régler à Venise en son nom une affaire de succession ; en 1837 encore, c'est chez la comtesse que Balzac, poursuivi pour dettes, se réfugie : elle paie pour lui, et lui évite ainsi la contrainte par corps.

Juillet-août 1836 : Mme Marbouty, déguisée en homme, l'accompagne à Turin et en Suisse.

Voyages toujours nombreux.

Au cours de l'excursion autrichienne de 1835 il est reçu par Metternich, et visite le champ de bataille de Wagram en vue d'un roman qu'il ne parviendra jamais à écrire. En 1836, séjournant en Touraine, il se voit accueilli par Talleyrand et la duchesse de Dino. L'année suivante, c'est George Sand qui l'héberge à Nohant ; elle lui suggère le sujet de *Béatrix*.

Durant son voyage italien de 1837, à Gênes, il a appris qu'on pouvait exploiter fructueusement en Sardaigne les scories d'anciennes mines de plomb argentifère ; en 1838, en passant par la Corse, il se rend sur place pour y constater que l'idée était si bonne qu'une société marseillaise l'a devancé ; retour par Gênes, Turin, et Milan où il s'attarde.

On signale en 1834 un dîner réunissant Balzac, Vidocq et les bourreaux Samson père et fils.

Démêlés avec la Garde nationale, où il se refuse obstinément à assurer ses tours de garde : en 1835 il se cache à Chaillot sous le nom de « Mme veuve Duran », en 1836 elle l'incarcère pendant une semaine dans sa prison surnommée « Hôtel des Haricots » ; nouvel emprisonnement en 1839, pour la même raison.

En 1837, près de Paris, à Sèvres, au lieudit les Jardies, il achète les premiers éléments de ce dont il voudra constituer tout un domaine. Il rêvera même de faire fortune en y acclimatant la culture de l'ananas. Ses projets assez grandioses lui coûteront fort cher et ne lui amèneront que des déboires. Liquidation longue et onéreuse en 1840-1841.

C'est en octobre 1840 que, quittant les Jardies, il s'installe à Passy dans l'actuelle rue Raynouard, où sa maison est redevenue aujourd'hui « La Maison de Balzac ».

SUITE ET FIN, 1841-1850

Le fait marquant qui inaugure cette période est l'acte de naissance officiel de *La Comédie humaine* considérée comme un ensemble organique. Cet acte, c'est le contrat passé le 2 octobre 1841 avec un groupe d'éditeurs pour la publication, sous ce « titre général », des « œuvres complètes » de Balzac, celui-ci se réservant « l'ordre et la distribution des matières, la tomaison et l'ordre des volumes ».

Nous avons vu le romancier, dès ses véritables débuts ou presque, montrer le souci d'un ordre et d'un classement. Une lettre à Mme Hanska du 26 octobre 1834 en faisait déjà état. Une lettre de décembre 1839 ou janvier 1840, adressée à un éditeur non identifié, et restée sans suite, mentionnait pour la première fois le « titre général », avec un plan assez détaillé. Cette fois le grand projet va enfin se réaliser (sous réserve de quelques changements de détail ultérieurs dans le plan, et sous réserve aussi de plusieurs ouvrages annoncés qui ne seront jamais composés).

Réunissant rééditions et nouveautés, l'ensemble désormais intitulé *La Comédie humaine* paraît de 1842 à 1848 en dix-sept volumes, complétés en 1855 par un tome XVIII, et suivis, en 1855 encore, d'un tome XIX (*Théâtre*) et d'un tome XX (*Contes drolatiques*). Trois parties : *Études de mœurs*, *Études philosophiques*, *Études analytiques*, la première partie étant elle-même divisée en *Scènes de la vie privée*, *Scènes de la vie de province*, *Scènes de la vie parisienne*, *Scènes de la vie politique*, *Scènes de la vie militaire* et *Scènes de la vie de campagne*.

L'Avant-propos est un texte doctrinal capital. Avant de se résoudre à l'écrire lui-même, Balzac avait demandé vainement une préface à Nodier, à George Sand, ou envisagé de reproduire les introductions de Davin aux anciennes *Études de mœurs* et *Études philosophiques*.

Premières publications en librairie : *Le Curé de village*, 1841 ; *Mémoires de deux jeunes mariées*, *Ursule Mirouët*, *Albert Savarus*, *La Femme de trente ans* (sous sa forme et son titre définitifs après beaucoup d'avatars), *Les Deux Frères* (titre qui deviendra *La Rabouilleuse*), 1842 ; *Une ténébreuse affaire*, *La Muse du département*, *Illusions perdues* (au complet), 1843 ; *Honorine*, *Modeste Mignon*, 1844 ; *Petites misères de la vie conjugale*, 1846 ; *La Dernière Incarnation de Vautrin* (achevant *Splendeurs et misères des courtisanes*), 1847 ; *Les Parents pauvres* (*Le Cousin Pons* et *La Cousine Bette*), 1847-1848.

Romans posthumes. *Le Député d'Arcis* et *Les Petits Bourgeois*, restés inachevés, et terminés, avec une désinvolture confondante, par Charles Rabou agréé par la veuve, paraissent respectivement en 1854 et 1856. La veuve assure elle-même, avec beaucoup plus de tact, la mise au point des *Paysans* qu'elle publie en 1855.

Théâtre. Représentation et échec des *Ressources de Quinola*, 1842 ; de *Paméla Giraud*, 1843. Succès sans

lendemain de *La Marâtre*, pièce créée à une date peu favorable (25 mai 1848); trois mois plus tard la Comédie-
Française reçoit *Mercadet ou le Faiseur*, mais la pièce ne
sera pas représentée.

Chevalier de la Légion d'honneur depuis avril 1845,
Balzac, encore candidat à l'Académie française, obtient
4 voix le 11 janvier 1849, dont celles de Hugo et de Lamar-
tine (on lui préfère le duc de Noailles), et, aux trois scru-
tins du 18 janvier, 2 voix (Vigny et Hugo), 1 voix (Hugo) et
0 voix, le comte de Saint-Priest étant élu.

Amours et voyages, durant toute cette période, portent pratiquement un seul et même nom : Mme Hanska.
Le mari meurt — enfin ! — le 10 novembre 1841, en
Ukraine; mais Balzac n'est informé que le 5 janvier d'un
événement qu'il attend pourtant avec tant d'impatience.
Son amie, libre désormais de l'épouser, va néanmoins le
faire attendre près de dix ans encore, soit qu'elle manque
d'empressement, soit que réellement le régime tsariste
se dispose à confisquer ses biens, qui sont considérables,
si elle s'unit à un étranger.

En 1843, après huit ans de séparation, Balzac va la
retrouver pour deux mois à Saint-Pétersbourg; il rentre
par Berlin, les pays rhénans, la Belgique. En 1845,
voyages communs en Allemagne, en France, en Hollande,
en Belgique, en Italie. En 1846, ils se rencontrent à Rome
et voyagent en Italie, en Suisse, en Allemagne.

Mme Hanska est enceinte; Balzac en est profondément
heureux, et, de surcroît, voit dans cette circonstance une
occasion de hâter son mariage; il se désespère lorsqu'elle
accouche en novembre 1846 d'un enfant mort-né.

En 1847 elle passe quelques mois à Paris; lui même,
peu après, rédige un testament en sa faveur. À l'automne,
il va la retrouver en Ukraine, où il séjourne près de cinq
mois. Il rentre à Paris pour assister à la révolution de
février 1848, et envisager une candidature aux élections
législatives; il repart dès la fin de septembre pour
l'Ukraine, où il séjourne jusqu'à la fin d'avril 1850.

C'est là qu'il épouse Mme Hanska, le 14 mars 1850.

Rentrés ensemble à Paris vers le 20 mai, les deux époux, le 4 juin, se font donation mutuelle de tous leurs biens en cas de décès. Depuis plusieurs années la santé de Balzac n'a pas cessé de se dégrader.

Du 1er juin 1850 date (à notre connaissance) la dernière lettre que Balzac ait écrite entièrement de sa main. Le 18 août, il a reçu l'extrême-onction, et Hugo, venu en visite, le trouve inconscient : il meurt à onze heures et demie du soir, dans un état physique affligeant. On l'enterre au Père-Lachaise trois jours plus tard ; les cordons du poêle sont tenus par Hugo et Dumas, mais aussi par le sinistre Sainte-Beuve, qui n'a jamais rien compris à son génie, et par le ministre de l'Intérieur ; devant sa tombe, discours (fort beau) de Hugo : ni Hugo ni Baudelaire ne se sont trompés sur lui.

La femme de Balzac, après avoir trouvé quelque consolation à son veuvage, mourra en 1882.

Samuel S. de Sacy

NOTICE

COMPOSITION DU ROMAN

La genèse d'*Eugénie Grandet*, comparée à celle d'autres œuvres de Balzac, apparaît assez simple et rapide. La première mention du roman se trouve dans une lettre à Mme Hanska du 19 août 1833 : « Depuis huit jours je travaille très activement à *L'Europe littéraire* où j'ai pris une action. Jeudi prochain, la *Théorie de la démarche* y sera finie. C'est un long traité fort ennuyeux. Mais à la fin du mois il y aura une *Scène de la vie de province*, dans le genre des *Célibataires*, et intitulée *Eugénie Grandet* qui sera mieux. » Balzac a donc conçu d'abord ce roman comme une longue nouvelle, à la manière des *Célibataires* (premier titre du *Curé de Tours*) publié l'année précédente, avant de lui donner plus d'extension au fur et à mesure de sa composition. Ce n'est pas à la fin août, mais le 19 septembre seulement, que parut dans *L'Europe littéraire* le premier chapitre d'*Eugénie Grandet*, intitulé « Physionomies bourgeoises ». Un deuxième chapitre, « Le cousin de Paris », était annoncé dans la même revue. Il fut imprimé en placards, mais ne fut pas publié. Balzac, en effet, ne s'était pas entendu avec Louis Lefèvre, le gérant de *L'Europe littéraire*, et, malgré le traité passé le 29 août entre les deux hommes, celui-ci rendit à Balzac le 1er octobre la liberté de publier son roman où il le jugerait bon.

Nous sommes tenus au courant de l'avancement d'*Eugénie Grandet* par les lettres que Balzac a écrites pendant l'automne de 1833, en particulier à Mme Hanska. Le 9 septembre, il annonce à celle-ci qu'il « travaille maintenant à *Eugénie Grandet*, une composition qui paraîtra dans *L'Europe littéraire* précisément pendant [qu'il] voyager[a] ». Balzac projette en effet de rejoindre à Neuchâtel Mme Hanska, avec laquelle il entretient des relations épistolaires de plus en plus intimes depuis mai 1832, mais qu'il n'a encore jamais rencontrée. Ce voyage ayant eu lieu du 22 septembre au 5 octobre 1833, la rédaction du roman a dû être suspendue ou ralentie une quinzaine de jours. Rentré à Paris, Balzac se remet activement au travail. Le 12 octobre, il écrit à sa sœur Laure qu'il compte « pendant cette quinzaine d'un seul jet finir *Eug. Grandet* ». Le 13, il déclare à Mme Hanska qu'*Eugénie Grandet* « va bien ». Le 18, il est optimiste : « *Eugénie Grandet*, un de mes tableaux les plus achevés, est à moitié ; j'en suis très content. *Eugénie Gr.* ne ressemble à rien de ce que j'ai fait jusqu'ici. » Mais le 19, il déchante : « Je n'ai presque rien fait d'*E. G.* [...] Il y a des moments où l'imagination cahote et ne va pas. » Le 24, il a repris confiance : « *Eug. Grandet* est une belle œuvre. » Le 12 novembre, Balzac en est à l'épisode où Eugénie donne son trésor à son cousin, et il évoque à mots couverts une scène semblable qui se serait passée entre Mme Hanska et lui : « Il y a une scène sublime (à mon avis, et je suis payé pour l'avoir) dans *E. G.* qui offre son trésor à son cousin. Le cousin a une réponse à faire, ce que je te disais à ce sujet était la plus gracieuse. Mais mêler à ce que les autres liront, un seul mot dit à mon Éva ! Ah ! J'aurais jeté *E. G.* au feu. » Balzac trouve là un moyen habile de remercier Mme Hanska et de lui faire la cour. La rédaction avance, mais Balzac est pris, comme toujours, par d'autres occupations qui le retardent (procès contre l'éditeur Mame, projet de *Seraphîta*, composition du préambule du *Cabinet des Antiques*, préparation du deuxième volume des *Scènes de la vie de province* qui doit paraître en même temps qu'*Eugénie*

Grandet, rédaction dans l'urgence de *L'Illustre Gaudissart* qui doit compléter ce second volume jugé trop mince par l'éditeur). Le 20 novembre, il lui reste « encore 100 pages d'*E. Grandet* à écrire ». Le 23 novembre, il lui manque « encore 25 feuillets à faire pour finir *Eug. Gr.* » (sur un total final de 117 feuillets), et toutes les épreuves à revoir. Début décembre, après une période de labeur acharné (« j'ai constamment travaillé 18 heures par jour cette semaine », écrit-il à Mme Hanska le 1er décembre), il en a enfin terminé. Le 21 décembre, il peut quitter Paris pour rejoindre son idole à Genève, et le 24 il lui offre le manuscrit d'*Eugénie Grandet* qu'il a fait relier spécialement pour elle, avec cet envoi : « Offert par l'auteur à Madame de Hanska comme un témoignage de son respectueux attachement. » La durée de rédaction du roman a donc été brève, trois mois au plus, du début septembre au début décembre 1833, avec des interruptions et une période intense dans la deuxième moitié de novembre : preuve de la puissance et de la rapidité de création de l'écrivain dans ces fécondes années 1832-1834.

PUBLICATION

Le 20 octobre 1833, Balzac avait traité avec Mme Charles-Béchet pour la publication, moyennant la somme totale de 30 000 francs, de douze volumes in-8° d'*Études de mœurs au XIXe siècle*, comprenant quatre volumes de *Scènes de la vie privée*, quatre volumes de *Scènes de la vie de province* et quatre volumes de *Scènes de la vie parisienne*. *Eugénie Grandet*, premier volume des *Scènes de la vie de province*, fut mis en vente à la mi-décembre 1833, volume daté 1834 et enregistré dans la *Bibliographie de la France* le 15 février 1834. L'édition originale était composée de six chapitres non numérotés, intitulés « Physionomies bourgeoises », « Le cousin de Paris », « Amours de province », « Promesses d'avare, serments d'amour », « Chagrins de famille », « Ainsi va le monde », précédés d'un court préambule et suivis d'un épilogue qui furent supprimés dans l'édition Furne (on trouvera ces textes en annexe, p. 299). Cette division en chapitres disparut dès la deuxième édition.

La deuxième édition (Charpentier) fut mise en vente le 9 novembre 1839. C'est la première édition séparée d'*Eugénie Grandet*. La dédicace « À Maria » y apparaît pour la première fois. Elle comporte de nombreuses additions et corrections.

La troisième édition (Furne, Dubochet et Cie, Hetzel) parut en 1843. Le roman figure au tome V de *La Comédie humaine*, premier volume des *Scènes de la vie de province*, avec *Ursule Mirouët* et *Pierrette*. Les corrections y sont encore très nombreuses, en particulier les modifications concernant les dates, les âges des personnages ou les chiffres de la fortune de Grandet. Comme à son habitude, Balzac substitue à certains noms de personnages secondaires réels ou fictifs d'autres noms figurant déjà dans des romans précédents de *La Comédie humaine*, afin de renforcer l'appartenance d'*Eugénie Grandet* à l'ensemble du système. C'est ainsi que le baron de Nucingen remplace le maréchal Oudinot, M. des Lupeaulx M. de Gérente, la duchesse de Chaulieu la duchesse de Margency, et qu'apparaissent Roguin, Keller, Florine, etc. L'exemplaire personnel du romancier, dit Furne corrigé, comporte quelques modifications supplémentaires. C'est lui qui sert de base à toutes les éditions modernes.

RÉCEPTION D'*EUGÉNIE GRANDET*

L'édition originale du roman, mise en vente à la mi-décembre 1833, connut un succès immédiat. Le 13 février 1834, Balzac écrit à Mme Hanska : « [le libraire] est très

heureux de la vente d'*E. Grandet*. Il m'a dit le mot solennel,
cela se vend comme du pain. » Le roman allait vite être
considéré comme un classique, apte à être mis entre toutes
les mains, même les plus chastes, et il est resté comme tel
l'un des plus lus de l'œuvre de Balzac.

Sainte-Beuve

L'auteur des *Lundis* a contribué à l'accueil favorable
que le roman a reçu dans le public. Mais il l'a fait à sa
manière, toute en réticences, en insinuations, en ambi-
guïtés. Dans un article paru dans la *Revue des Deux
Mondes* du 15 novembre 1834 et repris dans *Portraits
contemporains*, « Poètes et romanciers modernes de la
France, XVI. M. de Balzac. *La Recherche de l'absolu* »,
Sainte-Beuve (qui signe de ses initiales : C. A.) déclare
qu'« il s'en faut de bien peu que cette charmante histoire
[*Eugénie Grandet*] ne soit un chef-d'œuvre — oui, un
chef-d'œuvre qui se classerait à côté de tout ce qu'il y a
de mieux et de plus délicat parmi les romans en un
volume. » Poursuivant sa critique, il suggère quelques
améliorations :

> Il ne faudrait pour cela que des suppressions en lieu
> opportun, quelques allégements de descriptions, dimi-
> nuer un peu vers la fin l'or du père Grandet et les millions
> qu'il déplace et remue dans la liquidation des affaires de
> son frère : quand ce désastre de famille l'appauvrirait un
> peu, la vraisemblance générale ne ferait qu'y gagner. La
> conclusion et la solution fréquente des embarras roma-
> nesques où M. de Balzac place ses personnages, c'est
> cette mine d'or dont il a la faculté de les enrichir : ainsi
> dans *L'Absolu*, ainsi dans *Eugénie Grandet*, ainsi dans le
> conte du *Bal de Sceaux* où l'or de M. Longueville est le
> ressort magique, le *Deus ex machina*. À voir les mon-
> ceaux d'or dont M. de Balzac dispose en ses romans, on
> serait tenté de dire de lui comme les Vénitiens de Marco-
> Polo à son retour de Chine : *Messer Miglione*. Il faudrait
> encore dans *Eugénie Grandet* amoindrir l'inutile atrocité

d'égoïsme du jeune Charles à son arrivée d'Amérique ; il est à la fois trop ignoble de la sorte envers sa cousine, et trop naïf aussi de n'avoir pas deviné la grande fortune de son oncle ; le résultat mieux ménagé pourrait être d'ailleurs absolument le même, et l'admirable Eugénie, au milieu des Des Grassins et des Cruchotins, près de sa fidèle Nanon, ne perdrait rien ni en pâleur mortifiée, ni en sensibilité profonde et rétrécie, ni en perpétuel sacrifice. Apaisez en ce tableau quelques couleurs criardes ; arrivez, en éteignant, en retranchant çà et là, à une harmonie plus égale de ton, et vous aurez la plus touchante peinture domestique.

Cet éloge fort mesuré a donné le ton à la critique pour longtemps, et n'a pas peu contribué à construire l'image un peu péjorative de « petit chef-d'œuvre » qui s'est attachée à l'histoire de « l'admirable Eugénie ».

Taine

L'attention des commentateurs s'est portée plus volontiers sur le personnage de Grandet. Il faut citer à ce propos le jugement de Taine, qui a publié, huit ans après la mort du romancier, la première grande étude consacrée à l'auteur de *La Comédie humaine*[1]. Opposant Grandet à l'Harpagon de Molière, Taine met l'accent, pour la première fois aussi nettement, sur la grandeur épique du personnage de Balzac :

> Mais que faire de l'avare ? Qu'y a-t-il de grand dans un usurier grimé, ratatiné, inquiet, attaché à faire des comptes, à rogner ses dépenses et à grignoter le bien d'autrui ? Comment écrire après Molière et pour contredire Molière ? Qu'est-ce qu'Harpagon, sinon un grotesque que le poète diffame et soufflette pour nous amuser et nous corriger ? Comptez tous ces ridicules : trouvez-vous une place où la beauté puisse se loger ? Sa lésine est d'autant plus basse qu'il est né riche

1. « Balzac », *Journal des débats*, février-mars 1858 ; repris en 1865 dans *Nouveaux Essais de critique et d'histoire*.

bourgeois, et que son rang l'oblige à garder valets, diamants et voitures. Qu'y a-t-il de plus vil qu'un usurier à carrosse inventeur de mets économiques, thésauriseur de chandelles et grippe-sou ? Il est raillé par ses voisins, vilipendé par ses domestiques ; il laisse son fils s'endetter et sa fille s'enfuir ; il veut prêter sur gages, et l'affaire manque ; il veut cacher son argent, et on le lui vole ; il veut se marier, et on lui prend sa maîtresse ; il tâche d'être galant, et il est imbécile ; il pleure, et le spectateur rit. Que de moyens pour rendre un personnage grotesque ! Donc en prenant les moyens contraires, on rendra le personnage poétique ; l'être ridicule et bas se trouvera tragique et grandiose ; Harpagon retourné deviendra Grandet. Faisons-le paysan, tonnelier, piocheur de vignes ; sa mesquinerie deviendra excusable : s'il compte les morceaux de sucre au déjeuner du matin, s'il cloue de ses mains les caisses de son neveu, s'il appelle sa servante auprès de lui pour économiser une chandelle, c'est que les habitudes durent, que le jeune homme persiste dans le vieillard, et que l'âme garde toujours l'attitude qu'elle a prise d'abord : nous en aurions fait autant à sa place, et nous supportons ici la ladrerie qui nous choquait ailleurs. Harpagon, maladroit, bafoué et dupe, était un sujet de rire ; Grandet, habile, honoré, heureux, deviendra un objet de crainte. Il exploite ses gens et sa famille, ses amis et ses ennemis. Il a pris pour servante une campagnarde taillée en grenadier, dont personne ne voulait, en qui il a imprimé un dévouement machinal et la fidélité d'une bête de somme. Il a choisi pour femme une ménagère dévote, soumise par religion, par délicatesse et par bêtise, qui lui laisse prendre ses épargnes et évite de lui demander un sou. Il a dressé sa fille à l'économie stricte, et profite de sa vertu filiale pour lui dérober l'héritage auquel elle a droit. Il se débarrasse de son neveu ruiné, et trouve moyen de faire le généreux en lui prenant ses bijoux à un taux de juif. Il est respecté par les plus riches bourgeois, qui lui font la cour en espérant épouser sa fille. Il tire d'eux vingt services, recevant de l'un des consultations gratuites, envoyant l'autre à Paris pour arranger ses affaires. Il profite de toutes les passions, de toutes les vertus, de toutes les misères, véritable diplomate, calculateur obstiné, si attentif et si prudent, qu'il dupe les gens d'affaires et se joue de la loi avec la loi. Il a commencé avec deux cents louis et finit avec dix-sept millions. La splendeur de l'or couvre ici la laideur du vice, et l'avarice glorifiée s'assoit sur le succès comme sur un trône. Pour la porter plus haut encore, Balzac la munit de toutes les forces de l'esprit et de la volonté. Grandet est tellement supérieur, que d'ordinaire il consent à faire le sot ignorant et humble, bredouillant, disant que sa tête se casse, qu'il n'entend rien aux complications des affaires, jusqu'à ce que ses adversaires oublient leur défiance et lui livrent leurs secrets. Il se moque d'eux, il s'amuse à les faire courir et suer, il se joue de leur attente et de leurs révérences : « Entrez, Messieurs, dit-il à ses visiteurs, gens huppés de la ville, je ne suis pas fier, je rafistole moi-même la marche de mon escalier. » Et il les fait asseoir devant son unique chandelle, côte à côte avec sa servante. Il s'installe dans son avarice comme Bridau dans sa brutalité[1] ; il s'étale en maximes avec une précision et une conviction atroce. Quand son frère s'est tué et que son neveu pleure : « Il faut laisser passer la première averse ; mais ce jeune homme n'est bon à rien, il s'occupe plus des morts que de l'argent. » Rirez-vous d'un homme après de telles paroles ? Cette sentence est un coup de couteau qui tranche d'un trait la racine de l'humanité et de la pitié. Son vice en lui est un dogme embrassé avec l'âpreté de la volonté et l'acharnement de l'amour. Il est tyran chez lui et terrible ; ses femmes tremblent sous son regard ; ce sont ses « linottes », petites bêtes gentilles à qui on donne de temps en temps un grain de mil, mais à qui d'un coup de pouce on tordrait le cou. La passion gronde à travers ses expressions sarcastiques et crues : « Je ne vous donne pas *mon* argent pour embucquer de sucre ce jeune drôle. — Tiens ! de la bougie ? Les garces démoliraient le plancher de ma maison pour cuire des œufs à ce garçon-là ! » On est emporté par la véhémence et les

---

1. Philippe Bridau, personnage de *La Rabouilleuse*, ancien officier de la Grande Armée brutal et sans scrupules.

éclats de sa colère ; on voit qu'à ce degré le vice ne reçoit ni frein ni mesure, qu'il brise tout et foule tout, et se rue à travers les sentiments et le bonheur des autres, comme un taureau à travers une maison ou une église. « À quoi vous sert de manger le bon Dieu six fois tous les trois mois, si vous donnez l'or de votre père en cachette à un fainéant qui vous dévorera votre cœur quand vous n'aurez plus que ça à lui prêter ? » Sa femme le supplie au nom de Dieu. « Que le diable emporte ton bon Dieu ! » On a peur ici de la nature humaine ; on sent qu'elle renferme des gouffres inconnus où tout peut s'engloutir, tout à l'heure la religion, à présent la paternité. Lorsque sa fille signe l'acte par lequel elle renonce à l'héritage de sa mère, il pâlit, sue, défaille presque, puis tout d'un coup l'embrasse à l'étouffer. « Va, mon enfant, tu donnes la vie à ton père. Voilà comment doivent se faire les affaires. La vie est une affaire. Je te bénis. Tu es une vertueuse fille qui aime bien son papa. » Cette trivialité, cette bénédiction jetée en manière d'appoint, ces cris saccadés et étranglés de l'avare qui étouffe le père, sont horribles. À cette hauteur et avec ces actes, la passion atteint la poésie ; et peut-être un pareil avare n'est-il qu'un poète à huis clos et dévoyé. Il nage en imagination sur son fleuve d'or. Il parle de son trésor avec les vivantes et caressantes expressions d'un amoureux et d'un artiste. « Allons, va le chercher, le mignon. Tu devrais me baiser sur les yeux pour te dire ainsi des secrets de vie et de mort sur les écus. Vraiment, les écus vivent et grouillent comme les hommes ; ça va, ça vient, ça sue, ça produit. » À la fin, ses yeux restent des heures entières collés sur des piles de louis, comme pour se nourrir de leur scintillement ; « ça me réchauffe », dit-il. Le trouvez-vous grotesque encore ? Que de joies a goûtées cet homme ! Il a joui de son or par les yeux comme un peintre ; il a vogué comme un poète parmi les inventions et les espérances de cent mille féeries resplendissantes ; il a savouré le long plaisir continu du succès croissant, de la victoire répétée, de la supériorité sentie, de la domination établie ; il n'a souffert ni par le cœur, ni par l'argent, ni par les privations, ni par les remords ; il est mort au bout de l'extrême vieillesse, dans la possession et dans la sécurité, dans l'entier assouvissement de sa passion maîtresse, dans le silence des autres désirs amortis ou arrachés. Si Corneille écrivait la généreuse épopée de l'héroïsme, Balzac écrit la triomphante épopée de la passion.

ADAPTATIONS THÉÂTRALES ET CINÉMATOGRAPHIQUES

Le 7 janvier 1835 a été représentée au Gymnase *La Fille de l'avare*, une comédie-vaudeville en deux actes, par Bayard et Duport. C'est une adaptation très libre du roman. Balzac avait songé lui-même à écrire une version d'*Eugénie Grandet* pour le théâtre. Le 8 mars 1848, il écrit à Mme Hanska : « Il faut que je fasse à *la scène* les mêmes efforts que j'ai faits en *livres*, en 1830. Il s'agit de trouver pour la *Porte St-Martin*, une *Peau de chagrin*, pour l'*Ambigu*, une *Eugénie Grandet*, pour les *Français*, *Les 13*, et pour les *Variétés*, un *Père Goriot*. » Ce projet n'a jamais vu le jour.

Au cinéma, le roman a été adapté dans de nombreux pays. Dès 1910, Émile Chautard et Victorin Jasset réalisent la première *Eugénie Grandet*, suivis en Italie en 1913 par Roberto Roberti (*La Figlia dell'avaro*). Aux États-Unis, le film de Rex Ingram, *The Conquering Power*, sort en 1921, avec Rudolph Valentino dans le rôle de Charles Grandet. En 1946, Mario Soldati tourne *Eugenia Grandet*. Alida Valli y tient le rôle d'Eugénie. En 1953, c'est au Mexique qu'Emilio Gomez Muriel adapte à son tour le roman.

La télévision n'est pas en reste. Pour s'en tenir à la France, on peut relever les adaptations de Maurice Cazeneuve (1953, avec Jean Marchat dans le rôle de Grandet et Dominique Blanchar dans celui d'Eugénie), d'Alain Boudet (1968, avec René Dary dans le rôle de Grandet), de Jean-Daniel Verhaege (1994, avec Jean Carmet dans le rôle de Grandet).

BIBLIOGRAPHIE *

MANUSCRITS

Le manuscrit d'*Eugénie Grandet*, donné par Balzac à Mme Hanska le 24 décembre 1833, se trouve à la Pierpont Morgan Library, à New York. Il compte 117 feuillets, et se compose de six chapitres, plus une conclusion. À la même bibliothèque sont également conservés un exemplaire corrigé du texte préoriginal du premier chapitre, publié dans *L'Europe littéraire* du 19 septembre 1833, et deux séries de placards corrigés de la fin du chapitre I et du chapitre II, destinés à paraître dans *L'Europe littéraire* mais qui n'ont pas été publiés.

ÉDITIONS

Édition originale

Eugénie Grandet, au tome V des *Études de mœurs au XIXe siècle, Scènes de la vie de province*, premier volume,

---

* Classement par ordre chronologique.

chez Mme Charles Béchet, 1834. *Bibliographie de la France*, 15 février 1834, mise en vente en décembre 1833.

À l'époque de Balzac

Eugénie Grandet, Charpentier, 1839.
Eugénie Grandet, dans *La Comédie humaine*, tome V, *Scènes de la vie de province*, volume 1, Furne, 1843.

Éditions modernes

Eugénie Grandet, dans *Œuvres complètes* de Balzac, introduction de Maurice Bardèche, Club de l'honnête homme, 1955.
Eugénie Grandet, introduction de Suzanne-J. Bérard, éditions de Cluny, 1959.
Eugénie Grandet, chronologie et préface de Pierre Citron, GF Flammarion, 1964.
Eugénie Grandet, introduction, variantes et notes de Pierre-Georges Castex, Classiques Garnier, 1965 [l'édition de base].
Eugénie Grandet, texte présenté, établi et annoté par Nicole Mozet, dans Balzac, *La Comédie humaine*, Gallimard, « Bibliothèque de la Pléiade », t. III, 1976 [l'autre édition de référence].
Eugénie Grandet, préface de Maurice Bardèche, présentation et notes de Martine Reid, Le Livre de poche, « Les Classiques de poche », 1972.
Eugénie Grandet, édition présentée et commentée par Pierre-Louis Rey, Pocket, 1998.
Eugénie Grandet, présentation, notes, dossier, chronologie et bibliographie d'Éléonore Reverzy, Flammarion, « GF », 2000.

OUVRAGES CRITIQUES

Biographies

GENGEMBRE, Gérard, *Balzac, le Napoléon des lettres*, Gallimard, « Découvertes », 1992.
PIERROT, Roger, *Honoré de Balzac*, Fayard, 1994.

Ouvrages généraux sur Balzac

CURTIUS, Ernst Robert, *Balzac*, Grasset, 1933 [trad. française].
BARDÈCHE, Maurice, *Balzac romancier*, Plon, 1943.
MARCEAU, Félicien, *Balzac et son monde*, Gallimard, 1955 ; rééd. « Tel », 1986.
DONNARD, Jean-Hervé, *Les Réalités économiques et sociales dans « La Comédie humaine »*, Armand Colin, 1961.
BARDÈCHE, Maurice, *Une lecture de Balzac*, Les Sept Couleurs, 1964.
LUKACS, Georg, *Balzac et le réalisme français*, Maspero, 1967 [trad. française] ; nouvelle éd., La Découverte, 1999.
BARBÉRIS, Pierre, *Le Monde de Balzac*, Arthaud, 1971.
CITRON, Pierre, *Dans Balzac*, Éd. du Seuil, 1986.
VACHON, Stéphane, *Les Travaux et les jours d'Honoré de Balzac*, Presses universitaires de Vincennes / Presses du CNRS / Presses de l'Université de Montréal, 1992.

Études concernant Eugénie Grandet

MOZET, Nicole, *La Ville de province dans l'œuvre de Balzac*, CDU-SEDES, 1982.
BERTHIER, Philippe, *« Eugénie Grandet » d'Honoré de Balzac*, Gallimard, « Foliothèque », 1992.

PÉRAUD, Alexandre (dir.), *La Comédie (in)humaine de l'argent*, Le Bord de l'eau, 2013 [ouvrage collectif].

Articles sur Eugénie Grandet

CHANCEREL, André et PIERROT, Roger, « La véritable Eugénie Grandet », *Revue des Sciences humaines*, octobre-décembre 1955, p. 437-458.

CASTEX, Pierre-Georges, « Aux souces d'*Eugénie Grandet*. Légende et réalité », *Revue d'histoire littéraire de la France*, janvier-mars 1964, p. 73-94.

—, « L'ascension de Monsieur Grandet », *Europe*, janvier-février 1965, p. 247-263, repris dans *Horizons romantiques*, Librairie José Corti, 1983, p. 111-125.

Gurkin, Janet, « Romance Elements in *Eugénie Grandet* », *L'Esprit créateur*, printemps 1967, p. 17-24.

Winkler-Boulenger, Jacqueline, « La durée romanesque dans *Eugénie Grandet* », *L'Année balzacienne*, 1973, p. 75-87.

Le Huenen, Roland « Le signifiant du personnage dans *Eugénie Grandet* », *Littérature*, n° 14, 1974, p. 36-48.

AMOSSY, Ruth et ROSEN, Elisheva, « La configuration du dandy dans *Eugénie Grandet* », *L'Année balzacienne*, 1975, p. 247-261.

Princeton University, « Thèmes religieux dans *Eugénie Grandet* », *L'Année balzacienne*, 1976, p. 201-229 [recherche collective dirigée par Léon-François Hoffmann].

AMOSSY, Ruth et Rosen, Elisheva, « Les "clichés" dans *Eugénie Grandet*, ou les "négatifs" du réalisme balzacien », *Littérature*, n° 25, février 1977, p. 114-128.

LE HUENEN, Roland, et PERRON, Paul, « Le système des objets dans *Eugénie Grandet* », *Littérature*, n° 26, mai 1977, p. 94-119.

GALE, John, « *Sleeping Beauty* as ironic model for *Eugénie Grandet* », *Nineteenth Century French Studies*, automne-hiver 1981-1982, p. 28-36.

SCHOR, Naomi, « *Eugénie Grandet :* Mirrors and Melancholia », dans *Breaking the Chain. Women, Theory and French Realist Fiction*, New York, Columbia University Press, 1985.

ANDRÉOLI, Max, « À propos d'une lecture d'*Eugénie Grandet*. Science et intuition », *L'Année balzacienne*, 1995, p. 9-38.

Dufour, Philippe, « Les avatars du langage dans *Eugénie Grandet* », *L'Année balzacienne*, 1995, p. 39-61.

MOZET, Nicole, « *Eugénie Grandet* ou le temps arrêté », *Bulletin de l'Académie royale* (Bruxelles), vol. 77, 1999, p. 279-286.

NOTES

Page 51.

1. *À Maria* : il s'agit de Maria Du Fresnay, qui était la maîtresse de Balzac en 1833 et lui donna une fille, née le 4 juin 1834. Maria est explicitement désignée ici comme le modèle d'Eugénie.

Page 54.

1. *Antiquaire* : au sens classique de « celui qui s'intéresse à l'étude des textes et des objets du passé ».

2. *Un toit en colombage* : le *colombage* désigne habituellement l'ensemble des poutres formant la charpente d'un mur. Il faut sans doute comprendre que le toit repose sur un mur de ce type.

3. *Sa noblesse de cloches* : « noblesse de la cloche, nom que l'on donnait aux descendants des maires et des échevins, maîtres, en leur qualité d'officiers municipaux, de la cloche de la commune, et anoblis en certaines villes par quelques charges municipales » (Littré).

4. *À pans hourdés* : garnitures de plâtre ou de brique servant de remplissage entre les poutres du colombage.

Page 55.

1. *L'ouvrouère de nos pères* : Balzac calque l'orthographe du mot *ouvroir* (« atelier », « lieu de travail en commun ») sur sa prononciation ancienne, pour faire

ressortir la « naïve simplicité » des mœurs traditionnelles, encore sensible en province.

2. *Montre* : dans les boutiques anciennes, boîte d'étalage fermée par une vitre.

3. *Plancher* : au sens ancien de « plafond fait en planches ».

4. *Une fille propre* : au sens classique de « bien tenue », « soignée ».

5. *Merrain* : planches de chêne ou de châtaignier utilisées dans la tonnellerie.

Page 56.

1. *Les poinçons* : tonneaux dont la contenance, très variable suivant les régions, était en moyenne de trois cents bouteilles. Le terme s'emploie surtout dans les pays de la Loire et en Île-de-France.

2. Les termes de *francs* et de *livres* sont utilisés indifféremment à l'époque de Balzac.

3. Dans son sens classique et général, le terme d'*industriel* désigne tout individu exerçant une activité productrice de richesses, quelle qu'elle soit. Le terme ne figure pas encore dans la sixième édition du Dictionnaire de l'Académie (1835).

Page 57.

1. « On trouve dans les XVIe et XVe siècles *copieux* pour railleur, moqueur ; [...] copieux en ce sens vient de copier, celui qui copie, qui contrefait » (Littré).

Page 58.

1. Le *district* était une subdivision du département correspondant à peu près à l'arrondissement actuel. Cette circonscription fut supprimée en 1795.

2. Le *louis* de vingt francs était la plus répandue des pièces d'or. Il existait aussi des doubles louis de quarante francs. Deux mille louis et deux cents doubles louis forment donc la somme de 48 000 francs ou livres, à la fois une grosse somme dans un pays et en un temps où l'argent monnayé était rare, et « un morceau de pain »,

compte tenu de l'importance des biens acquis par Grandet. L'abbaye de Noyers, située réellement en Touraine, qui donne son nom à l'abbaye fictive achetée par Grandet, avait été vendue comme bien national en 1791, avec ses dépendances, au prix considéré comme avantageux de 100 200 livres. Voir sur ce point l'article de P.-G. Castex, « Aux sources d'*Eugénie Grandet* », *Revue d'histoire littéraire de la France*, janvier-mars 1964, p. 88.

Page 59.

1. *Très avantageusement cadastrés* : le cadastre, prévu par l'Assemblée constituante en 1791, défini sous le Consulat en 1802, fut institué finalement sous le premier Empire par la loi du 15 septembre 1807, afin d'améliorer le recouvrement de l'impôt foncier. Balzac laisse entendre que les parcelles appartenant à Grandet ont été classées, grâce à son influence, comme terrains de peu de valeur.

2. *Cet événement eut lieu en 1806* : la phrase renvoie sans doute, non à ce qui précède immédiatement, mais à l'événement que représente la destitution de Grandet de sa fonction de maire de Saumur, ce que Balzac appelle plus bas « sa disgrâce administrative ».

3. *L'usure* : au sens général d'« intérêt que produit l'argent prêté ».

Page 60.

1. *L'arpent*, mesure de longueur et par extension de surface, très variable selon les régions, valait en moyenne un demi-hectare.

2. *Il avait muré les croisées* : pour échapper à l'impôt sur les portes et fenêtres, institué en 1798 par le Directoire.

3. Balzac précisera plus loin les opérations financières auxquelles se livre Grandet : avec le notaire Cruchot, il prête à usure, au taux de onze pour cent, considéré à l'époque comme exorbitant (dans les premières éditions du roman, il n'était question que de huit pour cent) ; avec

le banquier des Grassins, il pratique l'escompte « avec un effroyable prélèvement d'intérêts » (p. 62).

Page 61.

1. *Sa fameuse récolte de 1811* : c'est « l'année de la comète ». Le passage de ce météore, visible à l'œil nu pendant plusieurs mois, s'accompagna d'une vague de chaleur qui favorisa la production d'un vin de qualité exceptionnelle. Il est encore question de cette « fameuse année de 1811 » p. 75.

Page 62.

1. *Terme moyen* : c'est-à-dire le revenu annuel moyen rapporté par la location de ses biens.

2. *Des Rothschild ou de M. Laffitte* : célèbres banquiers de la place de Paris sous l'Empire, la Restauration et la monarchie de Juillet. La banque Rothschild frères, branche française de la famille Rothschild, avait été fondée en 1812 par James de Rothschild (1792-1868). Balzac avait fait sa connaissance en 1832. Il fréquenta son salon et lui emprunta de l'argent. Jacques Laffitte (1767-1844), régent de la Banque de France de 1809 à 1831, homme politique libéral, fut le premier président du Conseil de la Monarchie de Juillet. Sa fortune était estimée vers 1820 à 20 ou 25 millions, mais à l'époque d'*Eugénie Grandet* elle avait beaucoup décru, et il dut liquider sa banque en 1831.

Page 63.

1. *Blé de rente* : l'expression « de rente » désigne tout ce que rapporte annuellement au propriétaire un bien mis en fermage. Elle ne porte pas seulement sur « blé », mais sur tous les produits énumérés.

2. *Truisses* : « bouquet d'arbres taillés en têtard dans une haie » (TLF). Terme régional de l'ouest de la France que Balzac emploie assez souvent.

Page 65.

1. *Un ilotisme complet* : « Condition d'une personne en

état de dépendance vis-à-vis d'une autre personne » (TLF), en référence aux ilotes, esclaves des Spartiates dans l'Antiquité. Le terme comporte une idée de déchéance physique et morale, ce qui est bien le cas pour madame Grandet. Il est employé plusieurs fois à son propos dans le roman, notamment p. 65 et 145.

2. « Recevoir à dîner » doit se comprendre comme le contraire de « donner à dîner » : Grandet refuse d'être invité à dîner, pour ne pas avoir à rendre les invitations.

3. *Des mollets de douze pouces* : Grandet est le type de l'homme trapu : taille moyenne, larges épaules, forts mollets. Cinq pieds font 1,62 m, et douze pouces, qui valent un pied, 32,4 cm.

4. *Basilic* : serpent légendaire dont le regard, croyaient les Anciens, avait le pouvoir de tuer.

5. *De protubérances significatives* : allusion à la théorie phrénologique du médecin allemand Franz Joseph Gall (1757-1828), selon laquelle le caractère d'un individu était révélé par les bosses ou « protubérances » de son crâne. Cette théorie controversée était très à la mode en France dans les années 1830. L'illustre médecin Broussais avait fondé en 1831 la Société phrénologique de Paris. Balzac s'intéressait aux idées de Gall qu'il cite souvent dans ses romans, notamment dans *Le Père Goriot*, *Ursule Mirouët* ou *Louis Lambert*.

6. *Blanc et or* : c'est-à-dire de la couleur des pièces d'argent et d'or.

7. *Une loupe veinée* : tumeur sébacée qui vient en général sur la tête. Cette loupe douée de vie joue un rôle important dans le roman, comme indicateur des états psychologiques de Grandet : voir p. 131, 180, 182, 239, 265.

Page 67.

1. *Les Cruchot avaient leurs Pazzi* : les Pazzi, famille aristocratique de Florence, fomentèrent contre les Médicis un complot qui échoua (1478). La plupart des membres de cette famille furent exécutés. Cette comparaison laisse

déjà entendre que les Grassinistes seront vaincus par les Cruchotins dans leur lutte pour conquérir la main d'Eugénie.

Page 68.

1. *Doloire* : hachette servant à tailler et aplanir les douves de tonneaux.

Page 69.

1. *Sous escompte* : au comptant, moyennant un rabais sur le prix d'achat.

Page 70.

1. *Pierres vermiculées* : pierres de reliefs ou de bossages marquées de stries irrégulières imitant les sillons creusés par les vers, qui dans l'architecture Renaissance et classique servaient de motifs décoratifs.

2. *Plinthe saillante* : ce terme désigne ici une bande de pierre courant le long de la façade au-dessus du bas-relief.

3. *Convolvulus* est le nom scientifique du liseron. Les deux mots désignent la même plante.

4. *Porte bâtarde* : porte de largeur intermédiaire entre une porte cochère et une petite porte.

5. *Motif* : terme d'architecture : ornement, élément de décoration.

6. *Jacquemart* : figure d'homme armé d'un marteau qui frappe les heures sur une cloche au sommet d'un bâtiment public. Mais ici, improprement, ce terme ne désigne que le marteau.

7. *Point d'admiration* : synonyme vieilli de « point d'exclamation ».

Page 71.

1. *La figure essentiellement bouffonne* : allusion rabelaisienne à la forme de ce marteau que Balzac se contente de suggérer.

2. *Blanc en bourre* : « enduit fabriqué avec du poil mélangé à de la chaux et de l'argile remplaçant le plâtre » (TLF).

3. *Un trumeau gothique* : le trumeau, panneau décoratif au-dessus d'une glace, est dit « gothique » parce qu'il est dans le goût démodé du Moyen Âge. En 1819, à Saumur, la mode néo-gothique liée au romantisme n'avait pas pénétré.

Page 72.

1. Les *petits jours* étaient ceux où l'on ne recevait que des intimes, sans cérémonie.

2. *Le tableau qui séparait les deux fenêtres* : panneau de bois sans décoration.

3. *Défunt Mme Gentillet* : tournure familière qui s'accorde à la tonalité légèrement comique de l'ensemble de la description.

4. *Gros de Tours* : « étoffe de soie, plus forte que le taffetas ordinaire » (TLF).

Page 74.

1. En pieds et pouces français, cinq pieds huit pouces font 1,83 m. Nanon mesure donc 21 cm de plus que son maître…

2. La Grande Nanon surpasse en taille les plus beaux hommes de la Garde impériale, qui devaient mesurer au moins cinq pieds six pouces (1,78 m).

Page 75.

1. *Buées* : lessives, terme vieilli et régional, usité encore dans l'ouest de la France.

2. *Halleboteurs* : glaneurs qui dans les vignes ramassent les grappes non vendangées (terme régional de Touraine, que l'on trouve dans Rabelais, et que Balzac emploie encore dans *Les Paysans*).

3. *La fameuse année de 1811* : voir ci-dessus p. 61, n. 1.

Page 76.

1. *Halleberge* : sorte de pêche de petite taille à peau rugueuse. La forme courante est *alberge*.

Page 77.

1. *Jour de souffrance* : fenêtre donnant sur la propriété d'un voisin, tolérée par celui-ci, mais qu'on ne peut ouvrir.

Page 78.

1. *Élever à la brochette* : la brochette est une baguette en bois avec laquelle on donne la becquée aux petits oiseaux. Élever un enfant à la brochette, dit Littré, c'est « l'entourer de beaucoup de soins, l'élever avec trop de délicatesse et de mollesse ». Ici, c'est l'idée de soins attentifs qui prédomine.

Page 80.

1. *Levantine* : « étoffe de soie unie fabriquée à l'origine dans les pays du Levant » (TLF).

Page 81.

1. *Épingles* : « don fait à une femme quand on conclut quelque marché avec son mari » (Littré).

Page 83.

1. *Son allusion que personne ne comprit* : le président déforme le proverbe « charbonnier est maître chez lui » (chacun est libre d'agir chez soi comme il le veut), pour faire une allusion qu'il croit spirituelle à la fonction de maire de Saumur qu'a exercée jadis Grandet. Ce proverbe sera encore cité, sous sa forme exacte cette fois, par Grandet lui-même, p. 249.

Page 86.

1. *Modes* : vêtements et accessoires de toilette féminine.

2. *Quartier-maître* : « officier du rang de lieutenant ou de capitaine, qui est chargé du logement, du campement, des subsistances, des distributions, de la caisse et de la comptabilité d'un corps de troupes, et qui fait partie de l'état-major » (Littré).

Page 88.

1. *Mon neveu est une cruche* : Balzac joue sur le nom qu'il a donné à son personnage, selon un procédé d'ono-mastique significative fréquent dans ses romans. On en trouve d'autres exemples dans *Eugénie Grandet* : si le jeune Cruchot est une cruche, Mme des Grassins est bien « dodue ». Mme Gentillet, grand-mère de Mme Grandet, laisse présager par son nom la bonté naïve et un peu sotte de sa petite-fille. Le nom de Grandet lui-même est oxymorique (voir la Préface, p. 32).

Page 90.

1. *Ponter* : miser une somme d'argent, à un jeu de hasard. L'emploi de ce verbe est ironique : il s'emploie d'ordinaire pour des jeux moins médiocres que le loto, et la mise représente ici la « riche somme » de seize sous (80 centimes).

Page 93.

1. Le *lorgnon*, à l'époque de Balzac, n'avait pas de fonction corrective. C'était un verre unique que l'on pla-çait dans l'arcade sourcilière, et qui servait aux dandies à *lorgner* avec élégance et impertinence. Cet accessoire montre à lui seul à quel type social appartient Charles à son arrivée à Saumur.

Page 95.

1. *Deux habits de Buisson* : ce tailleur fut celui de Bal-zac. Son nom remplace dans l'édition Furne du roman celui de Staub, tailleur plus fameux dans la société des élégants parisiens. Balzac trouve ainsi l'occasion de faire un peu de publicité à celui qui était à la fois son ami et son créancier.

Page 96.

1. *Roupie* : « humeur qui découle des fosses nasales, et qui pend au nez par gouttes » (Littré). Cette sécrétion est favorisée par l'usage du tabac à priser.

Page 97.

1. *Les solives du plancher* : voir p. 55, n. 3.

2. On comprend mieux l'hyperbole si l'on se souvient que *L'Encyclopédie méthodique* de Charles-Joseph Panckoucke (1736-1798), publiée de 1782 à 1832, compte 210 volumes, et que *Le Moniteur universel*, fondé en 1789 par le même éditeur, était un journal quotidien qui en 1819 paraissait depuis trente ans !

3. Balzac pense à la *girafe* offerte en 1827 au roi Charles X par le vice-roi d'Égypte Méhémet Ali. Installée au jardin des Plantes, elle suscita dans le public un étonnement et une curiosité extraordinaires.

Page 98.

1. Richard *Westall* (1765-1836), peintre et aquarelliste anglais, William *Finden* (1787-1852) et son frère Edward (1791-1857), célèbres graveurs, ont illustré de nombreux keepsakes, ces albums de poèmes et de gravures venus d'Angleterre que l'on offrait annuellement pour les étrennes à l'époque romantique.

Page 99.

1. *Un quart de conversion* : notation humoristique ; les Cruchotins et les Grassinistes manœuvrent avec ensemble, comme une troupe militaire. Le quart de conversion, nous dit Littré, est le « mouvement qui fait tourner la tête de bataillon où était le flanc ».

Page 100.

1. *Heureusement* : opportunément, au bon moment.

Page 102.

1. Le *provin* est un sarment de vigne que l'on recourbe pour le planter en terre et lui faire prendre racine par marcottage. Il est ensuite séparé du pied-mère pour créer un nouveau cep.

Page 104.

1. Francis *Chantrey* (1781-1841), sculpteur anglais,

auteur de nombreux bustes de personnalités et d'écrivains célèbres.

Page 108.

1. Le terme de *mirliflor* (ou mirliflore) désigne, à la fin du XVIIIe siècle, un jeune homme à l'élégance affectée et ridicule. Le mot est employé très souvent par Grandet pour qualifier son neveu.

Page 109.

1. *Adieu paniers, vendanges sont faites* : expression proverbiale tirée de Rabelais (*Gargantua*) s'appliquant, écrit le *Dictionnaire de l'Académie française* de 1835, à « toutes les affaires manquées sans ressource ».

Page 110.

1. Allusion aux *Amours du Chevalier de Faublas* (1787-1790) de Louvet de Couvray et aux *Liaisons dangereuses* (1782) de Choderlos de Laclos. L'évocation de ces romans libertins laisse entendre que Mme des Grassins songe à séduire Charles pour le détourner d'Eugénie, et que l'abbé l'encourage par ses remarques jésuitiques.

Page 113.

1. *Plaine* ou (le plus souvent) *plane* : rabot à deux poignées, une à chaque bout, servant à aplanir le bois.

Page 115.

1. *Cuver, cercler son or* : en bon vigneron, Grandet met son or dans des « barillets » (voir plus bas, p. 186, p. 222) cerclés comme des tonneaux. Balzac joue sur le sens du verbe cuver : « cuver son or », c'est à la fois le mettre en cuve, et cuver l'ivresse provoquée par la vue de l'or.

2. *Bourrée* : fagot composé de menues branches.

Page 116.

1. *Pierre de liais cannelée* : calcaire dur à grain fin, facile à sculpter. Mais le liais n'est pas le marbre, et trahit l'origine plébéienne de la maison de Grandet.

2. Le corps des *voltigeurs*, créé en 1804, appartenait à l'infanterie légère. Il était formé de soldats de petite taille (de 4 pieds 9 pouces à 4 pieds 11 pouces, soit de 1,54 m à 1,59 m), qui auparavant échappaient à la conscription.

Page 117.

1. *Ça va-t-il sur l'eau ?* : formule couramment employée dans la littérature comique de l'époque pour faire ressortir la naïveté d'un personnage ignorant. L'expression se retrouve dans *La Grammaire en vaudevilles ou Lettres à Caroline sur la grammaire française* par S*** (1806) : « Qu'entendez-vous par un tréma ? Je n'ai pas l'honneur d'en connaître ; un tréma ça va-t-il sur l'eau ? » ; dans les *Mémoires* de Vidocq (t. 2, 1828) : « Le blocus continental ! qu'est-ce que ça veut dire papa... ? ça va-t-il sur l'eau ? » ; dans *Les Bohémiens de Paris*, drame d'Adolphe d'Ennery et Grangé (1843) : « — Bagnolet : Moi, je suis cicérone. — Chalumeau : Quoi que c'est que ça, cicérone ? ça va-t-il sur l'eau ? », etc.

Page 118.

1. *Je ne sais quelle ganache grecque* : il s'agit d'Archias, tyran de Thèbes au IVᵉ siècle avant J.-C. Alors qu'il participait à un festin, il reçut une lettre qu'il refusa de lire en disant : « À demain les affaires sérieuses ! ». Mais il fut assassiné le soir même, et la lettre qu'il n'avait pas lue l'avertissait du complot.

2. Littré définit le *tabis* comme une « étoffe de soie unie et ondée, passée à la calandre sous un cylindre qui imprime sur l'étoffe les inégalités onduleuses gravées sur le cylindre même », et le *damas* comme une « étoffe de soie à fleurs ou à dessins en relief où le satin et le taffetas sont mêlés ensemble ». Ce sont deux étoffes luxueuses venues d'Orient.

Page 119.

1. *Fécondance* : « terme didactique : puissance de féconder » (Littré). Balzac aime ces mots abstraits et

rares, comme dans le préambule « acutesse » (p. 301) ou plus bas « compatissance » (p. 140).

Page 120.

1. *Broui* : « brûlé, desséché par l'action conjuguée du soleil et du gel » (TLF).

Page 121.

1. *Cheveux de Vénus* : plante capillaire appartenant à la famille des fougères, dite adiante de Montpellier.

2. *Elle se leva brusquement* : *brusquement* est la leçon du manuscrit. Les éditions antérieures à celle de la Pléiade portent *fréquemment*, qui ne se justifie pas.

Page 122.

1. La statue colossale de Zeus à Olympie, par Phidias, était une des sept merveilles du monde. Elle a été détruite dans un incendie au Ve siècle après J.-C. et aucune copie n'en a été conservée. Des restitutions ont été proposées par les archéologues à partir du XVIIIe siècle. Quatremère de Quincy, dans *Le Jupiter Olympien ou l'art de la sculpture antique* (1815) en donne une représentation gravée, d'après les descriptions antiques.

2. *S'harmoniait* : forme vieillie couramment employée par Balzac.

3. *Si facile à méconnaître* : l'édition Furne porte par erreur « reconnaître », qui est absurde. « Méconnaître » est la leçon des éditions antérieures.

Page 123.

1. *Habitude* : terme de médecine : « conformation », « aspect ».

Page 124.

1. *Chambrelouque* : ce mot est absent de tous les dictionnaires modernes. C'est un synonyme de « robe de chambre », terme que Balzac avait d'abord employé dans le manuscrit du roman. On le trouve aussi dans une comédie de Mme de Genlis, *Les Dangers du monde*

(acte II, sc. v) : « C'est le bonheur de la vie, qu'une chambrelouque… » (*Théâtre à l'usage des jeunes personnes*, t. I,
1779).

Page 126.

1. *Alleberge* : voir p. 76, n. 1. Balzac écrit alors *halleberge*.

2. *Aveindre*, « tirer un objet de l'endroit où il a été
rangé », est familier et archaïque, déjà au temps de
Balzac.

Page 127.

1. *Sous l'Empire* : au temps où le sucre, comme toutes
les denrées coloniales, était très cher à cause du blocus
continental.

2. *Mette* ou *maie* : coffre où l'on pétrissait et conservait
le pain.

Page 128.

1. *Chômer de quelque chose*, vieilli et régional, est synonyme de « manquer de quelque chose ».

Page 130.

1. *Aux frais du gouvernement* : parce que les bords des
rivières navigables (comme la Loire) appartiennent à
l'État.

Page 131.

1. *La souffrance allait donc les corroborer* : leur donner
de la force.

Page 133.

1. *La faillite [...] l'ont ruiné* : texte de toutes les éditions
du temps de Balzac. Certaines éditions modernes cor-
rigent « la faillite » en « les faillites ». La présence de deux
noms et l'idée d'une double faillite entraînent l'usage du
pluriel, alors que l'accord avec le sujet voudrait que le
verbe soit au singulier.

Page 134.

1. Le *sabot* est une toupie que l'on actionne avec un fouet. « Le sabot dort, se dit quand il tourne si vite, restant sur un même point, qu'il paraît immobile » (Littré). De là l'expression « dormir comme un sabot ».

Page 135.

1. *Les grandes Indes* : cette appellation désigne le sous-continent indien dans son ensemble et l'Indochine, par opposition aux Indes occidentales qui englobent l'Amérique du Nord et les Antilles.

2. *En s'emmortaisant les doigts* : c'est-à-dire en croisant les doigts d'une main avec ceux de l'autre main, comme un assemblage de tenons et de mortaises.

3. *La vie des célèbres sœurs hongroises* : Helen et Judith, sœurs « siamoises » du XVIIIe siècle (1701-1723), natives de Szony en Hongrie, ont été citées par Geoffroy Saint-Hilaire dans son *Traité de tératologie* (1836).

Page 137.

1. *Office* : « art de préparer ce que l'on met sur la table pour le service » (Littré). Le *chef d'office* est le maître d'hôtel.

Page 139.

1. Abraham-Louis *Breguet* (1747-1823), célèbre horloger, auteur de nombreuses inventions et de perfectionnements dans tous les domaines de son art. Il siégeait à l'Académie des sciences depuis 1816.

Page 140.

1. *Compatissance* : mot rare, synonyme de « compassion », qui se trouve déjà chez Chateaubriand dans ses *Mémoires d'outre-tombe*, et que Balzac affectionne. Gide note dans son journal à la date du 3 juin 1949 : « Relu *Le Cabinet des Antiques* et *Le Père Goriot*, *Honorine* (une des mieux écrites) où Balzac emploie le mot : *compatissance*. Curieux de chercher s'il figure dans Littré. Il me semble que *compassion* suffisait. » Littré enregistre effectivement

le mot, qu'il définit comme néologisme : « Caractère, qualité de celui qui est compatissant ».

Page 142.

1. *Boullu* : participe passé archaïque et populaire du verbe bouillir. Le café « boullu » est préparé en faisant bouillir la poudre de café avec de l'eau, puis en laissant reposer le mélange. Il est réputé de mauvaise qualité. On connaît le dicton : « café boullu, café foutu ».

2. La cafetière *à la Chaptal*, du nom du célèbre chimiste (1756-1832), se composait de deux récipients superposés séparés par un filtre. L'eau bouillante versée dans le récipient du haut passait à travers le café moulu placé sur le filtre et le café filtré était recueilli dans le récipient du bas. Balzac, on le sait, était grand amateur de café. Il est encore question de la cafetière à la Chaptal dans *Ursule Mirouët* (Balzac, *La Comédie humaine*, Gallimard, « Bibliothèque de la Pléiade », t. III, p. 850).

Page 145.

1. *Épaules de mouton* : Balzac joue sur le double sens du terme. Sans doute veut-il dire que les mains de Grandet sont larges et charnues comme des épaules de mouton, mais ce terme est aussi le synonyme populaire de la doloire, qui est l'outil du tonnelier (voir ci-dessus, p. 68, n. 1).

Page 148.

1. *Embucquer* ou *emboquer* : « mettre de la mangeaille dans la bouche des animaux, afin de les engraisser plus vite » (Littré).

Page 149.

1. La gamme *chromatique* est composée d'une suite de demi-tons, en montant ou en descendant.

Page 150.

1. *Deux millions ? dit Grandet* : quatre millions, un million, deux millions, Balzac a tant de fois corrigé la

somme des dettes de Guillaume Grandet qu'il s'emmêle dans ses corrections. Ce que demande Eugénie, c'est ce que représente un million, en tant qu'unité monétaire.

Page 151.

1. Le *napoléon*, pièce d'or frappée sous l'Empire, vaut vingt francs, comme le louis.

Page 154.

1. *Les Hollandais et les Belges* : il est déjà question de ces acheteurs venus de Belgique et de Hollande plus haut dans le roman (p. 81 et 85). Depuis le XVIe siècle, ces deux pays représentaient le principal débouché pour les vins de Loire.

Page 155.

1. *Mane-Teckel-Pharès* : la formule, ordinairement orthographiée *Mané Thécel Pharès*, est celle que Balthazar, roi de Babylone, vit écrite sur le mur de la salle des festins de son palais, par la main d'un personnage invisible. L'inscription, déchiffrée par le prophète Daniel, signifiait « compté, pesé, divisé » : « Compté : Dieu a compté ton règne et y a mis fin. Pesé : tu as été pesé dans la balance, et tu as été trouvé léger. Divisé : ton royaume sera divisé, et donné aux Mèdes et aux Perses » (Daniel, 5, 26-28). La même nuit, Babylone tombait aux mains des Perses et Balthazar était tué.

Page 157.

1. Balzac n'a cessé d'hésiter sur le montant des gains de Grandet, et de modifier les chiffres, au fil des rééditions de son roman. Les sommes que celui-ci espère tirer de ses spéculations se montent d'abord à « trois millions » dans le manuscrit, « quatre millions » dans l'édition originale Béchet (1834), « deux millions » dans l'édition Charpentier (1839), avant de redescendre définitivement à « quinze cent mille francs » dans l'édition Furne (1843).

Page 158.

1. *Planchers grisâtres* : voir ci-dessus p. 55, n. 3, p. 97, n. 1, et encore p. 225.

2. *Le vin ne coûte rien à Saumur…* : cette phrase est un commentaire de Balzac et ne fait pas partie de la réplique de Grandet.

Page 159.

1. *Per fas et nefas* : « par tous les moyens, licites et illicites ».

2. *Qui demandent au législateur* : correction peu claire de l'édition Furne. Les éditions antérieures impriment : « qui demandent à un homme ». Sans doute Balzac pense-t-il au suffrage censitaire, qui envoie à l'Assemblée des hommes choisis en fonction de leurs revenus plutôt que de leurs idées.

Page 165.

1. *Malicieuse* : au sens classique de « méchante ».

Page 168.

1. Arriver *comme marée en carême*, c'est arriver à propos, comme le poisson en temps de jeûne.

2. *Haut le pied !* : « marchez, décampez » (Littré). On retrouve plus loin la même expression sous la forme plus populaire « haut la patte ! » (p. 230).

Page 170.

1. *Il aurait été peut-être un grand homme* : la légende raconte qu'Alcibiade fit couper la queue d'un chien magnifique qui lui avait coûté fort cher, uniquement pour faire parler de lui. Mais Grandet se moque de la gloire et n'agit que par intérêt. C'est pourquoi il ne peut pas être un « grand homme ».

Page 176.

1. *Embrouillamini gentes* : en latin de cuisine, « des affaires bonnes pour embrouiller les gens ».

Page 177.

1. Jeremy Bentham (1748-1832), philosophe et théoricien du droit, défenseur de la liberté individuelle et du laisser-faire économique, publia en 1787 une *Défense de l'usure*, ouvrage dans lequel il réclamait l'abolition du contrôle des taux d'intérêt.

Page 179.

1. *Décliquer*, c'est faire jouer un déclic pour déclencher un mécanisme. Ici, le sens est à peu près celui de « mettre en branle (des idées, une réflexion) ».

2. *Congrûm...* : congrûment, de la manière qui convient exactement.

Page 180.

1. *Aller comme une corneille qui abat des noix* : « *Familièrement*. Y aller de cul et de tête comme une corneille qui abat des noix, s'employer à quelque chose avec zèle, sans doute, mais avec maladresse et sans réflexion » (Littré).

Page 181.

1. *L'argent sans l'honneur est une maladie* : Balzac s'amuse à mettre dans la bouche de des Grassins une citation de Racine (*Les Plaideurs*, I, i, v. 11 : « Mais sans argent l'honneur n'est qu'une maladie »).

2. Lorsqu'un effet est retourné (non payé), le *compte de retour* est le compte qui accompagne ce retour et qui comprend le montant de l'effet protesté plus les frais. Balzac explique en détail cette procédure dans la troisième partie d'*Illusions perdues*.

Page 182.

1. *Ça les taquinerait* : au sens fort de « tracasser », « contrarier ».

Page 184.

1. *Ils fument joliment* : « ils enragent ». Argot des écoles : « Fumer : enrager, s'impatienter, s'ennuyer » (Alfred Delvau, *Dictionnaire de la langue verte*).

Page 185.

1. *Les bâtons flottants de l'actualité* : les illusions trompeuses. Allusion à la fable de La Fontaine « Le chameau et les bâtons flottants » (*Fables*, IV, x).

2. *Berlingot* : « berline coupée, c'est-à-dire à un seul fond » (Littré).

3. *Bellement* : « lentement », « doucement » (archaïque et régional).

Page 186.

1. *Insouciant* : indifférent à ce qui l'entoure.

2. Comme les évêques *in partibus*, dont le diocèse est situé dans des pays non chrétiens, n'ont pas de fonctions réelles, Cornoiller fait fonction de garde sans en avoir réellement les avantages. On sait en effet que l'indemnité qui lui a été promise n'a pas encore été versée (voir ci-dessus p. 168).

3. *Ça porterait trois mille* : trois mille livres, soit à peu près une tonne et demie.

Page 187.

1. *Après l'avoir grossie de l'agio* : c'est-à-dire après avoir ajouté à la somme correspondant à la vente de son or le bénéfice rapporté par la différence entre le cours normal de l'or et le cours plus élevé provoqué à Angers et à Nantes par la pénurie de liquidités.

Page 188.

1. *M. Buisson, tailleur* : il a été déjà question de ce fournisseur (voir p. 95, n. 1). Quant aux carrossiers *Farry, Breilman et Cie*, que Balzac mentionne encore dans *Un début dans la vie*, ils ne figurent dans aucun annuaire de l'époque.

Page 189.

1. *Friands* : « appétissants », « savoureux ».

Page 192.

1. *Venite adoremus [Dominum]* (« Venez, adorons le Seigneur ») est le refrain de l'hymne *Adeste fideles*, chantée pendant la période de Noël.

Page 193.

1. Dans *La Comédie humaine*, *des Lupeaulx* représente l'être immoral par excellence, toujours naviguant dans les bas-fonds de la politique et de la finance, mais doué d'intelligence et d'un certain pouvoir occulte.

2. Henriette *Campan* (1752-1822), première femme de chambre de la reine Marie-Antoinette, dirigea après la Révolution un pensionnat pour jeunes filles de la haute société. En 1807, Napoléon la plaça à la tête de la Maison impériale d'Écouen, destinée à l'éducation des filles des officiers de la Légion d'honneur.

3. Après l'assassinat de *Marat*, ses restes furent transférés au Panthéon (21 septembre 1794). Mais quatre mois après ils en furent retirés pour être inhumés au cimetière Sainte-Geneviève, tandis que son buste était jeté dans un égout de Montmartre.

Page 194.

1. *S'était étendu dans la filière parisienne* : s'était étiré et aminci, comme le métal qui passe dans une filière.

Page 195.

1. *Briton* : nom de cheval très distingué (*briton* : « britannique » en anglais).

Page 196.

1. *Comfortable* : voir la note précédente ; nous sommes toujours dans le registre anglais. Le mot, venu de l'ancien français, avait fait retour en France à la fin du XVIIIe siècle, gardant d'abord son orthographe anglaise.

2. *L'insulaire* : ce personnage est inconnu, mais c'est encore une référence à l'Angleterre. Charles enterre son passé de dandy.

3. *L'époque nommée la Renaissance* : les italiques

soulignent la nouveauté du mot, qui n'a commencé à désigner une période de l'histoire littéraire et artistique qu'à partir de la fin des années 1820.

4. *La fameuse Salamandre royale* : la salamandre, emblème de François Ier, symbolisait l'ardeur amoureuse. Elle sert ici de gardienne du trésor qu'Eugénie s'apprête à céder à Charles, en gage d'amour naissant et de don de soi.

5. *Cannetille* : fil d'or ou d'argent tortillé, servant à orner les travaux de broderie.

6. *Item* : « de même ». Balzac pastiche le style des inventaires notariés.

Page 197.

1. Le *Grand Mogol* était le souverain de l'empire mogol qui s'étendit sur le sous-continent indien du XVIe au XIXe siècle.

2. *Cordon* : « bord façonné qui règne autour d'une pièce de monnaie » (Littré).

Page 198.

1. Il faut distinguer la valeur nominale indiquée sur une pièce de monnaie (ce qu'elle vaut pour un changeur) et sa valeur *conventionnelle*, qui peut être supérieure si la pièce est dans un état exceptionnel, ce qui est le cas ici. C'est pourquoi le trésor d'Eugénie, valant au change 5 800 francs, peut être estimé à 2 000 écus, c'est-à-dire 6 000 francs.

Page 200.

1. *Un surtout de cuir* : une housse. Balzac emploie plus bas le mot de « fourreau ».

2. *Mme de Mirbel* (1796-1849), célèbre miniaturiste, peintre de la maison de Louis XVIII et de Charles X. Elle fit le portrait de nombreux personnages de la haute société à l'époque romantique.

Page 201.

1. *En entendant les mots qu'elle venait de dire à son*

cousin : comprenons qu'Eugénie reconnaît dans la bouche de son cousin la phrase qu'elle-même avait prononcée un peu plus haut : « Eh bien oui, n'est-ce pas ? » (p. 199), signe de l'entente entre les deux jeunes gens et de la naissance de l'amour partagé.

Page 205.

1. *Emboiser* : « engager quelqu'un par des promesses, par des cajoleries, à faire ce qu'on souhaite de lui » (Littré, qui donne le mot comme « populaire et vieilli »).

2. *Dans les gardes françaises / J'avais un bon papa* : Grandet détourne les paroles d'une célèbre chanson du XVIIIe siècle attribuée à Vadé : « Dans les gardes françaises / J'avais un amoureux ». Le remplacement de la figure de l'amoureux par celle du père n'est peut-être pas sans signification, quant à la destinée future d'Eugénie.

3. *Quand Auguste buvait, la Pologne était ivre* : Balzac cite au passage un dicton que tous les lecteurs de l'époque pouvaient reconnaître. Il s'agit d'un vers du roi de Prusse Frédéric II, tiré d'une épître à son frère (1760) : « L'exemple d'un grand prince impose et se fait suivre / Lorsqu'Auguste buvait, la Pologne était ivre. » Voltaire a repris et popularisé ce vers en 1771 dans l'« Épître à l'impératrice de Russie Catherine II », sous la forme « Quand Auguste buvait la Pologne était ivre ». Le « grand prince » dont il est question est le roi de Pologne Auguste II (1670-1733).

Page 206.

1. Balzac joue sur le double sens du mot *drogue* : « médicament », mais aussi plus généralement « ce qui est mauvais en son genre » (Littré), ce qui est de mauvaise qualité.

Page 207.

1. *Primevère* : « printemps, vieilli en ce sens » (Littré).

Page 209.

1. *Fabuleusement* : « dans les fables », c'est-à-dire « dans les œuvres de fiction ».

2. *Auguste Lafontaine* (1758-1831), romancier allemand descendant de huguenots français, fut le prolifique auteur de romans sentimentaux et moralisateurs qui eurent en France un grand succès, comme les *Tableaux* et *Nouveaux Tableaux de famille* (1801-1802). Il composa plus de deux cents romans, dans lesquels, écrit le *Grand Dictionnaire* de Pierre Larousse, il peignit « avec grâce et facilité [...] les scènes naïves et touchantes de la vie de famille ». Pendant toute la période romantique, l'Allemagne est considérée en France comme le pays de la sensibilité et des mœurs simples et vertueuses.

Page 211.

1. *Pour six francs sans déduction* : en principe, le *franc* avait remplacé la livre en 1795, sur la base d'une livre et trois deniers pour un franc. Le franc était donc théoriquement légèrement supérieur à la livre, qui a continué à avoir cours dans certaines provinces, dont l'Anjou. En convertissant des francs en livres sans compensation, Grandet peut donc faire une opération de change profitable. C'est ce qu'il fera aussi plus loin en proposant à sa fille de lui échanger son trésor contre « six mille francs en livres » (p. 233), puis en lui promettant « une bonne grosse rente » de cent francs par mois, « en livres » (p. 261). En pratique, l'ancienne et la nouvelle monnaie sont à la longue revenues à l'égalité et, pendant tout le XIXe siècle, les termes de livre et de franc se sont employés indifféremment.

Page 216.

1. La croix « *à la Jeannette* », était une croix d'or ou d'argent suspendue au cou par un ruban de velours. C'était, dans de nombreuses provinces françaises, le bijou des paysannes.

Page 217.

1. Charles se méprend sur le sens des paroles de Grandet. Il croit que celui-ci accepte de lui donner sa fille en mariage, alors que Grandet ne pense qu'à l'argent. De là le sourire de Cruchot, qui est le seul à comprendre.

2. Grandet achète des titres de cent francs de rente à cinq pour cent alors que la cote est au-dessous du pair, à 80 francs. Il les revendra plus tard au cours de 115 (p. 221). Balzac grossit exagérément les chiffres : quand Grandet achète, en 1819, le cours valait en réalité environ 70 et quand il revend, en 1824, le cours avait dépassé 100 mais n'atteignait pas 115. Voir sur ce point l'article de Pierre-Georges Castex, « L'ascension de Monsieur Grandet », *Europe*, janvier-février 1965, p. 258-259.

3. Balzac laisse entendre que Nanon s'est rendue elle-même à Paris pour apporter, sans savoir ce dont il s'agissait, les fonds nécessaires à l'inscription sur le Grand-Livre de la rente. C'est l'« immense service » dont il est question p. 230.

Page 218.

1. *Protêt* : acte dressé par un huissier à la demande du porteur d'un effet de commerce pour constater que l'effet n'a pas été payé à l'échéance, ou qu'il a été refusé. Un effet protesté est rendu public, d'où la honte attachée à cette action.

2. *François Keller* : le nom de ce célèbre banquier de *La Comédie humaine* n'apparaît que dans l'édition Furne.

Page 220.

1. *Rétorque cette image contre sa créance* : l'expression est peu claire. *Rétorquer*, dit Littré, c'est « tourner contre son adversaire les raisons, les arguments dont il s'est servi ». Balzac veut dire sans doute que le créancier est si changeant qu'il est insaisissable comme l'oiseau que l'enfant croit attraper en lui mettant un grain de sel sur la queue. Mais cette image se retourne contre le créancier lui-même, puisque les variations de son humeur et

de sa conduite rendent sa créance aussi insaisissable pour lui que l'oiseau l'est pour l'enfant.

Page 221.

1. *Douze cent mille francs* : c'est-à-dire à la moitié du montant des dettes de la maison Grandet après la vente des actifs (deux millions quatre cent mille francs). Plus tard, Eugénie paiera l'intégralité de cette somme, plus les intérêts, soit quinze cent mille francs (p. 290).

2. *Frauduleusement* : emploi paradoxal de l'adverbe ; d'habitude, ce sont les banqueroutes qui sont frauduleuses, non les remboursements ! Grandet se moque des créanciers en feignant de ne pas vouloir tromper son neveu en allant contre ses désirs.

3. Dans l'Antiquité romaine, les *fastes* étaient les tables chronologiques où étaient consignés les événements mémorables. Le « sort inouï » auquel fait allusion le romancier est le remboursement intégral, y compris les intérêts, des dettes de son oncle par Eugénie, ce qui est tout à fait inhabituel : « Le payement des intérêts fut pour le commerce parisien un des événements les plus étonnants de l'époque » (p. 292).

Page 222.

1. Ironie du sort : Grandet retire de ses placements une somme équivalente aux dettes de son frère Guillaume.

2. Le *théâtre de Madame* est le nom que prit, entre 1824 et 1830, le théâtre du Gymnase-Dramatique, situé boulevard Bonne-Nouvelle. Il fut appelé ainsi en l'honneur de la duchesse de Berry, qui portait le titre de Madame, traditionnellement attribué à la première princesse du royaume après la dauphine. Florine est une des actrices les plus souvent citées dans *La Comédie humaine*.

Page 223.

1. *Suivant la sublime expression de Bossuet* : dans ses *Méditations sur la brièveté de la vie* (1648) : « Le temps où j'ai eu quelque contentement, où j'ai acquis quelque

bonheur ? mais combien ce temps est-il clairsemé dans ma vie ? c'est comme des clous attachés à une longue muraille, dans quelques distances ; vous diriez que cela occupe bien de la place ; amassez-les, il n'y en a pas pour emplir la main. » Balzac évoque aussi ce passage dans la *Physiologie du mariage* et dans *Albert Savarus*.

Page 226.

1. La *messe militaire* était la dernière messe de la matinée, généralement à midi, à laquelle assistaient les soldats et les officiers de la garnison. Barbey d'Aurevilly parle de cette messe dans *Le Rideau cramoisi*.

Page 227.

1. Les *propres* sont, en droit, les « biens du mari ou de la femme qui n'entrent pas en communauté » (Littré).

Page 228.

1. D'après une croyance populaire, on pouvait apprendre à parler aux oiseaux en leur donnant du *pain trempé dans du vin*. Balzac se souvient de Molière, qui dans *Le Médecin malgré lui* (II, IV), fait dire à Sganarelle : « il y a dans le vin et le pain, mêlés ensemble, une vertu sympathique qui fait parler. Ne voyez-vous pas bien qu'on ne donne autre chose aux perroquets, et qu'ils apprennent à parler en mangeant de cela ? »

2. *Raccommodez votre cuvier* : Balzac adapte les paroles du refrain d'une chanson longtemps célèbre tirée d'un opéra comique en un acte de Nicolas-Médard Audinot (1732-1801), *Le Tonnelier* (1765), musique de Gossec, Philidor et Trial. Le sujet en était tiré d'un conte de La Fontaine, *Le Cuvier*. À la scène XIII, Fanchette chante : « Travaillez, travaillez, bon tonnelier, / raccommodez votre cuvier ».

Page 229.

1. *Rabonir* ou *rabonnir*, « devenir meilleur » : ce verbe vieilli et régional s'emploie surtout en parlant du vin, ce

qui convient particulièrement bien pour un vigneron comme le père Grandet.

Page 230.

1. *Le solde d'un immense service* : voir ci-dessus p. 217, n. 3.

Page 231.

1. *Merluchon* : diminutif de *merluche*, « nom qu'on donne, en général, aux poissons du genre gade, après qu'ils ont été desséchés au soleil ; et, particulièrement, à la morue sèche » (Littré). Si la tonalité de ce terme est nettement péjorative, le sens précis n'est pas clair, le « gros des Grassins » n'étant pas particulièrement desséché... Il y a sans doute ici contamination avec *greluchon*, « amant favorisé secrètement par une femme qui se fait payer par d'autres » (Littré), par allusion à la vie dissolue de des Grassins à Paris, évoquée p. 222, même si le vieux et laid des Grassins est ici celui qui paye !

Page 232.

1. *Je suis tout malingre* : emploi adverbial de « tout », fréquent chez Balzac.

Page 233.

1. *Le mignon* : ironie de Balzac : Grandet emploie pour parler du trésor de sa fille le même terme affectueux dont se sert Nanon à propos de Charles (p. 152, 216, 266). L'amour et l'argent sont en balance, et c'est l'argent qui l'emportera.

Page 235.

1. *J'ai vingt-deux ans* : il est dit plus haut (p. 79) qu'Eugénie a vingt-trois ans.

Page 240.

1. *Eugénie sortit de sa chambre* : inadvertance de Balzac, puisque nous savons que la jeune fille a été enfermée

dans sa chambre, et que son père a donné « un tour de clef » (p. 238).

Page 246.

1. *Contourné* : « tourné de travers, déformé » (Littré).

Page 249.

1. *Par un beau jour de juin* : il y a donc près de six mois que dure la réclusion d'Eugénie, commencée le premier janvier.

2. « Vienne, *arrive qui plante* ! se dit d'une chose qu'on veut faire à tout hasard » (Littré). Le sens de cette expression vieillie est à peu près « advienne que pourra ! ».

Page 250.

1. *Licitation* : terme de droit : « vente aux enchères d'une chose indivise, le plus souvent immobilière, entre co-propriétaires de cette chose, avec ou sans admission d'étrangers » (Littré).

Page 257.

1. *Toutes et quantes fois* : « autant de fois que », locution déjà signalée par Littré comme vieillie.

Page 258.

1. *Au mois d'octobre 1822* : date peu vraisemblable, puisque le médecin, en juin 1820, a prédit que la mort de Mme Grandet aurait lieu « vers la fin de l'automne » de la même année. « 1822 » est une curieuse correction de l'édition Furne, les éditions antérieures portant, plus justement, 1820.

Page 263.

1. *À l'âge de quatre-vingt-deux ans* : Nous savons que Grandet avait quarante ans en 1789 (p. 58) et cinquante-sept ans en 1806 (p. 59). À la fin de 1827, logiquement, il devrait donc avoir au plus soixante-dix-neuf ans et non quatre-vingt-deux, chiffre qui résulte d'une correction de

l'édition Furne, alors que les éditions antérieures portent bien soixante-dix-neuf.

Page 264.

1. Le verbe *transmuter* (qui n'est pas dans Littré) appartient au vocabulaire de l'alchimie et signifie, comme « transmuer » qui est la forme la plus courante, changer un métal vil en un métal plus précieux, or ou argent.

Page 266.

1. Une conversion facultative de la rente de cinq à *trois pour cent* avait eu lieu en 1825. Grandet, qui a vendu en 1824 ses rentes à cinq pour cent (p. 22), a donc acheté à bon marché du trois pour cent, tombé d'abord en dessous du pair, mais dont l'ascension a été plus rapide que celle du cinq pour cent. Il a donc réalisé à nouveau une bonne affaire. Voir Pierre-Georges Castex, article cité, p. 258.

2. *Claire et liquide* : terme de droit : « en parlant de bien et d'argent, net et clair, qui n'est point sujet à contestation » (Littré).

3. *Quoiqu'elle eût cinquante-neuf ans* : l'âge de Nanon n'est pas plus fixé que celui de Grandet ou d'Eugénie. Nous savons qu'elle est entrée au service de Grandet à vingt-deux ans, qu'en 1819 elle est servante depuis trente-cinq ans (p. 74-75). En 1827, date de la mort de Grandet, elle devrait donc avoir soixante-cinq ans. Le chiffre de cinquante-neuf résulte d'une correction de l'édition Furne. Les éditions antérieures portent soixante-trois.

Page 267.

1. « *Sous votre respect* » est une déformation populaire de l'expression « sauf votre respect ».

Page 269.

1. *Porte-queue* : « personne chargée de porter la queue

de la robe d'un grand personnage ou d'une grande dame » (Littré).

Page 273.

1. *Des enfants, des artistes* : curieuse énumération qui montre par son désordre le désordre moral dans lequel Charles est tombé. S'il vend « des artistes », c'est sans doute qu'il s'est fait imprésario, comme il en existait déjà en Amérique — Barnum (1810-1891), par exemple.

2. *Saint-Thomas* : île des petites Antilles, alors possession danoise, faisant maintenant partie des îles Vierges américaines.

Page 274.

1. *Almée* : « danseuse indienne » (Littré).

2. *Sepherd* : Balzac donne dans l'édition Furne une consonance anglo-saxonne au pseudonyme que s'est choisi Charles, qui était, dans les éditions antérieures, Chippart (au sens argotique peut-être trop clair de « voleur »). Sepherd peut être rapproché de l'anglais *shepherd*, « berger », et qualifie péjorativement celui qui traite les êtres humains comme des moutons, et fait le « commerce d'hommes » (p. 273). Il est possible aussi que Balzac se souvienne du nom de Jack Sheppard, fameux voleur anglais pendu en 1724 que ses évasions rendirent célèbre.

3. *Quibuscumque viis* : en latin, « par n'importe quel moyen ».

4. *Marie-Caroline* était le prénom de la duchesse de Berry (1798-1870), épouse du fils de Charles X.

Page 275.

1. Le seigneur du pays de Buch (correspondant au sud du bassin d'Arcachon) était appelé *captal* depuis le Moyen-Âge. Le dernier captal, François Amanieu de Ruat, était mort à Bordeaux en 1803. Le nom d'Aubrion rappelle celui d'un célèbre cru de bordeaux, le Haut-Brion.

2. *Une demoiselle longue comme l'insecte son homonyme* : Balzac veut dire que Mlle d'Aubrion est longue et

maigre comme l'insecte appelé « demoiselle », voisin de
la libellule.

Page 276.

1. *Au mois de juin 1827* : si l'on en croit cette chronologie, Charles est revenu en France avant la mort de Grandet, survenue à la fin de l'année 1827. Eugénie reçoit
donc l'« horrible lettre » de son cousin « au commencement du mois d'août de cette année » (p. 279), soit avant
la mort de son père, ce qui contredit la logique même du
roman. 1827 est une correction de l'édition Furne. Dans
le manuscrit, Grandet meurt « vers le milieu du mois de
janvier 1826 » et, dans les éditions antérieures à Furne,
Charles revient en juin 1826.

Page 277.

1. *Comme les Dreux reparurent un jour en Brézé* : en
1682, Thomas de Dreux, conseiller au Parlement de Paris
et maître des requêtes, échangea avec le Grand Condé la
châtellenie de la La Galissonnière contre la seigneurie de
Brézé, et la famille prit au XVIIIe siècle le nom de Dreux-
Brézé.

Page 281.

1. *Une différence d'âge* : Charles et Eugénie, lors de leur
première rencontre en novembre 1819, ont respectivement vingt-deux et vingt-trois ans. En juin 1827, au
moment du retour de Charles, ils ont donc, si l'on peut se
fier aux calculs souvent flottants de Balzac, à peu près
vingt-neuf et trente ans. La « différence d'âge » dont parle
le romancier n'est donc pas grande. Mais le fait qu'Eugénie soit plus vieille d'un an, et qu'elle approche de la
trentaine, contrevient aux lois généralement admises
dans la bonne société, qui exigent que la femme soit nettement plus jeune que son mari, et qu'elle n'ait pas plus
de vingt ans au moment du mariage. Mlle d'Aubrion, que
Charles va épouser, n'a que dix-neuf ans.

Page 283.

1. *Sur l'air de Non più andrai* : dans *Les Noces de Figaro* de Mozart. Balzac transcrit exactement le rythme du début de cet air célèbre.

2. *Rue Hillerin-Bertin* : nom que porta jusqu'en 1850 la partie de la rue de Bellechasse située au-delà de la rue de Grenelle.

Page 286.

1. *Angarier* : « Vexer, tourmenter » (Littré, qui signale le terme comme vieilli). Balzac écrit « engarrier ».

Page 288.

1. *Huit mille cent francs* : c'est la somme due par Charles à Eugénie, principal et intérêts, telle qu'elle figure dans les éditions antérieures à Furne. Mais Balzac oublie qu'il a corrigé plus haut cette somme dans l'édition Furne, l'arrondissant à huit mille francs nets (p. 283).

Page 289.

1. Tomas *Sanchez*, jésuite espagnol (1550-1610), auteur du traité *De sancto matrimonii sacramento* ([*Du saint sacrement du mariage*], 1603), faisant autorité dans l'Église sur les questions relatives au mariage.

Page 290.

1. *Schleem* : au whist, comme plus tard au bridge, coup consistant à annoncer puis à réussir toutes les levées (grand chelem), ou toutes les levées moins une (petit chelem). À l'époque de Balzac, l'orthographe du mot, venu de l'anglais *slam*, est encore incertaine.

Page 292.

1. *Tout était consommé* : c'est la dernière parole du Christ sur la croix (Jean, 19, 30). De même, le sacrifice d'Eugénie est accompli.

Page 294.

1. *Catacouas* ou *catacois*, déformation par métathèse du nom du cacatois ou cacatoès, sorte de perroquet. On voit que Charles revient des Îles...

Page 295.

1. *La réélection générale*: après la dissolution de la Chambre par Charles X, des élections législatives eurent lieu les 5, 13 et 19 juillet 1830. La nouvelle Chambre, en majorité hostile à Charles X, fut à nouveau dissoute et de nouvelles élections furent annoncées pour les 6 et 13 septembre. Elles n'eurent pas lieu, car entre-temps Charles X avait été renversé par la révolution de Juillet (27, 28 et 29 juillet 1830).

2. *Minuter*: rédiger, en parlant des actes notariés.

3. *Accurante Cruchot*: en latin: «par les soins de Cruchot». C'était la formule employée pour désigner l'éditeur d'un texte annoté.

MODESTE MIGNON. *Édition présentée et établie par Anne-Marie Meininger.*

LA MAISON DU CHAT-QUI-PELOTE, suivi de LE BAL DE SCEAUX, de LA VENDETTA, et de LA BOURSE. *Préface d'Hubert Juin. Édition établie par Samuel S. de Sacy.*

LA MUSE DU DÉPARTEMENT, suivi d'UN PRINCE DE LA BOHÈME. *Édition présentée et établie par Patrick Berthier.*

LES EMPLOYÉS. *Édition présentée et établie par Anne-Marie Meininger.*

PHYSIOLOGIE DU MARIAGE. *Édition présentée et établie par Samuel S. de Sacy.*

LA MAISON NUCINGEN précédé de MELMOTH RÉCONCILIÉ. *Édition présentée et établie par Anne-Marie Meininger.*

LE CHEF-D'ŒUVRE INCONNU, PIERRE GRASSOU et autres nouvelles. *Édition présentée et établie par Adrien Goetz.*

SARRASINE, GAMBARA, MASSIMILLA DONI. *Édition présentée et établie par Pierre Brunel.*

LE CABINET DES ANTIQUES. *Édition présentée et établie par Nadine Satiat.*

UN DÉBUT DANS LA VIE. *Préface de Gérard Macé. Édition établie par Pierre Barbéris.*

GOBSECK ET AUTRES RÉCITS D'ARGENT. *Édition d'Alexandre Péraud.*

Nouvelles isolées

LE CHEF-D'ŒUVRE INCONNU. *Édition d'Adrien Goetz.*

LA FEMME ABANDONNÉE. *Édition de Madeleine Ambrière-Fargeaud.*

DERNIÈRES PARUTIONS

6025   AMBROISE PARÉ : *Des monstres et prodiges*.
Édition de Michel Jeanneret.

6040   JANE AUSTEN : *Emma*. Traduction de l'anglais et
édition de Pierre Goubert. Préface de Dominique
Barbéris.

6041   DENIS DIDEROT : *Articles de l'Encyclopédie*.
Choix et édition de Myrtille Méricam-Bourdet et
Catherine Volpilhac-Auger.

6063   HENRY JAMES : *Carnets*. Traduction de l'anglais
de Louise Servicen, révisée par Annick Duperray.
Édition d'Annick Duperray.

6064   VOLTAIRE : *L'Affaire Sirven*. Édition de Jacques
Van den Heuvel.

6065   VOLTAIRE : *La Princesse de Babylone*. Édition de
Frédéric Deloffre, avec la collaboration de Jacqueline
Hellegouarc'h.

6066   WILLIAM SHAKESPEARE : *Roméo et Juliette*.
Traduction de l'anglais et édition d'Yves Bonnefoy.

6067   WILLIAM SHAKESPEARE : *Macbeth*. Traduction de
l'anglais et édition d'Yves Bonnefoy.

6068   WILLIAM SHAKESPEARE : *Hamlet*. Traduction de
l'anglais et édition d'Yves Bonnefoy.

6069   WILLIAM SHAKESPEARE : *Le Roi Lear*. Traduction
de l'anglais et édition d'Yves Bonnefoy.

6092   CHARLES BAUDELAIRE : *Fusées, Mon cœur mis
à nu et autres fragments posthumes*. Édition
d'André Guyaux.

6106   WALTER SCOTT : *Ivanhoé*. Traduction de l'anglais
et édition d'Henri Suhamy.

6125   JULES MICHELET : *La Sorcière*. Édition de Katrina
Kalda. Préface de Richard Millet.

6140   HONORÉ DE BALZAC : *Eugénie Grandet*. Édition
de Jacques Noiray.

6164   *Les Quinze Joies du mariage*. Traduction nouvelle
de l'ancien français et édition de Nelly Labère.

6205   HONORÉ DE BALZAC : *La Femme de trente ans*.
Édition de Jean-Yves Tadié.

Traduction de l'anglais de Christian Bérubé, révisée par Alain Jumeau. Édition d'Alain Jumeau.